王承略　劉心明　主編

二十五史藝文經籍志考補萃編

第十卷

〔清〕丁國鈞　撰
朱新林　整理

補晉書藝文志

〔清〕文廷式　撰
朱新林　整理

清華大學出版社
北京

圖書在版編目(CIP)數據

二十五史藝文經籍志考補萃編．第10卷/王承略，劉心明主編．—北京：清華大學出版社，2012.4

ISBN 978-7-302-28175-7

Ⅰ.①二…　Ⅱ.①王…②刘…　Ⅲ.①中国历史：古代史－纪传体②二十五史－研究　Ⅳ.①K204.1

中國版本圖書館CIP數據核字(2012)第034888號

責任編輯：馬慶洲
封面設計：曲小華
責任校對：王鳳芝
責任印製：楊　艷

出版發行：清華大學出版社
網　址：http://www.tup.com.cn，http://www.wqbook.com
地　址：北京清華大學學研大廈A座　**郵　編**：100084
社總機：010-62770175　**郵　購**：010-62786544
投稿與讀者服務：010-62776969，c-service@tup.tsinghua.edu.cn
質量反饋：010-62772015，zhiliang@tup.tsinghua.edu.cn
印刷者：清華大學印刷廠
裝訂者：三河市金元印裝有限公司
經　銷：全國新華書店
開　本：148mm×210mm　**印張**：14.125　**字　數**：327千字
版　次：2012年4月第1版　**印　次**：2012年4月第1次印刷
印　數：1～3000
定　價：45.00元

產品編號：040809-01

《二十五史藝文經籍志考補萃編》編纂委員會

目　　録

補晉書藝文志

[清]丁國鈞 撰

朱新林 整理

底本：清光緒間排印《常熟丁氏叢書》本
校本：1955 年中華書局影印《二十五史補編》本

史之有志，所以存一代典章制度。其體與紀傳相表裏，而尤要於紀傳。治乙部者不精研諸志，未足與語史學也。藝文特史志中一體，而上自帝王公卿、儒林文學，下及山林隱逸、釋道士女，畢生精神所寄，胥在此數卷中。然則徵羅羣籍，萃之一編，非作史者當務之急哉。唐以前史志具藝文者，首班史，次隋史，餘俱闕。如此，史家之大失不能無待後人補苴者也。中國吴郡常熟丁先生秉衡鋭意爲《晋書》注，以其暇補《藝文志》四卷，軌轍一準《隋志》。别出《附録》一卷，以受不入録諸書。謹嚴匝備，洵無間然。往於友人處見侯康《補後漢》及《三國藝文》二種，驚爲盛業。今又獲覩是稿，中國史學之盛，彬彬莫與京矣。侯康之書，皆大字自注，蓋懼於無徵不信，然裁以史法，猶留遺憾。先生是《志》，注皆出其令子手，詳簡精要，家學之美，令人歎羨。觀其徵引各書，如《甄正論》、原本《北堂書鈔》、靈佑宫《道藏目録》，皆希世秘笈。體例之善，搜采之博，較侯康二《志》，殆有謂韶謂武之判，必傳於後無疑也。余夙矢禹域之游，斯願果遂，當首訪先生喬梓，親炙言論，訂異地之交，先生其不我遐棄乎？輒贅數言，以當息壤。日本市邨謙士牧序。①

① 原脱“日本市邨謙士”六字，據《二十五史補編》本補。

例　略

四部分目,權輿《中經》。唐修《隋志》,變通益善。後賢譏彈雖多,莫能外也。《晉書》之成,與《隋書》相先後,故斯《志》軌轍一準《隋志》。伐柯取則,無事求遠。劉《略》、班《志》,非所敢知。

斷代著録,首嚴棄取。兹"志"於三國諸人,凡及太始初者,胥加徵采。義熙一朝,作者雖衆,苟易代猶存,即無預斯録。至嵇康、阮籍、二人卒於魏末。陶潛、徐廣,二人卒於宋初。諸著述,一例掇列,似失限斷,則以本書各有專傳故也。

釋、道二家,《隋志》退厠卷末,遠祖《七志》,允稱無間。兹於其徒撰著,標目録附。至傳譯經戒,卷目灝汗,以《大唐内典目録》核之,凡四百五十部,七百七十七卷。一不攔入,小異繩墨,無傷大同。

撰著各家,身入宋魏者,既不入録矣。然有成書尚在晉時者,劉昺諸人是也。有譌書流布,濫入各史志、各家書録者,郭璞諸人書是也。至於書名撰人,缺譌舛複,疑不能證明者,尤難指數,凡斯之類,區以《存疑》、《黜僞》二目,退列《附録》,用備稽攷。

是《志》所録,資隋、唐《志》者十之六,凡一千七十餘種。羣籍十之四,凡六百八十餘種。左右采獲。既懼昧所從出,更訂歧譌,以意進退,尤非言詮弗明。兒子隅坐,時助搜討,爰命條注所出,略及攷證。羅氏《路史》遠有徽猷,遺軌未湮,不嫌唐突。

補晋書藝文志卷一

常熟丁國鈞撰　子辰注

甲部經録

歸藏注十三卷　太尉參軍薛貞。謹按見《隋書·經籍志》。下皆省稱《隋志》。

周易注十卷　散騎常侍干寶。謹按見《隋志》。本書寶傳無卷數。

周易爻義一卷　干寶。謹按見《隋志》。是書《新唐書·藝文志》、《舊唐書·經籍志》,下省稱新、舊《唐志》,或兩《唐志》,不一律。咸佚不載。而《中興書目》、尤氏《遂初堂書目》有之。蓋宣和四年,蔡攸同寶《周易注》上於朝。本元胡一桂《易學啟蒙翼傳》説。① 故得据以著録也。

周易問難二卷　干寶。謹按見《七録》。舊誤題'王氏撰',攷具下條。《七録》不可見。然《隋志》所云梁有者,皆阮氏書也。今更正標目,下倣此。

周易玄品二卷　干寶。謹按見《隋志》。舊脱撰人名。家大人曰:"《册府元龜》言干寶領著作,撰《周易問難》二卷、《周易玄品》二卷、《周易爻義》一卷。則是書實寶所著。《隋志》既誤,以《問難》屬之王氏,于此書又遺其姓氏,疏舛殊甚,今補寶名列此。"

周易宗塗四卷　干寶。謹按見《七録》。

京氏易注　郭琦。謹按見本書琦傳。傳言琦注《穀梁》、《京氏易》

① "易學",原誤作"學易",據盧文弨《補宋史藝文志》、《四庫全書總目提要》乙正。

一百卷,所云卷數,當并指《穀梁》言。朱氏彝尊《經義攷》以百卷專屬之《易注》,疑不足據。《崇文總目》著録,作"三卷"。

周易注十卷　儒林從事黄穎。謹按見《七録》。《隋志》存四卷,兩《唐志》仍十卷。

周易注十卷　驃騎將軍王廙。謹按見《七録》。《隋志》存三卷,兩《唐志》仍十卷,《經典釋文·敘録》下皆省稱《釋文·敘録》。作"十二卷",疑有《録》二卷,并計之也。

周易注十卷　著作郎張璠。謹按見《七録》。是書采集古來説《易》者至二十八家,故《釋文·敘録》、兩《唐志》均作"張璠集解"。《隋志》作"注義",似未當。《唐志》著録是書,仍十卷。《隋志》存八卷。《釋文·敘録》則多二卷,疑亦有《録》二卷,并計之也。璠,安定人,東晉祕書郎,參著作,陸德明云。

周易注十卷　太子中庶子荀煇。謹按見《隋志》。舊題"魏散騎常侍荀煇"。此家大人据張璠《集解·序》改題,《荀氏家傳》《魏志·荀彧傳》注引。亦作"太子中庶子"也。意煇在魏曾官常侍,《易》亦注於彼時,故署題云然。《舊唐志》"煇"作"暉",《新志》又作"輝",要皆形近致誤。煇字景文,《家傳》誤煇爲惲。攷惲字長倩,煇之族祖也,不得混爲一人。朱氏《經義攷》不知"惲"爲"煇"之譌,遂謂煇又字長倩,殊誤。

周易注十卷　蜀才。謹按見《隋志》。《釋文·敘録》引《蜀李書》曰:"范長生,一名賢,自號蜀才。"

周易繫辭注二卷　桓玄。謹按見《隋志》。

周易繫辭注二卷　西中郎將謝萬等。謹按見《隋志》。朱氏《經義攷》云:"雙湖胡氏《易啟蒙翼傳》載,傳注有謝平《繫辭注》二卷。"疑即萬書,字偶誤也。按謝平《易注》,宋以前絶未引及,其爲"萬"字傳譌無疑。

周易繫辭注二卷　太常韓伯。謹按見《隋志》。舊題作"韓康伯",蓋著其字。陳振孫《書録解題》、晁公武《郡齋讀書志》下皆省稱

《讀書志》。均載康伯《易注》三卷，即是書。至《繫辭》正義以康伯爲王弼門人，晁公武亦沿其説，不知弼魏末人，康伯東晋人，時代固遠，不相及也，誤不足据。

周易繫辭注　袁悦之。謹按見《釋文・敘録》。悦之本書有傳。据《王恭傳》及《天文志》、見太元十二年二月戊寅熒惑入月條。《世説新語》、下皆省稱《世説》。《袁氏譜》，知袁本名悦，晋人單名多加之字，故本傳亦作悦之也。

周易旨六篇　李充。謹按見本書充傳。朱氏《經義攷》誤作"周易音"。

周易傳　袁準。謹按見《袁氏世紀》。《魏志・裴潛傳》注引。

周易卦象數旨六卷　樂安亭侯李顒。謹按見《七録》。《通志・藝文略》著録一卷。

周易象論三卷　尚書郎樂肇。謹按見《隋志》。《史記正義》《仲尼弟子列傳》。言："肇字永初，高平人。"《釋文・敘録》則云："字太初，太山人。"不審孰誤。《舊唐志》亦作永初。

周易統略五卷　少府卿鄒湛。謹按見《隋志》。兩《唐志》作"《周易統略論》三卷"。《通志・藝文略》亦有"論"字。

周易論二卷　馮翊太守阮渾。謹按見《隋志》。兩《唐志》有《周易論》二卷，云："阮長成難，阮仲容答。"即是書。張氏《集解》引阮渾、阮咸兩家易義。渾爲長成名，咸爲仲容，名意。即《唐志》所謂"長成難，仲容答"者。《通志・藝文略》作"二阮難答論"。[①] 陸德明曰："渾，籍子，爲易義。"

周易訓注　劉兆。謹按見本書兆傳。

周易論四卷　范宣。謹按見《隋志》。舊但題"范氏撰"。家大人曰："本書《范宣傳》言宣著《禮》、《易論難》，皆行於世。"此書

---

① "難答"，原誤作"答難"，據中華書局點校本《通志・二十略》改。

《隋志》既次在晋代,其爲宣撰無疑。

周易説八卷 范宣。謹按見《七録》。舊但題"范氏撰"。次干寶書上,蓋亦宣書也。

周易卦序論一卷 司徒右長史楊乂。謹按見《隋志》。張氏《集解·序》作"左長史",云乂字玄舒,汝南人。

周易論一卷 荆州刺史宋岱。謹按見《隋志》。《舊唐志》有《易論》一卷,云宋睿宗撰。《新志》作"通易論",屬之宋處宗,即是書。處宗,岱字,"睿"則"處"之訛也。《通志·藝文略》亦作"通易論"。

周易難王輔嗣義一卷 揚州刺史顧夷等。謹按見《七録》。

難王弼易義四十餘條 顧悦之。謹按見《宋書·関康之傳》。在《隱逸傳》。家大人曰:"関傳言,晋陵顧悦之難王弼易義四十餘條,康之申王難顧,遠有情理。"攷悦之字君叔,曾爲揚州别駕,見《世説·言語篇》注。顧愷之父也。所難各條,疑即上所載《七録》之一卷。本揚州刺史顧夷,當爲"揚州别駕顧悦之"之譌文,苦無確据可證,用兩列之。《四庫提要》以悦之爲顧夷字,未審所出。攷顧夷字君齊,吴郡人,辟本州主簿,不就。見《世説·文學篇》注,不言爲揚州刺史。

周易略論一卷 張璠。謹按見《舊唐志》。

周易譜一卷 袁宏。謹按見兩《唐志》。《隋志》脱撰人名。《新唐志》作"譜略"。

周易論一卷 應貞。謹按見《舊唐志》。《新志》、《釋文·敘録》均作"明易論"。

易論 裴秀。謹按見《文章敘録》。《魏志·裴潛傳》注引。

周易注 向秀。謹按是書《七録》以下皆不載。家大人據《世説》注所引《竹林名士傳》著録。秀注即張璠《集解》之本也。

周易張氏義 張軌。謹按張璠《集解》引。見《釋文·敘録》。

周易庾氏義 庾運。謹按張璠《集解》引。見《釋文·敘録》。陸德明云:"運字玄度,新野人,官至尚書。"

周易張氏義 張輝。謹按張氏《集解》引。見《釋文·敘録》。陸德明曰:"輝字義元,梁國人,晋侍中,平陵亭侯。"

周易王氏義 王宏。謹按張氏《集解》引。見《釋文·敘録》。

周易王氏義 王濟。謹按張氏《集解》引。見《釋文·敘録》。

周易衛氏義 衛瓘。謹按張氏《集解》引。見《釋文·敘録》。

周易杜氏義 杜育。謹按張氏《集解》引。見《釋文·敘録》。陸德明曰:"育字方叔,襄城人,國子祭酒。"

周易楊氏義 楊瓚。謹按張氏《集解》引。見《釋文·敘録》。陸德明曰:"瓚,司徒右長史。"

周易邢氏義 邢融。謹按張氏《集解》引。見《釋文·敘録》。

周易裴氏義 裴藻。謹按張氏《集解》引。見《釋文·敘録》。

周易許氏義 許適。謹按張氏《集解》引。見《釋文·敘録》。

周易楊氏義 楊藻。謹按張氏《集解》引。見《釋文·敘録》。

通知來藏往論 宣舒。謹按張氏《集解》引。見《釋文·敘録》。陸德明曰:"舒字幼驥,陳郡人,宜城令。"是書兩《唐志》名"通易象論",而《新志》作"宣聘撰",《舊志》則作"宣駛"。蓋"駛"爲"騁"之譌,"騁"又"舒"之譌也。

易象妙于見形論 孫盛。謹按見本書盛傳。《玉海》列晋易論有盛,是書《經義攷》著録一篇。

周易音一卷 太子前率徐邈。謹按見《隋志》。

周易音一卷 尚書郎李軌。謹按見《隋志》。《釋文·敘録》云:"軌字宏範,江夏人,祠部郎,中都亭侯。"

周易音 袁悦之。謹按悦之傳不言有此書。家大人据《册府元龜》所載著録。

周易解 皇甫謐。謹按見《周易正義》。

通易論一卷 阮籍。謹按見《宋史·藝文志》。元胡一桂曰:"嗣宗《通易論》一卷,凡五篇。”明張溥輯《阮步兵集》載此論一篇,幾三千言。

周易言不盡意論　嵇康。謹按見《玉海》。

周易象不盡意論　殷融。謹按見《晋中興書》。《世説新語·文學篇》注。

右易類,存四十八家,五十五部。

尚書注　李充。謹按見本書充傳。

尚書注十五卷　祠部郎謝沈。謹按見《隋志》。兩《唐志》存十三卷。

尚書集解十一卷　李顒。謹按見《隋志》。《釋文·敘録》作“十卷”,疑李書本有《録》一卷,《隋志》并數之,故云十一卷。上謝氏《注》十五卷,据陸氏《敘録》,亦有《録》一卷也。

尚書注十卷　范寧。謹按見《七録》。《釋文·敘録》作“集解”。

古文尚書舜典注一卷　豫章太守范寧。謹按見《隋志》。

尚書新釋二卷　李顒。謹按見《隋志》。

尚書要略二卷　李顒。謹按見兩《唐志》。是書《隋志》不載,《唐志》與《新志》並著録,知非一書。

尚書義二卷　吴太尉范順問,劉毅荅。謹按見《七録》。本作“范順問,吴太尉劉毅答”。近人侯氏康《三國藝文志補》謂“吴太尉”三字當屬上。《孫皓傳》有太尉范慎,又見《孫登傳》注,即其人也。“順”、“慎”字古通。家大人謂侯氏所攷致確,故据以更正著録。

尚書義疏四卷　樂安王友伊説。謹按見《七録》。兩《唐志》作“釋義”。

尚書逸篇注二卷　徐邈。謹按見《新唐志》。

尚書義問三卷　鄭玄、王肅及孔晁撰。謹按見《七録》。

尚書音五卷　孔安國、鄭玄、李軌、徐邈等撰。謹按見《七録》。陸德明謂,漢人不作音,後人所託。是孔、鄭二家或亦晋人作僞,如僞,孔傳類未可知也。

古文尚書音一卷　徐邈。謹按見《隋志》。

右書類,存九家,十三部。

毛詩注二十卷　謝沈。謹按見《七録》。

毛詩注二十卷　兗州别駕江熙。謹按見《七録》。《釋文·敘録》言:“熙字太和,濟陽人。”

毛詩釋義十卷　謝沈。謹按見《七録》。

毛詩義疏十卷　謝沈。謹按見《七録》。

毛詩譜鈔一卷　謝沈。謹按見《隋志》。舊題“謝氏”,蓋亦沈書。

袁氏詩傳　袁準。謹按見《袁氏世紀》。《魏志·袁涣傳》注引。

袁氏詩注　袁喬。謹按見本書喬傳。

毛詩異同評十卷　長沙太守孫毓。謹按見《七録》。長沙太守,《隋志》集部作“汝南太守”,《釋文·敘録》作“豫州刺史”,標題互異。陸德明謂:“毓字休朗,北海平昌人。”《意林》則云:“毓字仲。”下疑脱一字。亦不相合。此書所評,爲毛、鄭、王肅三家,而朋於王,故有陳統之難。

難孫氏毛詩評四卷　徐州從事陳統。謹按見《隋志》。是書難王申鄭,兩《唐志》均著録。陸德明曰:“統字元方。”

毛詩表隱二卷　陳統。謹按見《七録》。兩《唐志》著録。

毛詩拾遺一卷　郭璞。謹按見《隋志》。是書下舊注云:“梁又有《毛詩略》四卷。”蓋謂《七録》有此書,非指郭氏也。馬氏國翰輯是書序以《毛詩略》亦屬之璞,誤甚。

毛詩辨異三卷　給事中楊乂。謹按見《隋志》。兩《唐志》作“毛詩辨”,無“異”字。

毛詩異義二卷　楊乂。謹按見《隋志》。

毛詩雜義五卷　楊乂。謹按見《七録》。

毛詩釋略　虞喜。謹按見本書喜傳。《册府元龜》作“説毛詩略”,殆聲同而誤。《隋志》於《毛詩拾遺》下注云:“梁有《毛詩略》四卷。”不標撰人,疑即喜是書。

毛詩雜義四卷　江州刺史殷仲堪。謹按見《七録》。

毛詩背隱義二卷　徐廣。謹按見《七録》。

毛詩音二卷　徐邈。謹按見《七録》。家大人曰:“《隋志》又言梁有《毛詩音》十六卷,徐邈等撰。”蓋集各家詩音而徐爲首,故有“等”字。實則邈所著即此二卷也,不再複列。

毛詩音隱一卷　干寶。謹按見《七録》。舊但題“干氏撰”。家大人曰:“《釋文·敘録》言爲詩音者九人,干寶其一。”知即此書,今補寶名著録。

毛詩音　江淳。謹按見《釋文·敘録》。

毛詩音　阮侃。謹按見《釋文·敘録》。陸德明曰:“侃字德恕,陳留人,河内太守。”

右詩類,存十五家,二十一部。

周官禮注十二卷　伊説。謹按見《隋志》。兩《唐志》作“十卷”。

周官禮注十二卷　干寶。謹按見《隋志》。《釋文·敘録》作“十三卷”。

周官禮異同評十二卷　司空長史陳邵。謹按見《隋志》。兩《唐志》有《周官論評》十二卷,云“陳邵駁,傅玄評”,即是書。本書邵傳作“周禮評”。

周官禮駁難四卷　孫略。謹按見《隋志》。

周官駁難三卷　孫琦問,干寶駁,虞喜撰。謹按見《七録》。是書兩《唐志》著録五卷,云“孫略問,干寶答”。頗疑《隋志》“琦”字爲“略”之譌,上四卷本亦作“孫略”也。

周官寧朔新書八卷　燕王師王懋約撰。謹按見《七録》。《舊唐志》

作"司馬伷序,王懋約注"。《新志》亦作"注"。《七録》"撰"字疑有譌,不足据。本書琅邪武王伷字子將,起家爲寧朔將軍,此書疑伷仿《周官》爲之,故曰《新書》。《新唐志》直目爲《司馬伷周官寧朔新書》,當自有据。

周官傳 袁準。謹按見《袁氏世紀》《魏志·袁涣傳》注。

喪服經傳注一卷 給事中袁準。謹按見《隋志》。本書準傳但言注《喪服經》,無"傳"字。《舊唐志》作"喪服紀",《新志》則作"儀禮注",蓋誤以所注《喪服》爲全書注也。《通志·藝文略》於《儀禮》全書注及《喪服》注兩列準書,尤爲複誤。

集注喪服經傳注一卷 廬陵太守孔倫。① 謹按見《隋志》。《釋文·敘録》:"倫字敬序,會稽人,東晋廬陵太守。"是書蓋集衆家注。《舊唐志》作"喪服紀注",《新唐志》誤作"儀禮注"。《通志·藝文略》於《儀禮》注、《喪服》注兩列其名,複誤同上。

喪服經傳注一卷 陳銓。謹按見《隋志》。《釋文·敘録》云:"銓,不詳何人。"攷《通典》《禮》一。引晋明禮諸人,次銓于賀循、任愷下,孔倫、劉逵、摯虞上,則銓當爲西晋人。是書《舊唐志》省作"喪服注",《新志》則誤爲"儀禮注"。《通志·藝文略》于《儀禮》注、《喪服》注兩列之,複誤同上。

喪服要集二卷 杜預。謹按見《隋志》。兩《唐志》作"《喪服要集議》三卷"。原本《北堂書鈔》以下或省稱《書鈔》。葬類引作"喪服要記",與下劉逵書同名,疑譌,不足据。据本書《禮志》,此書蓋預命博士段暢所撰集。

喪服儀一卷 衛瓘。謹按見《隋志》。

喪服要記二卷 侍中劉逵。謹按見《七録》。

喪服要六卷 賀循。謹按見《七録》。朱氏《經義攷》云:"《舊唐志》十卷。"蓋誤以庾蔚之注之《喪服要記》十卷當之也,不

① "廬"原作"盧",據《二十五史補編》本改。下同。

足据。

喪服要記十卷　賀循。謹按見《隋志》。兩《唐志》載循《喪服要記》凡二一五卷,爲謝微所注。一十卷爲庾蔚之所注。《新志》亦作五卷,疑有亡佚。此云十卷,頗疑即庾氏注本。然《隋志》於循是書下,又言梁有《喪服要記》,宋庾蔚之注,則此十卷者,非庾氏注明矣。疑此係謝微所注本,續有散佚,故兩《唐志》衹存五卷耳。至《禮記正義·序》言爲《義疏》者,南人有賀循、賀瑒,据《隋志》所列賀書,並無《義疏》之目,知即是書,孔氏漫稱爲《義疏》也。

喪服譜一卷　賀循。謹按見《隋志》。

喪服譜一卷　蔡謨。謹按見《隋志》。

喪服要略一卷　太子博士環濟。謹按見《隋志》。濟有《帝王要略》十二卷見《隋志》史部。舊注云:"記帝王及天官、地理、喪服。"然則此書本在濟書十二卷内,後人録出别行,故《隋志》亦著於録也。

喪服變除一卷　葛洪。謹按見《隋志》。

喪服釋疑論　劉智。謹按見本書智傳。《七録》有《喪服釋疑》二十卷,孔智撰。國朝余蕭客《古經解鈎沉》謂"孔"爲"劉"之譌,所攷致確,即是書也。

喪紀禮式　杜襲。謹按見《華陽國志》襲本傳。

喪服圖　譙周。謹按《御覽》卷五百四十引,《通典》八十一。又引《周縗服圖》,應是一書。喪服其大名縗服,則喪服中之一端也。又九十九。引《周集圖》,亦當即此書。

喪服雜記二十卷　伊説。謹按見《七録》。舊題"伊氏"。家大人謂:"即注《周官》之伊説。"用補説名著於録。

喪服圖一卷　崔游。謹按見兩《唐志》,亦見本書遊傳。《隋志》誤"游"爲"逸",不可據。

凶禮一卷　孔衍。謹按見《隋志》。《通志·藝文略》誤作“孔傅”。

禮記寧朔新書注二十卷　王懋約。謹按見《七録》。《隋志》存八卷，兩《唐志》仍二十卷。

禮論答問九卷　范甯。謹按見《舊唐志》。

禮雜問十卷　范甯。謹按見《隋志》。兩《唐志》作“禮問”，云九卷。

禮難十二卷　益壽令吴商。謹按見《七録》。

雜議十二卷　益壽令吴商。謹按見《七録》。兩《唐志》作“《雜禮義》十一卷”，《舊志》云“吴商等撰”。《隋志》於是書下云：“又有《禮議雜記故事》十三卷，《雜事》二十卷。”“又”字係指《七録》言。嚴可均《全晋文》目録及馬國翰輯此書序，皆以二書亦爲商作，蓋誤意“又”字承此書言也，失之不攷。

問禮俗十卷　董勛。謹按見《隋志》。勛，魏人，入晋爲議郎。《隋志》題“魏人”，誤。

雜祭法六卷　司空中郎盧諶。謹按見《七録》。《唐志》入儀制類。《通志·藝文略》有《雜儀注》六卷，當即此書。《御覽》屢引是書，無“雜”字。《書鈔》百三十三薦舉類引諶此書，亦無“雜”字。

祭典三卷　范汪。謹按見《七録》。《唐志》入史部儀注類。諸書有引汪《祠法》者，見《御覽》引書目。有引汪《祠制》者，《書鈔》百五十春類。有引汪《祀禮》者，蓋此書之篇目也。

後養議五卷　干寶。謹按見《七録》。《隋志》注於是書上云：“又《七廟議》一卷。”“又”字指《七録》言。馬氏國翰輯此書序，以《七廟議》亦爲寶書，誤甚。

雜鄉射等議三卷　庾亮。謹按見《七録》。《通典》：“晋咸康五年，征西，庾亮行鄉射之禮，依古周制，親執其事，洋洋有洙泗之風。”是書當成於彼時。

禮論難　范宣。謹按見本書宣傳。

禮論答問八卷　徐廣。謹按見《隋志》。兩《唐志》作“禮論問答”。朱氏竹垞引阮孝緒言曰：“廣撰《禮答問》五十卷。”今以此書連下三書計之,凡三十六卷,知亡佚多矣。《宋書》廣傳言:"廣《答禮問》百餘條用於今。""條"字疑有譌。

禮論答問十三卷 徐廣。謹按見《隋志》。

禮答問四卷 徐廣。謹按見《七録》。

禮答問十一卷 徐廣。謹按見《七録》。《隋志》存二卷。

五禮駁 孫毓。謹按《通典》五十八禮類十八。引。

葬禮 賀循。謹按原本《書鈔》、《通典》、《御覽》均引。

約禮記十篇 王長文。① 謹按見《華陽國志》長文傳。

理通論 董景道。謹按見本書景道傳。

三禮吉凶宗紀 范隆。謹按見本書隆傳。

夏小正注 郭璞。謹按見葛洪《神仙傳》。

周禮音一卷 徐邈。謹按見《釋文·敘録》。

禮音三卷 劉昌宗。謹按見《隋志》。《釋文·敘録》作"《周禮音》一卷"。

周禮音一卷 李軌。謹按見《釋文·敘録》。

周禮音一卷 聶熊。謹按見《釋文·敘録》。家大人曰:"舊題聶氏,不詳何人。"近馬氏國翰輯存一卷,謂即《晋書》之聶熊,其説致確,据以著録。

儀禮音一卷 袁準。謹按見《舊唐志》。

儀禮音一卷 劉昌宗。謹按見《七録》。《釋文·敘録》亦著録。

儀禮音一卷 李軌。謹按見《七録》。《釋文·敘録》亦著録。

禮記音二卷 蔡謨。謹按見《七録》。《釋文·敘録》亦著録。

禮記音二卷 安北諮議參軍曹躭。謹按見《七録》。《釋文·敘録》云:"耽字愛道,東晋譙國人。"曾官博士,見《通典》五十八卷。又爲尚書郎。見《通典》九十卷。

---

① 原誤作"文長",據《華陽國志·後賢志》王長文傳乙正。

禮記音二卷 國子助教尹毅。謹按見《七録》。兩《唐志》仍著録二卷,《釋文·敘録》作“十卷”,云:“毅,東晋天水人。”

禮記音二卷 李軌。謹按見《七録》。兩《唐志》仍著録二卷,《釋文·敘録》則作“三卷”。

禮記音二卷 范宣。謹按見《七録》。《釋文·敘録》亦著録。

禮記音三卷 徐邈。謹按見《七録》。兩《唐志》、《釋文·敘録》均著録。

禮記音一卷 孫毓。謹按見《七録》。《釋文·敘録》亦著録。

禮記音一卷 繆炳。謹按見《七録》。《釋文·敘録》亦著録。

禮記音一卷 謝楨。謹按見《釋文·敘録》。家大人曰:“《七録》有射貞《禮記音》一卷,即此謝楨,轉録傳譌,脱漏偏旁耳。”又按“射”即“謝”字之改,見《廣韻》四十禡射字注。

禮記音義隱一卷 謝氏。謹按見《隋志》。家大人曰:“謝氏即上之謝楨,盧氏抱經云然。”今据以著録。

禮記音五卷 劉昌宗。謹按見《七録》。

右禮類,存四十二家,六十四部。

琴操三卷 孔衍。謹按見《隋志》。《新唐志》作“一卷”。

樂論 阮籍。謹按見《御覽》引書綱目。《漢書·五行志》注亦引。

樂論 裴秀。謹按見《文章敘録》。《魏志·裴潛傳》注。

聲無哀樂論 嵇康。謹按見本書康傳。

右樂類,存四家,四部。

春秋條例二十卷 劉寔。謹按見本書寔傳。《隋志》著録十一卷,兩《唐志》十卷。《新唐志》又有寔《左氏牒例》二十卷,當是複誤,詳《附録》内。

春秋經例十二卷 方範。謹按見《七録》。

春秋釋難三卷 護軍范堅。謹按見《七録》。

春秋旨通十卷 王述之。謹按見《隋志》。

春秋序論二卷　干寶。謹按見《隋志》。《新唐志》作"一卷"。《册府元龜》作"三卷"。

春秋釋疑　氾毓。謹按見本書毓傳。

春秋墨説　郭瑀。謹按見本書瑀傳。

春秋經傳注　虞溥。謹按見本書溥傳。《册府元龜》譌作"注春秋經傳序"。

春秋釋滯十卷　尚書左丞殷興。謹按見《七録》。兩《唐志》著録,《通志・藝文略》作"左氏釋滯"。

春秋釋例十五卷　杜預。謹按見《隋志》。家大人曰:"本書預傳言預又作《會盟圖》、《春秋長曆》,《通志・藝文略》並載預《地名譜》一卷、《小公子譜》六卷。"即《春秋世譜》。實皆是書中之篇目也,今存三十篇。

春秋左氏經傳集解三十卷　杜預。謹按見《隋志》。

春秋左氏傳評二卷　杜預。謹按見《隋志》。

春秋左氏傳義注十八卷　孫毓。謹按見《隋志》。兩《唐志》作"三十卷",《釋文・敘録》作"二十八卷"。

春秋左氏傳賈服異同略五卷　孫毓。謹按見《隋志》。

春秋左氏經傳通解四卷　王述之。謹按見《隋志》。

春秋左氏函傳義十五卷　干寶。謹按見《隋志》。《舊唐志》作"春秋義函傳",《新唐志》作"春秋函傳",並十六卷。本書寶傳言寶有《春秋左氏義外傳》,即是書。

集解春秋序一卷　劉寔等。謹按見《隋志》。

春秋土地名三卷　裴秀客京相璠等撰。謹按見《隋志》。璠,爵里無攷。《水經注》云:"京相璠與裴司空修《晋輿地》,作《春秋地名》。"《隋志》云:"璠等撰。"蓋非出一人之手,以之爲主,故題璠名。《唐志》直題"京相璠",删去"等"字,殊誤。

春秋古今盟會地圖一卷　杜預。謹按見《七録》。家大人曰:"是書亦作《古今春秋盟會圖》,《七録》複出,均不載撰人名,實即杜氏書也，本在《釋例》中。名《古今書春秋盟會圖》。蓋當時别出單行者。”觀預傳言又作《盟會圖》云云，知是篇孤行久矣，今補預名著録。

姓族左傳鈔 巴西黄容。謹按見《華陽國志》容傳。

春秋公羊經傳注十三卷 散騎常侍王愆期。謹按見《隋志》。

春秋公羊傳注十二卷 河南太守高龍。謹按見《七録》。《釋文·敘録》云：“龍字文，缺一字。東晋范陽人。”兩《唐志》“傳注”作“傳記”，“龍”作“襲”。

春秋公羊傳集解十四卷 孔衍。謹按見《七録》。

公羊春秋注 王接。謹按見本書接傳。

春秋公羊論二卷 庾翼問，王愆期荅。謹按見《七録》。《新唐志》作“公羊難答論”。

春秋公羊達義三卷 劉寔。謹按見《七録》。兩《唐志》作“違義”，云劉寔撰，劉晏注。是書《舊唐志》複出。

穀梁傳注十卷 堂邑太守張靖。謹按見《七録》。兩《唐志》作“集解”，凡十一卷。靖于太始時，曾官尚書博士，見《通典》卷八十二。

春秋穀梁傳注十三卷 給事中徐乾。謹按見《七録》。《釋文·敘録》云：“乾字文祚，東晋莞人。”兩《唐志》皆著録。《通志》十二卷。

春秋穀梁傳集解十卷 胡訥。謹按見《七録》。《册府元龜》六百五。言荀訥撰《左氏音》四卷、《集解穀梁》十卷，不作“胡訥”。以《釋文·敘録》攷之，知荀訥僅有《左氏音》，此《集解》實胡氏書也，二人同名。《册府元龜》誤並屬之荀訥耳，不足据。《通典》禮類多載荀訥議，蓋深於禮者，惜其著述不傳。

春秋穀梁傳十六卷 程闡撰。謹按見《隋志》。兩《唐志》作“經傳集注”，《隋志》“撰”字顯誤。

春秋穀梁傳十四卷 孔衍撰。謹按見《隋志》。兩《唐志》作“訓注”,均十三卷,此“撰”字誤題。

春秋穀梁傳注十二卷 徐邈。謹按見本書邈傳。《隋》、《唐志》亦著録。

春秋穀梁傳義十卷 徐邈。謹按見《隋志》。《舊唐志》作“十二卷”。

春秋穀梁傳集解十二卷 范甯。謹按見《隋志》。《釋文·敘録》、兩《唐志》均作“集注”。

答春秋穀梁義三卷 徐邈。謹按見《隋志》。

春秋穀梁傳例一卷 范甯。謹按見《隋志》。

春秋穀梁傳鄭氏説一卷 鄭嗣。謹按嗣《説》,《隋》、《唐志》皆不載,亦不詳嗣爲何人。以范甯《穀梁集解》攷之,當是甯父汪門生故吏,當時亦有撰著,而名不及江、徐,故《志》佚之也。馬氏國翰所攷如是,馬有輯本,家大人据以著録。

春秋穀梁廢疾箋三卷 張靖。謹按見《隋志》。《舊唐志》作“張靖成箴”,“成”、“箴”二字皆“箋”字之譌。《新志》作“張靖成”,亦“箋”字之譌。

穀梁注 聶熊。謹按見本書《石虎載記》。熊官至中書監,後臣慕容儁,官祕書監,清河人也。附《載記·韓恒傳》。

春秋穀梁傳十四卷 孔君指訓。謹按見《七録》。《隋志》存五卷。家大人曰:“孔君,不詳何人。”余蕭客《古經解鈎沉》二十二。引孔晁《指訓》,言陽氣伏於陰下,見迫於陰,故不能升,以至地動,云出《春秋本義》,[①]是則孔君爲晁無疑。

穀梁傳注 郭琦。謹按見本書琦傳。

穀梁傳注 劉瑶。謹按見《穀梁義疏》。楊士勛曰:“魏晋以來,注

---

① “義”上原衍“疑”,《二十五史補編》本同,據余蕭客《古經解鈎沉》删。按《春秋本義》,程端學撰。

《穀梁》者有尹更始、唐固、麋信、孔衍、江熙、徐仙民、程闡、劉瑶、胡訥。"故知瑶亦東晋人也。

問穀梁義四卷 薄叔元。謹按見《七録》。《隋志》存二卷。叔元,未詳何人,蓋與甯同時治《穀梁》之學者。

春秋三傳十二篇 王長文。謹按見《華陽國志》長文傳。

春秋公羊穀梁二傳評三卷 江熙。謹按見《隋志》。舊脱撰人,家大人据兩《唐志》補。

春秋公羊穀梁傳十二卷 博士劉兆。謹按見《隋志》。本書兆傳言,著《春秋調人》七萬餘言,又爲《春秋左氏解》,名曰《全綜》。《公羊》、《穀梁》解詁,皆納經傳中,朱書以别之。《隋志》惟著録是書,蓋合《全綜》爲一也。《舊唐志》載兆《春秋公羊穀梁左氏集解》十一卷,《新志》載兆《三家集解》十一卷,即此書,而較《隋志》又少一卷。

春秋三傳集解 氾毓。謹按見本書毓傳。

春秋集三傳師難三卷 胡訥。謹按見《七録》。兩《唐志》著録。

春秋集三傳經解十卷 胡訥。謹按見《七録》。兩《唐志》作"十一卷"。

春秋三傳評十卷 胡訥。謹按見《隋志》。

春秋外傳國語注二十卷 孔晁。謹按見《隋志》。

春秋左氏傳音三卷 杜預。謹按見《七録》。舊題作"《服虔杜預音》三卷",虔下蓋奪"一卷"二字。服《音》一卷,杜《音》三卷,《釋文·敘録》、《舊唐志》均著録,可證。《册府元龜》作"一卷"。

春秋左氏傳音 曹耽。謹按見《七録》。

春秋左氏傳音三卷 嵇康。謹按見《隋志》。

春秋左氏傳音三卷 李軌。謹按見《隋志》。兩《唐志》作"李洪範",亦作"宏範"。軌之字也。

春秋左氏傳音三卷 徐邈。謹按見《隋志》。兩《唐志》誤作"孫邈”。

春秋公羊音一卷 李軌。謹按見《七録》。《釋文・敘録》亦著録。

春秋公羊音一卷 徵士江淳。謹按見《七録》。《釋文・敘録》亦著録。

穀梁音一卷 徐邈。謹按見兩《唐志》。《七録》脱撰人名。

春秋左氏音四卷 尚書佐人郎胡訥等。謹按見《七録》。兩《唐志》亦著録,而“胡訥”作“荀訥”,《釋文・敘録》同,皆無“等”字。

春秋穀梁傳四卷 張、程、孫、劉四家集解。謹按見《隋志》。舊注云:“殘缺。”朱氏《經義攷》謂:“四家當是張靖、程闡、孫毓、劉瑶。”所攷致確,蓋皆東晋人也。

右春秋類,存四十家,六十二部。

孝經注 虞喜。謹按見本書喜傳。

集解孝經一卷 謝萬。謹按見《隋志》。兩《唐志》作“謝萬注”。

孝經注 庾氏。謹按見《釋文・敘録》。陸氏云:“未詳何人。”

集議孝經一卷 東陽太守袁宏。謹按見《隋志》。舊題“袁敬仲”。家大人曰:“袁宏爲東陽太守,見本傳。”《釋文・敘録》載此書,亦作“袁宏”。宏字彦伯,而《隋志》作“敬仲”者,袁名與衛宏同,遂誤以衛字被之也。《隋志》於《正始名士傳》下亦云:“袁敬仲撰。”誤與此同,兹爲更正,著於録。朱氏《經義考》既据《隋志》列袁敬仲《孝經注》,又据《釋文・敘録》列袁宏《孝經注》,殊爲複誤。

孝經注一卷 給事中楊泓。謹按見《七録》。《釋文・敘録》云:“泓,東晋天水人。”

孝經注一卷 處士虞槃佐。謹按見《七録》。《舊唐志》亦著録。《釋文・敘録》云:“槃佐字弘猷,高平人,東晋處士。”邢氏《孝經疏・序》述注家列槃佐於西晋時,蓋誤。《疏》作“槃佑”,蓋“佐”字之譌。

孝經注一卷 孫氏。謹按見《七録》。家大人曰:"邢《疏》述注《孝經》諸人,列孫氏於東晋,與《七録》同。"陸德明謂:"孫氏,不詳何人,知名佚已久。"朱竹垞以《唐志》孫熙《孝經》當此孫氏。攷熙,魏人,《七録》别有魏時孫氏,《孝經》一卷乃熙書。此孫氏係晋人,時代遥隔,不能比而同之也。至《崇文總目》有孫昶《孝經集解》一書,係"荀昶"之譌。攷具附録中《集議孝經》條。或據誤文謂即此孫氏,亦攷之未審。

孝經注一卷 東陽太守殷仲文。謹按見《七録》。《舊唐志》著録。

孝經注一卷 晋陵太守殷叔道。謹按見《七録》。《舊唐志》著録。《册府元龜》云:"叔道爲東陽太守,注《孝經》一卷。"

孝經注一卷 丹陽尹車胤。謹按見《七録》。

孝經講義四卷 車胤等撰。謹按見《舊唐志》。《新志》無"等"字。攷本書胤傳,孝武帝嘗講《孝經》,謝安侍坐,陸納侍講,卞耽執讀,謝石、袁宏執經,胤與王混摘句,此四卷本當撰於彼時,非胤一手所成。《舊志》"等"字自不可删,與上胤所注一卷本亦復各别也。

孝經注謝安。謹按見《孝經正義》。本書言孝武帝講《孝經》,安與袁宏諸人同預其事,意此注當成于彼時。

孝經注 王獻之。謹按見《孝經正義》。

元帝孝經傳 謹按是書朱氏《經義攷》著録,載帝序文四十餘字。

穆帝時孝經一卷 謹按見《七録》。

孝武帝總章館孝經講義一卷 謹按見《七録》。

孝經錯緯 郭瑀。謹按見本書瑀傳。互見讖緯類。

右孝經類,存十二家,失名五家,十七部。

論語注六卷 衛瓘。謹按見《隋志》。舊注云:"晋八卷。"

論語注十卷　譙周。謹按見《七録》。

論語集解　鄭冲。謹按見本書冲傳。是書冲與孫邕、曹羲、荀顗、何晏等共集。

論語旨序三卷　衛尉繆播。謹按見《隋志》。《唐志》存二卷。

論語繆氏説　繆協。謹按是書《七録》、《隋》、《唐志》、《釋文·敘録》皆不載。家大人据皇侃《論語義疏》所引著録。

論語體略二卷　太傅主簿郭象。謹按見《隋志》。

論語隱一卷　郭象。謹按見《七録》。

論語集義十卷　尚書中兵郎崔豹。謹按見《七録》。《隋志》八卷,《釋文·敘録》云:"豹字正熊,燕國人。"兩《唐志》作"論語大義解"。

論語注十卷　著作郎李充。謹按見《隋志》。《史記索隱》《仲尼弟子列傳》。引作"論語解"。

論語讚九卷　虞喜。謹按見《隋志》。兩《唐志》皆十卷。《册府元龜》作"《注論語》九卷"。

新書對張論十卷　虞喜。謹按見《七録》。

集解論語十卷　廷尉孫綽。謹按見《隋志》。《釋文·敘録》稱"集注"。

論語注十卷　盈氏。謹按見《七録》。兩《唐志》均作"論語集義"。家大人曰:"盈氏名字雖無攷,然《隋》、《唐志》均次在晋代諸人中,則其爲晋人無疑。"

集解論語十卷　兖州别駕江熙。謹按見《隋志》。是書集取衛瓘等説,凡十三家。《釋文·敘録》作"十二卷",疑有《録》二卷,并記之也。

論語注　范甯。謹按江氏《集解》引。見皇侃《論語義疏·序》。家大人曰:"是書《隋志》不著録,而别有范廙《論語别義》十卷。晁氏《讀書後志》謂'范廙'或'范甯'之譌,其言頗可据信。"今廙書不再列入。

論語注　王珉。謹按江熙《集解》引。見皇侃《論語義疏·序》。

論語注　江淳。謹按江熙《集解》引。見皇侃《論語義疏·序》。《中興書目》作"江厚",蓋避宋光宗諱改。

論語注　周懷。謹按江熙《集解》引。見皇侃《論語義疏·序》。

論語注　蔡謨。謹按江熙《集解》引。見皇侃《論語義疏·序》。

論語注　袁宏。謹按皇侃《義疏·序》稱江熙集《論語》十三家,有晋江夏太守陳國袁宏,字叔度。馬氏國翰謂宏不字叔度,亦未爲江夏守,必"袁喬"之誤。家大人曰:"馬説似可信,然喬字彦叔,亦不字叔度,則仍未能吻合也。"疑此字叔度者,當時别有其人,非本書列傳之袁宏,俟更詳之。

論語注十卷　國子博士梁覬。謹按見《七録》。兩《唐志》亦著録。《釋文·敘録》云:"覬,東晋天水人。"

論語注十卷　孟釐。謹按見《七録》。兩《唐志》存九卷。家大人曰:"孟釐,《釋文·敘録》作'孟整',云一作'孟陋'。"《册府元龜》學校部所載同。攷本書《孟陋傳》言陋博學多通,注《論語》行於世。然則此注實出陋手,"整"殆"陋"之别名,如李宓之一名虔也。至《七録》"釐"字當爲"整"字形近傳譌。

論語注十卷　益州刺史袁喬。謹按見《七録》。兩《唐志》著録。

論語注十卷　尹毅。謹按見《七録》。兩《唐志》著録。

論語注十卷　司徒左長史張憑。謹按見《七録》。《新唐志》有張氏《論語注》十卷,列尹毅名下,即此書。

論語注十卷　楊惠明。謹按見《七録》。兩《唐志》俱作"《論語義注》十卷"。"楊",《唐志》作"暢",或又作"陽"。

論語釋一卷　張憑。謹按見《隋志》。

論語釋疑十卷　尚書郎欒肇。謹按見《隋志》。《釋文·敘録》亦作"釋疑"。《史記正義》則引作"論語疑釋",兩《唐志》并無

"疑"字。

論語駁序二卷　欒肇。謹按見《七録》。兩《唐志》均無"序"字,《史記正義》《仲尼弟子列傳》。所引同。

論語藏集解一卷　應琛。謹按見《七録》。

論語釋一卷　曹毗。謹按見《七録》。

論語君子無所爭一卷　庾亮。謹按見《七録》。

論語釋一卷　李充。謹按見《七録》。

論語釋一卷　庾翼。謹按見《七録》。

論語釋一卷　王濛。謹按見《七録》。

論語釋一卷　蔡系。謹按見《七録》。

論語釋一卷　張隱。謹按見《七録》。

論語通鄭一卷　郄原。謹按見《七録》。

論語注　宋纖。謹按見本書纖傳。《册府元龜》:"纖爲張祚太子太傅,明究經緯,注《論語》及爲《詩》頌數萬言。"

論語解　殷仲文。謹按見皇侃《論語義疏》。

論語音二卷　徐邈等撰。謹按見《七録》。

古論語義注譜一卷　徐氏。謹按見《七録》。舊無撰人名。家大人曰:"《舊唐志》次是書于徐邈《論語音》下,《新唐志》次在晋代諸人中,蓋徐氏即邈也。"

爾雅注五卷　郭璞。謹按見《隋志》。《舊唐志》存三卷,《新志》存一卷。

爾雅音義一卷　郭璞。謹按見兩《唐志》。《七録》作"《爾雅音》二卷",蓋連孫炎一卷計之。《釋文·敘録》亦作"一卷"。《通志》則作"《爾雅音略》二卷",譌不足据。

爾雅圖十卷　郭璞。謹按見《隋志》。兩《唐志》作"一卷",《隋志》"十"字疑有譌誤。

爾雅圖讚二卷　郭璞。謹按見《七録》。《釋文·敘録》亦著録。兩

《唐志》有江灌《爾雅讀》一卷、《爾雅音》一卷，乃隋時人，非本書列傳之江灌也。《經義攷》次在晋代，誤。

小爾雅略解一卷 李軌。謹按見《隋志》。《舊唐志》誤作"李軌撰"。

方言注十三卷 郭璞。謹按見《隋志》。

五經音十卷 徐邈。謹按見《隋志》。本書邈傳作"五經音訓"。

五經然否論五卷 散騎常侍譙周。謹按見《隋志》。《蜀志·秦宓傳》引《周春秋然否論》，蓋即是書中之一經。

五經鈎沉十卷 高涼太守楊方。謹按見《隋志》。是書据方《自序》，見《中興書目》。蓋撰於太寧元年，《初學記》廿九。引作"五經鈎淵"，《白帖》九十六。引作"五經鈎深"。《舊唐志》同。《崇文總目》存五卷，而誤"方"爲"芳"。

五經大義三卷 戴逵。謹按見《隋志》。原本《書鈔》地部曾引戴逵《雜義》，即是書。

五經通論 束晳。謹按見本書晳傳。是書《隋》、《唐志》不載，《册府元龜》依本傳列其目，卷數未詳。

五經異同評 徐苗。謹按見本書苗傳。

謚法三卷 荀顗演，劉熙注。謹按見兩《唐志》。《隋志》作"劉熙撰"，當有脱誤。本書《禮志》載太尉荀顗上《謚法》事，當即此書。

謚法二卷 張靖。謹按見《唐六典》太常博士注。

右論語類，存四十五家，失名一家，五十六部。

王子年歌一卷 王嘉。謹按見《七録》。《南齊書·祥瑞記》屢引。

金雄記一卷 郭文。謹按見《七録》。《南齊書·祥瑞記》引。

孝經錯緯 郭瑀。謹按見本書瑀傳。互見孝經類。

右讖緯類，存三家，三部。

三蒼注三卷　郭璞。謹按見《隋志》。兩《唐志》俱作"郭璞解",《文選注》作"三倉解詁"。馬氏國翰輯此書,敘謂《隋志》有璞《三倉解詁》三卷。蓋誤以《文選注》爲《隋志》。《舊唐書》言李軌等撰,郭璞解。"李軌"蓋"李斯"之誤。

吴章二卷　陸機。謹按見《隋志》。

小學篇一卷　下邳内史王義。謹按見《隋志》。家大人曰:"《颜氏家訓·書證篇》引作"小學章"。兩《唐志》不載義書,而别出王羲之《小學篇》一卷,蓋誤"義"爲"羲之"也。郭忠恕《佩觿·序》云:"軍陳爲陳,始於逸少。"則又承《唐志》之誤,今義之書不入録。

文字要記三卷　王義。謹按見《七録》。兩《唐志》有《文字要説》一卷,王氏注即此書,而佚去二卷。《通志·藝文略》分爲二,蓋誤。

少學九卷　楊方。謹按見《隋志》。兩《唐志》作"《小學集》十卷"。

發蒙記一卷　著作郎束晳。謹按見《隋志》。《玉燭寶典》引此《記》"腐木爲熒火"句下注,云:"熒火生爛木。"是此《記》有注,其爲晳所自爲,與後人所爲,皆無可攷。

啟蒙記三卷　散騎常侍顧愷之。謹按見《隋志》。

啟疑記三卷　顧愷之。謹按見《隋志》。兩《唐志》、《册府元龜》均無"記"字。

字指二卷　朝議大夫李彤。謹按見《隋志》。

單行字四卷　李彤。謹按見《七録》。

字偶五卷　李彤。謹按見《册府元龜》學校部。《七録》亦載,不云彤書。

常用字訓一卷　殷仲堪。謹按見《七録》。

韻集六卷　安復令吕靜。謹按見《隋志》。《魏書·江式傳》云:"靜爲《韻集》五卷,宫、商、角、徵、羽,各爲一篇。"然則其書五卷,《隋志》云六卷,或有《録》一卷,并計之也。兩《唐志》亦作"五卷"。

文字音七卷　蕩昌長王延。謹按見《隋志》。兩《唐志》作"《雜文字音》七卷”。

翻真語一卷　王延。謹按見《隋志》。

四體書勢一卷　長水校尉衛恒。謹按見《隋志》。

要用字苑一卷　葛洪。謹按見兩《唐志》。是書《隋志》不著録。然《颜氏家訓》亟引之,則其盛行於北方可知。《隋志》蓋承阮氏《七録》,偶失載也。

字林七卷　弦令吕忱。謹按見《隋志》。《魏書・江式傳》作“六卷”,《墨池編》引式表誤作“九卷”。云:“忱,任城人,爲義陽王典祠令。”不作弦令。張瓌《書斷》云:“忱字伯雍,博識文字,撰《字林》五篇,萬二千八百餘字。”《墨池編》載林罕《小説序》,及陳氏《書録解題》同作“五卷”。李燾《五音韻譜・序》謂:“今吕書五卷具在,初無缺文,不應五卷外更有二卷,而以《隋》、《唐志》作七卷者爲誤。”其言致確。至《書録解題》及《玉海》引各書目有作三卷、一卷者,要非完書。

續通俗文二卷　李虔。謹按見兩《唐志》。家大人曰:“《隋志》著録一卷,誤題‘服虔撰’。近人臧氏鏞堂、馬氏國翰据《颜氏家訓》辨之甚詳,謂當是服虔作一卷,李虔續之爲二卷。本書《孝友傳》,李密一名虔,此書蓋即密作。”所攷致覈,今据以著録。

草書狀　索靖。謹按見《御覽》引書綱目。

太上章　慕容皝。謹按見本書載記。

隸勢　成公綏。謹按見《御覽》引書綱目。

月儀書　索靖。謹按見《御覽》引書綱目。

月儀書　王羲之。謹按見《御覽》引書綱目。

右小學類,存十九家,二十三部。

凡六藝經緯,存二百四十家,失名六家,三百二十三部。

補晉書藝文志卷二

常熟丁國鈞撰　子辰注

乙部史録

古史攷二十五卷　義陽亭侯譙周。謹按見《隋志》。《舊唐志》入雜史類。

續漢書八十三卷　祕書監司馬彪。謹按見《隋志》。本書彪傳作"八十篇",《新唐志》較《隋志》多《録》一卷。裴松之《魏志》注引彪《序傳》,即出此書。

後漢書十七卷　少府卿華嶠。謹按見《隋志》。本書嶠傳是書本九十七卷,經永嘉之亂,僅存五十餘卷,此作十七卷,則又佚太半。兩《唐志》均著録三十一卷。

後漢書八十五卷　祠部郎謝沈。謹按見《隋志》。舊注是書本一百二十二卷,《舊唐志》作"一百三十三卷",《新唐志》則作"一百二卷"。今攷沈傳,實祇百卷。《隋志》注及《舊唐志》疑均有譌,《新志》較沈傳多二卷,或係是書之《録》也。

後漢書九十五卷　祕書監袁山松。謹按見《隋志》。舊注云:"本一百卷。"《舊唐志》作"一百二卷",《新志》"百一卷",又《録》一卷。《新唐志》作"袁崧",①《藝文類聚》、《白帖》所引亦有作"袁崧"者,皆山松二字之譌。

後漢記一百卷　散騎常侍薛瑩。謹按見《七録》。《隋志》存六十五

① 中華書局點校本《新唐書》作"袁山松後漢書一百一卷"。

卷，兩《唐志》仍百卷。

後漢南記四十五卷　江州從事張瑩。謹按見《隋志》。舊注云："本五十五卷，今殘缺。"兩《唐志》著録則作"五十八卷"，均無"後"字。

魏書四十八卷　司空王沈。謹按見《隋志》。《舊唐志》著録四十四卷，《新志》四十七卷，《史通・外篇》作"四十卷"。

魏書　傅玄。謹按見本書玄傳。

吴書　周處。謹按見本書處傳。

魏書　夏侯湛。謹按見裴松之《三國志注》。据本書《陳壽傳》，是書實未成。

吴紀九卷　太學博士環濟。謹按見《隋志》。《舊唐志》十卷，入編年類。

三國志六十五卷　太子中庶子陳壽。謹按見本書壽傳。《隋志》多《敘録》一卷。《舊唐志》分《魏志》入正史，《吴》、《蜀志》入編年，殊傷割裂。

吴録三十卷　張勃。謹按見《七録》。《唐志》入雜史類。

晋書九十三卷　著作郎王隱。謹按見《七録》。《隋志》存八十六卷，兩《唐志》較《隋》多三卷，《通志》仍九十三卷。蓋鄭樵据《七録》列入，非實見是書也。《御覽》引書綱目有隱書《處士傳》、唐劉賡《稽瑞》引隱書《瑞異記》，原本《書鈔》七十五。引隱書《石瑞記》，疑即《瑞異記》。《史通》引隱書《十士寒儁》，皆其篇名。《書鈔》設官部引王隱《吴郡顧録》，係何法盛書之誤，不足据信。

晋書四十四卷　散騎常侍虞預。謹按見《七録》。《隋志》二十六卷，云："訖明帝。"兩《唐志》則云五十八卷。攷本書預傳，作"四十餘卷"，與《七録》大數合，不應唐時卷數轉增，疑有誤文，不足据。

晋書十四卷　中書郎朱鳳。謹按見《七録》。《隋志》作"十卷"，云："訖元帝。"兩《唐志》仍十四卷。書本未成之稿，見本書鳳傳。

晋書三十餘卷　謝沈。謹按見本書沈傳。

晋書帝紀十卷　束晳。謹按見本書晳傳。傳言此書亡於永嘉之亂。

史記音義十二卷　中散大夫徐廣。謹按見《隋志》。《史記索隱·序》作"十一卷",《史記正義》作"十三卷",兩《唐志》同。《隋志》舊題"徐野民撰"。

漢書駁議二卷　安北將軍劉寶。謹按見《隋志》。"議",《唐志》作"義"。

漢書集注十三卷　晋灼。謹按見《隋志》。颜氏《漢書·敘例》云:"灼,河南人,尚書郎。"作"十四卷",兩《唐志》同。

班固漢書集解　蔡謨。謹按見本書謨傳。

漢書音義　徐廣。謹按《水經注》、《文選注》均引。

漢書音義十七卷　晋灼。謹按見《新唐志》。高氏《史略》存七卷。

漢書集解音義二十四卷　臣瓚。謹按見颜氏《漢書·敘例》。臣瓚,或作"傅瓚",或作"薛瓚",或作"于瓚",具詳《宋景文筆記》中。言人人殊,迄無主名。家大人曰:"近洪頤煊謂《賈充傳》有著作郎王瓚,當即臣瓚。其言似可据,惟諸家攷辨既不能定爲誰氏,則亦難以孤文單證遽屬之王瓚。"今仍從颜氏《敘例》著録。

漢書注　齊恭。謹按見《元和姓纂》卷三。

漢書注　郭璞。謹按見颜氏《漢書·敘例》。舊注云:"止注《相如傳序》及游獵詩賦。"

漢書音義　郭璞。謹按見李善《文選注》。

漢書音義　司馬彪。謹按見李善《文選注》。

漢書音義　吕忱。謹按見《水經注》。《文選注》亦引。

三國志序評三卷　著作佐郎王濤。謹按見《七録》。《唐志》入雜史類。

論三國志九卷　何琦。謹按見《隋志》。舊題"何常侍",琦所歷官也。本書琦傳作"三國論評"。

右正史類，存二十九家，三十三部。

魏氏春秋二十卷 孫盛。謹按見《隋志》。本書盛傳無卷數。兩《唐志》作"魏武春秋"，"武"字譌。

漢魏春秋九卷 孔衍。謹按見《隋志》。舊題"孔舒元"，蓋著其字。

漢晋陽秋四十七卷 習鑿齒。謹按見《隋志》。本書鑿齒傳作"五十四卷"，兩《唐志》同。此多三卷，不審孰譌。此書起漢光武，迄晋愍帝。

晋陽秋三十二卷 孫盛。謹按見《隋志》。《新唐志》作"二十二卷"。

晋陽秋三十二卷 鄧粲。謹按見兩《唐志》。《舊志》誤衍"春"字。家大人曰："本書粲傳不言著《陽秋》，《七録》、《隋志》亦均不著録，疑即孫盛書誤屬之粲，複出而不悟也。"無確證糾其繆，故過而存之。

後漢紀三十卷 張璠。謹按見《隋志》。

後漢紀三十卷 袁宏。謹按見《隋志》。舊題"袁彦伯撰"，宏之字也。

魏紀十二卷 左將軍陰澹。謹按見《隋志》。兩《唐志》譌魏澹，不可据。陰澹，王隱《晋書》有傳，見原本《書鈔》設官部治中類引。

晋紀四卷 陸機。謹按見《隋志》。兩《唐志》作"晋帝紀"。

晋紀三十卷 干寶。謹按見本書寶傳。《隋志》存二十三卷，兩《唐志》二十二卷。家大人曰："《新志》編年類既列此書，正史類又有寶《晋書》二十二卷。蓋誤'紀'爲'書'，遂爾複出。"

晋紀十卷 前將軍諮議曹嘉之。謹按見《隋志》。据王隱《晋書》，原本《書鈔》設官部引。嘉之曾官東莞太守、員外散騎侍郎。

晋紀十一卷 荆州別駕鄧粲。謹按見《隋志》。本書粲傳作"《元明紀》十篇"，舊注云："是書訖明帝。"攷《世説・賞譽篇》注引此

《紀》,有咸和中貴游子弟慕王平子、謝幼輿爲達,卞壺欲奏治之語。咸和爲成帝年號,《隋志》所言殊未覈,或後人有增益歟。

晋紀四十六卷　徐廣。謹按見本書廣傳。傳、《隋志》作"四十五"。兩《唐志》同。

蜀本紀　譙周。謹按見《蜀志·秦宓傳》注。原本《書鈔》一百六。歌類引作"蜀王本紀","王"字誤衍。

中興記　謹按本書《徐廣傳》引,無撰人名。

崇安記二卷　周祇。謹按見兩《唐志》。家大人曰:"崇,當据《世説注》作"隆",蓋安帝年號,唐諱隆,故《志》改作崇也。"《新志》入雜史類,今從《舊志》列入編年。

右編年類,存十三家,失名一家,十六部。

汲冢周書古文釋一卷　續咸。謹按見本書咸傳。

周書注八卷　孔晁。謹按見兩《唐志》。

吴越春秋削繁五卷　楊方。謹按見《隋志》。

九州春秋十卷　司馬彪。謹按見《隋志》。舊注云"記漢末事"。兩《唐志》均九卷,《宋志》霸史類亦九卷,别史類則作"十卷"。自是重出,而十卷本與《隋志》合。高氏《史略》云:"又有《九州春秋抄》一卷。"劉孝標《注》疑即彪此書之節抄本。《白帖》二十九引劉表攻西鄂事,題"魏九州春秋","魏"字衍文。

魏尚書十卷　孔衍。謹按見《七録》。《隋志》存八卷。《新唐志》作"《後魏尚書》十四卷"。《舊唐志》誤作"張温撰"。家大人曰:"《史通·内篇》言,衍删漢魏事,纂成一家言,有《漢尚書》、《後漢尚書》、《魏尚書》,凡二十六卷。今以是書合衍所著兩書計之《漢尚書》十卷、《後漢尚書》六卷均見下。正合《史通》二十六卷之數。知《新志》所云《後魏尚書》十四卷者,'後'、'四'兩字均誤衍也。”《通志》亦八卷，無“後”字。

魏晉世語十卷　襄陽令郭頒。謹按見《隋志》。《舊唐志》作“代語”，《新唐志》作“代説”。“代”字避太宗諱改，“説”則“語”之譌也。

晉諸公讚二十一卷　祕書監傅暢。謹按見《隋志》。本書暢傳作“晉諸公敘讚”，《左傳》莊公正義作“晉語諸公讚”，“語”字誤衍。《唐志》著録二十二卷。《册府元龜》亦作“二十二卷”。

晉後略記五卷　下邳太守荀綽。謹按見《隋志》。《荀勗傳》：“綽撰《晉後書》十五篇，傳于世。”即此《記》。《新唐志》作“晉後略”，《宋志》史鈔類作“晉略”，云九卷，《羣書治要》二十九。則引作“略記”。

史漢要集二卷　祠部郎王蔑。謹按見《隋志》。舊注云：“鈔《史記》，入《春秋》者不録。”

史記正傳九卷　張瑩。謹按見《隋志》。

帝王世紀十卷　皇甫謐。謹按見《隋志》。舊記云：“起三皇，訖漢魏。”《玉海》書目謂訖漢獻帝，蓋誤。《初學記》帝皇部引其載魏文帝受禪事，《御覽》又引其載成濟弒逆，陳留王就國治鄴事，其非止獻帝明矣。《宋志》作“九卷”，入編年。《日本現在書目》有此書，作“三十卷”，疑譌不足据。

帝王要略十二卷　環濟。謹按見《隋志》。舊注云：“紀帝王及天官、地理、喪服。”

周載三十卷　臨賀太守孟儀。謹按見《七録》。舊注云：“略記前代，下至秦。”《隋志》存八卷，兩《唐志》仍三十卷。書係儀撰，《唐志》作“儀注”，殆譌。

史記鈔十四卷　葛洪。謹按見《新唐志》。

漢書鈔三十卷　散騎常侍葛洪。謹按見《隋志》。《新唐志》亦著録。

後漢書鈔三十卷　葛洪。謹按見兩《唐志》。

拾遺記十卷　王嘉。謹按見《隋志》。舊題“蕭綺撰”。“撰”當從《唐志》作“録”。綺《序》云:“本十九卷,書後殘缺,因刪集爲十卷。”

拾遺録二卷　王嘉。謹按見《隋志》。舊題“僞秦方士王子年撰”。子年,嘉字也。兩《唐志》著録三卷。

漢尚書十卷　孔衍。謹按見兩《唐志》。

漢春秋十卷　孔衍。謹按見兩《唐志》。

後漢尚書六卷　孔衍。謹按見兩《唐志》。

後漢春秋六卷　孔衍。謹按見兩《唐志》。

後魏春秋九卷　孔衍。謹按見兩《唐志》。

春秋時國語十卷　孔衍。謹按見《新唐志》。

春秋後國語十卷　孔衍。謹按見《新唐志》。《史通·六家篇》云:“衍撰《春秋時國語》,復撰《後語》,各十卷。今行於世者,唯存《後語》。”据此,知《唐志》著録皆鈔舊史原文,非實見其書也。朱氏《經義攷》引楊宗吾言,宋乾道中南詔使者見廣南人,言其國有《五經廣注》、《春秋後語》,是此書宋時尚有傳本。

古史攷二十五卷　譙周。謹按見《舊唐志》。古書有《周攷》七十六篇,顔師古曰:“攷周事,此書取義本此。”《司馬彪傳》言彪以《周書》未盡善,條《古史攷》中凡百二十二事爲不當,多据《汲冢紀年》之義,亦行於世。其書《七録》、《隋志》皆不載,知佚久矣。《蜀志》周傳作“古史攷書”。

刪補蜀記七卷　王隱。謹按見兩《唐志》。裴松之《蜀志》注屢引是書。此云“刪補”,疑後人有增益,非隱之原本也。

吴曆六卷　胡冲。謹按見兩《唐志》。冲爲吴胡綜子,入晋官尚書郎、吴郡太守。是書裴松之《三國志注》多引之。

吴朝人士品秩狀八卷　胡冲。謹按見兩《唐志》。

吴士人行狀名品二卷　虞禹。謹按見兩《唐志》。“禹”,《舊志》作“尚”。

國曆志五卷 孔衍。謹按見兩《唐志》。

晋曆二卷 謹按見兩《唐志》。

年曆六卷 皇甫謐。謹按見兩《唐志》。

三國評三卷 徐衆。謹按見兩《唐志》。

古國志五十篇 陳壽。謹按見本書壽傳。

七代通記 束晳。謹按見本書晳傳。

蜀後記 杜襲。謹按見《華陽國志》襲傳。

蜀後志 常寬。謹按見《華陽國志》寬傳。《隋志》有《蜀志》一卷，云："東京武平太守常寬著。"即此書。寬爲蜀郡江源人，卒於晋元帝時，《隋志》"東京"二字似誤。

魏晋傳記 華暢。謹按見本書暢傳。

蜀書 王崇。謹按見《華陽國志》崇傳。

三國異同評 孫盛。謹按見《魏志·武帝紀》注。又稱"異同雜語"、《魏志·武帝紀》注。"孫盛雜語"，見夏侯玄、吕虔、姜維等傳注。疑皆一書也。《御覽》兵部引作"三國異同傳"。

江表傳五卷 虞溥。謹按見兩《唐志》。本書溥傳亦載。

晋紀 阮籍。謹按見《御覽》引書綱目。

漢書外傳 謝沈。謹按見本書沈傳。兩《唐志》著録十卷，列正史類。

山陽公載記十卷 樂資。謹按見《隋志》。《新唐志》入編年類，《舊唐志》譌爲"山陽義記"。

汲冢書釋 束晳。謹按見本書晳傳。《初學記》引晳《汲冢書鈔》，或即此。

難束晳汲冢書釋 王庭堅。謹按見本書《王接傳》。"釋"字本《束晳傳》。

汲冢書釋難 束晳。謹按見本書《王接傳》。

詳正王束二家汲冢書難釋得失 王接。謹按見本書《王接傳》。

春秋後傳三十一卷 著作郎樂資。謹按見《隋志》。《史通》、兩《唐志》均三十卷,此多一卷,殆連《録》在内。

天文志　譙周。謹按謝沈《後漢書》《續漢書·天文志》注引。言蔡邕撰建武以後,星驗著明者,以續前志,譙周接繼其下。[①] 本書《天文志·序》亦云:"班固敘漢史,馬續述天文,而蔡邕、譙周各有撰録。"是皆周爲《天文志》之證。

災異志　譙周。謹按見《續漢書·五行志》。

右雜史類,存三十二家,四十九部。

華陽國志十二卷　常璩。謹按見《隋志》。《新唐志》作"十三卷",《舊志》存三卷,疑奪"十"字。

漢之書十卷　常璩。謹按見《隋志》。家大人曰:"《新唐志》於是書外,又載璩《蜀李書》九卷。"攷《顔氏家訓·書證篇》:"《蜀李書》一名《漢之書》。"《史通·外篇》亦曰:"璩撰《漢之書》十卷,後入晋祕閣,改爲《蜀李書》。"然則二書實一也,《新志》誤複,今不再著録。高氏《史略》、鄭氏《通志》皆踵《新志》之誤。

趙書十卷　僞燕太傅長史田融。謹按見《隋志》。舊注:"一曰《二石集》。"兩《唐志》無此書,别有《趙石記》、《二石記》,"記"疑當作"集"。各二十卷。家大人曰:"《通志》霸史類田融《趙書》二十卷,下注云:'一曰《趙石記》,一曰《二石集》。'据其言,知《趙石記》、《二石集》本是二書,卷數各十。《隋志》此書當即《趙石記》而遺去《二石集》一種。《唐志》兩録之,足補《隋志》之佚,惟誤爲各二十卷,則有不可盡信者。"今姑仍列於下,而疏明其誤於此。

趙石記二十卷　田融。謹按見兩《唐志》。

---

① 據中華書局點校本《後漢書·天文志》,謝沈《書》曰:"蔡邕撰建武已後,星驗著明,以續前志,譙周接繼其下者。"

二石記二十卷 田融。謹按見兩《唐志》。

漢趙記十卷 和苞。謹按見《隋志》。《史通·正史篇》云:"劉曜時,平輿子和苞撰《漢趙記》十篇,事止當年,不終曜滅。"本書曜載記有侍中和苞上書事,即撰此書者。《新唐志》作"十四卷","四"字疑衍。

二石傳二卷 北中郎參軍王度。謹按見《隋志》。

二石僞治時事二卷 王度。謹按見《隋志》。《御覽》引作"二石僞事",省"治時"二字。《唐志》亦衹作"僞事"。原本《書鈔》儀飾部引作"二石遺事",皆即是書。本書《季龍載記》有制作郎王度,《苻生載記》又有晋將王度,當是撰此書之人。蓋本仕僞趙,後入晋,故題爲"二石",且有僞治之目也。

燕書二十卷 僞燕尚書范亨。謹按見《隋志》。舊注云:"記慕容儁事。"《舊唐志》入編年類,誤。

南燕録五卷 僞燕尚書郎張詮。謹按見《隋志》。兩《唐志》均作"南燕書"。《新志》十卷,《舊志》仍五卷,"詮"作"銓"。

南燕録六卷 僞燕中書郎王景暉。謹按見《隋志》。舊注:"記慕容德事。"《史通·外篇》言:"景暉,趙郡人,嘗事德超,撰《二燕起居注》。超亡,事馮氏,官至中書令,乃撰《南燕録》。"《舊唐志》誤作"王景暄"。

涼記八卷 僞燕右僕射張諮。謹按見《隋志》。舊注:"記張軌事。"兩《唐志》均"十卷"。《舊志》誤"張諮"爲"張證"。

西河記二卷 侍御史喻歸。謹按見《隋志》。舊注云:"記張重華事。"喻歸,本書《重華傳》作"俞歸"。《廣韻》喻字下又引作"諭歸",不審孰譌。

涼記十卷 僞涼著作佐郎段龜龍。謹按見《隋志》。舊注云:"記吕光事。"

秦史 馬僧虔。謹按僧虔,後秦扶風人。是書姚氏之滅,已多殘缺,見《史通·外篇》。

秦史　衞景隆。謹按景隆,後秦河東人,與馬僧虔並著《秦史》,事具《史通·外篇》。

趙高祖本紀及功臣傳　公師彧。謹按見《史通·外篇》。劉子玄言:"師彧,劉聰時領左國史。"攷本書二劉載記,有太中大夫公師彧,當即其人。

涼春秋五十卷　索綏。謹按見《前涼録》。《御覽》百二十四引。綏字士艾,燉煌人,記室祭酒。《史通·外篇》引此作"涼國春秋"。

符命傳　索綏。謹按見《前涼録》。

二石書十卷　王度、隋翽。謹按見兩《唐志》。《隋志》有王度《二石傳》二卷,已見前。此云十卷,疑八卷爲翽書,合度書二卷爲一,故云然也。

二石僞事六卷　王度、隋翽。謹按見兩《唐志》。隋有王度《二石僞治時事》二卷,應即此書。云六卷者,殆四卷爲隋氏書也。

涼記十二卷　張重華、護軍將軍劉慶。謹按見《史通·正史篇》。慶於張駿時遷儒林郎中常侍,在東苑撰國書,事具《史通·史官篇》。

涼書　建康太守索暉。謹按見《史通·正史篇》。

燕書　申秀。謹按見《史通·正史篇》。家大人曰:"劉子玄謂:'前燕有起居注,杜輔全録爲《燕記》。後燕董統草創《後燕書》三十卷,其後申秀、范亨各取前後二燕,合成一史。'据其言,則申、范二家均有《燕書》明矣。"《七録》以下皆不載,其書今爲補著於録。

燕記　杜輔。謹按見《史通·正史篇》。

後燕書三十卷　董統。謹按見《史通·正史篇》。《直書篇》云:"董統《燕史》,持諂媚以偷榮。"則其書亦非信史。

苻朝雜記　田融。謹按見《新唐志》。

上黨國記 石勒記室佐明楷、程機等撰。謹按見本書《石勒載記》。《史通·正史篇》:“後趙石勒命徐光、宗歷、傅暢、鄭愔等撰《上黨國記》、《起居注》、《趙書》,後又命王蘭、陳宴、程陰、徐機等相次撰述。”子玄敘撰記諸人,與載記不合。

大單于志 石勒參軍石泰等撰。謹按見本書《石勒載記》。

秦書三卷 秦馮翊車頻。謹按見《隋志》。据《史通·外篇》,是書實秦祕書郎趙整稿,頻蓋續成之也。

段業傳一卷 謹按見《七録》。

平蜀記十卷 謹按見《七録》。家大人曰:“是書及下四種,雖不能確定爲晉人所撰,《隋志》無撰人名。然固皆東晉時事,過而存之,無悖斷代著録之例。”故類次於下。外如舊事類之《晉諸褋故事》、《晉雜議》、《晉要事》。職官類之《晉百官名》、《百官表》。儀注類之《晉雜儀》、《注雜議》。刑法類之《晉彈事》、《駁事雜注》各種,其著録之例視此。此書當是記桓温平李勢事。

蜀漢僞官故事一卷 謹按見《七録》。

翟遼書二卷 謹按見《七録》。

諸國略記二卷 謹按見《七録》。

永嘉後纂年記二卷 謹按見《七録》。

右霸史類,存三十一家,失名六家,三十六部。

穆天子傳注六卷 郭璞。謹按見《隋志》。《舊唐志》誤作“郭璞撰”。

泰始起居注二十卷 李軌。謹按見《隋志》。原本《北堂書鈔》設官部及《御覽》皇親部均引《武帝起居注》,當在是書及下數種內。

咸寧起居注十卷 李軌。謹按見《隋志》。《舊唐志》不著録,《新志》作“二十二卷”。

太康起居注二十一卷　李軌。謹按見《隋志》。兩《唐志》作"二十二卷"。

元康起居注一卷　謹按見《隋志》。

元康起居注一卷　謹按見《隋志》。家大人曰:"與前一卷似複出。"然莫能臆決,故並著於録。

惠帝起居注　陸機。謹按見《三國志注》。《七録》有《惠帝起居注》二卷,當即機所撰者。

永平元康永寧起居注六卷　謹按見《七録》。

永平起居注八卷　李軌。謹按見兩《唐志》。

永嘉建興起居注十三卷　謹按見《七録》。

愍帝起居注三十卷　李軌。謹按見《舊唐志》。

建武太興永昌起居注九卷　謹按見《隋志》。《七録》二十卷,兩《唐志》二十二卷。

咸和起居注十六卷　李軌。謹按見《隋志》。兩《唐志》作"十八卷"。

咸康起居注二十二卷　李軌。謹按見《舊唐志》。《隋志》脱撰人名。

建元起居注四卷　謹按見《隋志》。原本《書鈔》設官部、《御覽》職官部均引《康帝起居注》,當即此書。

永和起居注十七卷　謹按見《隋志》。《七録》二十四卷,兩《唐志》同。

升平起居注十卷　謹按見《隋志》。《舊唐志》"升平"誤"永平"。

隆和興寧起居注五卷　謹按見《隋志》。

咸安起居注三卷　謹按見《隋志》。

泰和起居注十卷　謹按見《七録》。《隋志》存六卷。兩《唐志》同。

寧康起居注六卷　謹按見《隋志》。《藝文類聚》儲宫部、《御覽》

皇親部均引《孝武起居注》，當即此書及下一書。

太元起居注五十四卷　謹按見《七録》。《隋志》二十五卷，兩《唐志》五十二卷。

隆安起居注十卷　謹按見《隋志》。家大人曰："兩《唐志》不載是書，而别有《崇寧起居注》十卷，晋無此紀年，蓋即"隆安"之譌，故卷數與是書並同也。唐避玄宗諱，往往書"隆"爲"崇"，周祇《隆安記》作《崇安記》，可證。又訛'安'爲'寧'耳。"今不再著録。

元興起居注九卷　謹按見《隋志》。

義熙起居注三十四卷　謹按見《七録》。《隋志》存十七卷，兩《唐志》仍三十四卷。

元熙起居注二卷　謹按見《隋志》。

南燕起居注一卷　謹按見《隋志》。《史通・外篇》："南燕趙郡王景暉嘗事德超，撰《二燕起居注》。"此書當即王所撰。

大將軍起居注　石勒中大夫傅彪等撰。謹按見本書載記。傅彪，《史通・正史篇》作"傅暢"。

前燕起居注　謹按見《史通・外篇》。

桓玄起居注　謹按見本書玄傳。

右起居注類，存四家，失名二十六家，三十部。

晋太始太康故事五卷　謹按見兩《唐志》。

永平故事一卷　謹按見《隋志》。

晋建武故事一卷　謹按見《隋志》。

晋建武以來故事三卷　謹按見《隋志》。《新唐志》亦著録，而省"以來"二字。

咸和咸康故事四卷　孔愉。謹按見《隋志》。兩《唐志》作"建武咸和咸康故事"。是書《册府元龜》作"孔預撰"，又云預一名喻，皆譌文也。

修復山陵故事五卷　車灌。謹按見《隋志》。

交州雜事九卷 謹按見《隋志》。舊注云:"記士燮及陶璜事。"兩《唐志》作"交州雜故事",脱夾注。

四王起事四卷 廷尉盧綝。謹按見《隋志》。《舊唐志》譌"四王起居"。

八王故事十卷 盧綝。謹按見兩《唐志》。《隋志》亦著録,而脱撰人名。《册府元龜》作"十二卷"。

東闕故事 謹按見本書《禮志》。

大司馬陶公故事三卷 謹按見《隋志》。

郄太尉爲尚書令故事三卷 謹按見《隋志》。

桓玄僞事 謹按見《隋志》。《舊唐志》有《桓公僞事》二卷,云:"應德詹撰。"當即是書。

晋東官舊事十卷 張敞。謹按見兩《唐志》。張敞,晋侍中,尚書,吴國内史,見《宋書·張茂度傳》。本書《姚泓載記》有左常侍張敞,又是一人。是書《隋志》亦著録,而脱撰人名。《後漢·劉彭子傳》引《晋東宫故事》,當即此書。

尚書大事二十卷 范汪。謹按見《隋志》。兩《唐志》作"二十一卷"。

救襄陽上都督府事一卷 王愆期。謹按見兩《唐志》。

沔南故事三卷 應詹。謹按見《隋志》。舊題"應思遠撰",詹之字也。兩《唐志》作"江南故事"。《册府元龜》學校部載詹《東宫舊事》三卷,疑實是書之譌,見《附録》。

咸寧故事 謹按見本書《禮志》。

隆安故事 謹按見沈約《宋書·自序》。

晋故事三十卷 謹按見本書《刑法志》。《隋》、《唐志》著録均作"四十三卷"。《隋志》有《晋朝雜事》一種,乃梁庾詵撰,不列入。

晋諸雜故事二十二卷 謹按見兩《唐志》。

晋雜議十卷 謹按見兩《唐志》。

晋要事三卷 謹按見《隋志》。

右舊事類，存七家，失名十五家，二十四部。

晋新定儀注十四卷　謹按見《隋志》。

晋官品一卷　徐瑜宣。謹按見《七録》。《通典》八十四兩引瑜宣所議旒旃制，當即在此書中。瑜宣，官博士，亦見《通典》九十八。

百官表注十六卷　荀綽。謹按見《七録》。

司徒儀一卷　干寶。謹按見《七録》。兩《唐志》作"司徒儀注"。《舊志》入儀注類。《南齊書·百官志》言："王導爲司徒左長史，干寶撰立官府，《職儀》已具。"應即是書。

晋百官儀服録五卷　謹按見《七録》。

晋官屬名四卷　謹按見《隋志》。

晋惠帝百官三卷　陸機。謹按見兩《唐志》。

晋過江士人目一卷　謹按見兩《唐志》。

晋永嘉流士十三卷　衛禹。謹按見《舊唐志》。《新志》作"二卷"。

官師論七篇　陳壽。謹按見《華陽國志》壽傳。

懷帝永嘉官名　謹按見《御覽》引書綱目。

晋百官表　謹按見裴松之《魏志》注。原本《北堂書鈔》亦引。

晋武帝百官名　謹按裴氏《魏志》注引。松之曰《臧霸傳》注。："此《百官名》不知誰所撰，皆有題目。"

晋百官名志　謹按見《魏志·司馬朗傳》注。

晋百官名三十卷　謹按見《隋志》。《舊唐志》作"四十卷"，《新志》作"十四卷"。《魏志·蘇則傳》注、《世説·排調篇》注均引。

晋東宫官名　謹按見《世説·任誕篇》注、《排調篇》注。又引《晋東宫百官名》，當即一書。

大興二年定官品事五卷　謹按見《七録》。

晋武帝太始官名　謹按見《御覽》職官部。

元康百官名　謹按見《通典》職官類。《唐六典》亦引。

晋官品令　謹按是書《魏書·禮志》、《初學記》、十一。原本《書鈔》、五十八。《唐六典》均引。

公卿故事九卷　傅暢。謹按見本書暢傳。《隋》、《唐志》均作“公卿禮秩故事”,《魏志·傅嘏傳》注同。《宋書·禮志》及《御覽》引書綱目則作“傅暢故事”。《御覽》引書目尚有暢《晋故事》一種,即是書而誤複。《續漢書·輿服志》注、李氏《文選注》、原本《北堂書鈔》、《藝文類聚》則又引作“晋公卿禮秩”。

晋百官公卿表　謹按見《唐六典》。

明帝東宫僚屬名　謹按見《世説·雅量篇》注。互見雜傳類。

征西僚屬名　謹按見《世説·言語》、《排調》兩篇注。互見雜傳類。

庾亮僚屬名　謹按見《世説·文學篇》注。互見雜傳類。

庾亮參佐名　謹按見《世説·雅量篇》注。互見雜傳類。

齊王官屬名　謹按見《世説·方正篇》注。齊王謂武帝子冏,本書有傳。互見雜傳類。

齊王功臣格　謹按見本書《顧榮傳》。

大司馬僚屬名　伏滔。謹按見《世説·賞譽篇》注。大司馬謂桓温。互見雜傳類。

己亥格　謹按見本書《陳頵傳》。此格制於三王起義討趙王倫時,其後論功雖小,亦皆依用。

甲午制　謹按見本書《王戎傳》。

右職官類,存七家,失名二十四家,三十一部。

晋新禮百六十卷　荀顗等撰。謹按見本書《禮志》。《册府元龜》作“二十卷”。

晋新定儀注四十卷　安成太守傅瑗。謹按見《隋志》。《册府元龜》掌禮部載是書作“某璩撰”,蓋轉録傳譌。王國琦遽注云:“史失其名。”誤甚。

晋雜儀注十一卷　謹按見《隋志》。兩《唐志》均二十一卷。

晋尚書儀十卷　謹按見《隋志》。

甲辰儀五卷 江左撰。謹按見《隋志》。此書當即本書《禮志》所謂江左時，刁協、荀崧、荀謨所踵修者。

辛未令書 謹按見《禮志》。是令頒於建武元年九月。

决疑注要一卷 摯虞。謹按見《隋志》。《通典》九十五。引虞理疑云云，當即“决疑”之訛。

車服雜注一卷 徐廣。謹按見《隋志》。《御覽》引書綱目作“車服儀注”。原本《書鈔》、角類。《初學記》、十一。《廣韻》、角字下。《春秋正義》所引，與《御覽》同。本書廣傳亦作“車服儀注”。《文選注》、《東京賦》下。《宋書·禮志》則皆引作“車服志”。《宋書》廣傳又作“軍服儀注”。

晉尚書儀曹新定儀注四十一卷 徐廣。謹按見兩《唐志》。

晉尚書儀曹事九卷 謹按見《新唐志》。

晉尚書儀曹吉禮注三卷 謹按見兩《唐志》。

晉儀注三十九卷 謹按見兩《唐志》。

古今注一卷 崔豹。謹按見《新唐志》。

晉謚議八卷 謹按見兩《唐志》。

晉簡文謚議四卷 謹按見兩《唐志》。

晉明堂郊社議三卷 孔晁等撰。謹按見兩《唐志》。

晉七廟議三卷 蔡謨。謹按見兩《唐志》。《通典》禮類八十一。屢引謨答劉氏問禮，各條當出此書。《册府元龜》譌作“《七廟録》十卷”。

晉雜議十卷 荀顗等。謹按見兩《唐志》。《隋志》刑法類有《晉雜議》十卷，脱撰人名，疑即此書。

雜議五卷 干寶。謹按見兩《唐志》。

晉雜儀注二十一卷 謹按見兩《唐志》。

雜府州郡儀十卷 范汪。謹按見兩《唐志》。

祭典三卷 范汪。謹按見《新唐志》。互見經部禮類。

雜祭法六卷 盧諶。謹按見《新唐志》。互見經部禮類。

雜禮議　摯虞。謹按見《御覽》引書綱目。

五禮議　傅玄。謹按見《御覽》引書綱目。

咸寗注　謹按見本書《禮志》。

内外書儀四卷　謝玄。謹按見《隋志》。

古履儀　徐乾。謹按《御覽》卷九十九,又六百九十七。均引。《册府元龜》六百五。云:"乾字文祚,晋給事中。"

藉田儀　賀循。謹按見《後漢書·禮儀志》注。

晋先蠶儀注　謹按《宋書·禮志》、《魏書·禮志》、《通典》、《御覽》均引。本書《禮志》云:"太康六年,華嶠奏今蠶禮尚缺,宜依古式備斯盛典,乃詔侍中成粲定其儀。"當即此書。《玉海》以《先蠶禮》及《先蠶儀注》分列爲二,似誤。

晋元康儀　謹按《藝文類聚》、《初學記》、《玉海》均引。

晋鹵簿圖一卷　謹按見《隋志》。

鹵簿儀二卷　謹按《隋志》列此書於《晋鹵簿》下。王伯厚《困學記聞》雜識類目爲晋儀,家大人据以著録。

北涼朝堂制　僞征南姚艾、尚書左丞房晷撰。謹按見《册府元龜》僭僞部。

三正東耕儀　裴憲。謹按原本《書鈔》百二十九。褌褶類引《趙書》載此,又幘類百二十七。引《趙書》則作"正東耕儀"。攷《御覽》八百二十二。載《趙書》《東耕儀》頗詳,當即憲所撰者,此"三正"字疑衍文。

冠禮　裴頠。謹按見《魏書·禮志》。

祭志　譙周。謹按見《宋書·禮志》卷四。《通典》禮類四十八、又四十九。兩引《周禮祭集志》,當即一書。

降幕祠儀　王愆期。謹按見《御覽》樂類。

荀氏祠制　謹按《通典》五十二。引晋安昌公《荀氏祠制》,卷四十八載蔡謨議亦及之。

禮儀志 譙周。謹按《續漢志》《禮儀志》。注引謝承書云:“太傅胡廣博綜舊儀,立漢制度,蔡邕因以爲《志》,譙周後改定爲《禮儀志》。”

元日冬至進見儀 劉臻妻陳氏。謹按見本書《列女傳》。

右儀制類,存二十一家,失名十五家,四十部。

律本二十一卷 杜預撰。謹按見《隋志》。兩《唐志》作“刑法律本”。攷晉文帝令賈充定法律,而令杜預等典其事,事具本書《刑法志》。《舊唐志》作賈充等撰,乃實録,《隋志》專屬之預,殊未覈。本書《刑法志》云二十篇,《魏書・刑法志》所引同,疑本有《録》一卷,《隋志》并計之,故二十一卷也。

漢晉律序注一卷 僮長張斐。謹按見《隋志》。本書《刑法志》作“明法椽張斐”。

雜律七卷 杜預。謹按見《七録》。

雜律解二十一卷 張斐。謹按見《隋志》。兩《唐志》著録無“雜”字。

晉令四十卷 賈充等。謹按見《隋志》。本書《刑法志》言:“凡律令,合六十卷。”蓋二十卷爲律,四十卷爲令也。《通典》引《晉喪葬令》,《唐六典》封爵類引《晉令式》,當即在此書中。

晉雜議十卷 謹按見《隋志》。

晉彈事十卷 謹按見《隋志》。《舊唐志》作“九卷”。

漢名臣奏事三十卷 陳壽。謹按見兩《唐志》。《隋志》脱撰人名。《文選注》亦引作“陳壽所集”。

魏名臣奏事四十卷 目一卷 陳壽。謹按見《隋志》。此與上一種互見總集類。

晉駁事四卷 謹按見《隋志》。

晉雜制六十卷 謹按見《隋志》。

晉刺史六條制一卷 謹按見《隋志》。

辛亥制度　謹按本書《石勒載記》:"命法曹令史貫志造《辛亥制度》五千文,施用十餘年,乃用律令。"

庚戌制　謹按本書《哀帝紀》:"興寧二年三月庚戌朔,大閲户人,令所在土斷,嚴其法禁,稱《庚戌制》。"《玉海》載此目,亦見本書彭城王子紘傳。

右刑法類,存六家,失名七家,十四部。

三輔决録注七卷　摯虞。謹按見《隋志》。兩《唐志》亦著録。

交州先賢傳三卷　范瑗。謹按見《隋志》。兩《唐志》均作"四卷"。

益部耆舊傳十四卷　陳長壽。謹按見《隋志》。此書爲陳壽撰,"長"字當衍。壽本傳作"《益都耆舊篇》十卷"。

續益部耆舊傳二卷　常寬。謹按見《隋志》。舊脱撰人名。家大人曰:"《華陽國志》言:'常寬續陳壽《耆舊傳》,作《益梁篇》。'"即此書。今爲補名列入。《新唐志》有《益州耆舊雜傳記》二卷,亦此書也。

魯國先賢傳二卷　大司農白褒。謹按見《隋志》。兩《唐志》作"十四卷"。傳,《舊志》作"志"。

楚國先賢傳讚十二卷　張方。謹按見《隋志》。《舊唐志》無"讚"字,《新志》"傳"作"志","張方"作"楊方"。

陳留志十五卷　東晋剡令江敞。謹按見《隋志》。《舊唐志》作"陳留人物志新志"。"江敞"譌"江徵"。

襄陽耆舊記五卷　習鑿齒。謹按見《隋志》。兩《唐志》作"耆舊傳","傳"字譌。攷見《郡齋讀書記》。

東陽朝堂像讚一卷　南平太守留叔先。謹按見《隋志》。《新唐志》"像讚"作"畫讚"。

列女圖　顧凱之。謹按見《通志·藝文略》。

豫章舊志三卷　會稽太守熊默。謹按見《隋志》。

聖賢高士傳讚三卷 嵇康撰，周續之注。謹按見《隋志》。攷《傳讚》，皆康所撰。《唐志》以傳屬康，以讚屬續之，誤。《新唐志》載是書作“八卷”，亦疑誤。

高士傳六卷 皇甫謐。謹按見《隋志》。《新唐志》及《崇文總目》、《通志》均作“十卷”。《舊唐志》七卷。《御覽》引書目既列皇甫謐《高士傳》，又列皇甫士安《高士傳》，複誤。

逸士傳一卷 皇甫謐。謹按見《隋志》。唐劉賡《稽瑞》曾引此書。

逸民傳七卷 張顯。謹按見《隋志》。兩《唐志》存三卷。“逸民”作“逸人”，蓋避太宗諱。

高士傳二卷 虞盤佐。謹按見《隋志》。《釋文・敘録》云：“盤佐字弘猷，東晋處士。”《新唐志》著録作“一卷”。《御覽》前列引書目作“盧槃佑”，形近而誤。

長沙舊傳讚三卷 臨川王郎中劉彧。謹按見《隋志》。《新唐志》作“《長沙舊邦傳讚》四卷”，疑此有脱文。

至人高士傳讚二卷 廷尉卿孫綽。謹按見《隋志》。

孝子傳十五卷 輔國將軍蕭廣濟。謹按見《隋志》。

竹林七賢論二卷 戴逵。謹按見《隋志》。《御覽》引書目誤作“戴勝”。

文士傳五十卷 張隱。謹按見《隋志》。家大人曰：“隱爲廬江太守張夔子，見本書《陶侃傳》。《御覽》引書目既列隱是書，又列張鄢《文士傳》、張隲《文士傳》，實即一書。‘鄢’、‘隲’皆‘隱’之譌文。”《唐志》亦譌“張隲”。

玄晏春秋三卷 皇甫謐。謹按見《隋志》。兩《唐志》均作“二卷”。

曹氏家傳一卷 曹毗。謹按見《隋志》。

紀氏家紀一卷 紀友。謹按見《隋志》。友爲紀瞻孫，官至廷尉，本書附在瞻傳。

江氏家傳七卷 江祚等撰。謹按見《隋志》。《舊唐志》作“江統撰”,《新唐志》作“江饒”。饒,爵里未詳,祚、統則皆晋人也。

范氏世傳一卷 范汪。謹按見《隋志》。

明氏家訓一卷 僞燕衛尉明岌。謹按見《隋志》。

列女傳六卷 皇甫謐。謹按見《隋志》。《藝文類聚》三十五。引作“列女後傳”。

女記十卷 杜預。謹按見《隋志》。本書預傳作“女記讚”,《文選註》曾引杜預《女史》,即此《記》也。《新唐志》作“列女記”,陶濳《羣輔録》引作“女戒”,殆譌。

列女傳七卷 綦毋邃。謹按見《隋志》。邃,江左時人,官至邵陽太守。見《元和姓纂》。

列仙傳讚三卷 鬷續,孫綽讚。謹按見《隋志》。

列仙傳讚二卷 郭元祖讚。謹按見《隋志》。

列仙讚序一卷 郭元祖。謹按見《隋志》。

神仙傳十卷 葛洪。謹按見本書洪傳。《隋志》亦著録。

仙人許遠遊傳一卷 謹按見《隋志》。家大人曰:“本書《許邁傳》言王羲之爲邁傳,述靈異之跡甚多,不可詳究。《新唐志》有羲之《許先生傳》,當即此書。又《崇文總目》、《宋書・藝文志》有《許邁傳》一卷,亦此書也,不别出。”

南嶽夫人内傳一卷 謹按見《隋志》。兩《唐志》作“《紫虚元君魏夫人内傳》,范邈撰”。据傳言,夫人爲魏舒之女。

甄異傳三卷 西戎主簿戴祚。謹按見《隋志》。此書及下四種互見子部小説家。

搜神記三十卷 干寶。謹按見本書寶傳。《隋》、《唐志》均著録。

搜神後記十卷 陶濳。謹按見《隋志》。

志怪二卷 祖台之。謹按見《隋志》。兩《唐志》均云四卷。

靈鬼志三卷 荀氏。謹按見《隋志》。攷具小説家。

逸人高士傳八卷 習鑿齒。謹按見兩《唐志》。

孝子傳一卷　虞槃佐。謹按見兩《唐志》。

名士傳三卷　袁宏。謹按見兩《唐志》。宏是《傳》以夏侯太初等三人爲正始名士，阮嗣宗等七人爲竹林名士，裴叔則等八人爲中朝名士，蓋分類爲卷。見《世説·文學篇》注。本書宏傳作"《竹林名士傳》三卷"，《隋志》作"《正始名士傳》三卷"，皆爲偏舉。《隋志》譌作"袁敬仲"，《通志》承其譌。

孝子傳三卷　徐廣。謹按見兩《唐志》。

管輅傳三卷　管辰撰。謹按見《隋志》。兩《唐志》作"二卷"。辰爲輅弟，仕至州主簿從事，卒于太康初，見《魏志》輅傳注。

會稽典録二十四卷　虞預。謹按見《隋志》。本書作"二十篇"。

清虚真人王君内傳一卷　弟子存華。謹按見《隋志》。存華即南嶽魏夫人名，此《傳》今尚存《道藏》。兩《唐志》脱撰人名。

韋氏家傳三卷　皇甫謐。謹按見兩《唐志》。《册府元龜》作"韋氏傳"，奪"家"字。

三魏士人傳　束皙。謹按見本書皙傳。史言是書亡于永嘉之亂。

列女後傳　王接。謹按見本書接傳。此《傳》凡七十二人，永嘉之亂喪失。

列女後傳　王愆期。謹按見本書《王接傳》。

諸虞傳十二篇　虞預。謹按見本書預傳。

阮籍序讚　江逌。謹按見本書逌傳。

蜀後賢傳　常寬。謹按見《華陽國志》寬傳。

裴氏家記　傅暢。謹按見《蜀志·孟光傳》注。

諸葛亮隱没五事一卷　郭冲。謹按見兩《唐志》。冲，金城人，官至代郡太守。此五事扶風王駿鎮關中時所條上。

袁氏世範　謹按見《魏志·袁涣傳》注。

良吏傳十卷　葛洪。謹按見本書洪傳。

隱逸傳十卷　葛洪。謹按見本書洪傳。

集異傳十卷　葛洪。謹按見本書洪傳。

山陽先賢傳　仲長穀。謹按見《元和姓纂》五。

太始先賢狀　謹按見《元和姓纂》一。

王丞相德音記　謹按見《世説·汰侈篇》注。

石崇本事　謹按《藝文類聚》服飾部引,《御覽》七百三。服用部則作"石季倫本事"。

外國事　僧支載。謹按見《水經·河水篇》注。家大人曰:"道元引此書有云:'据者,晋言十里也。半達,晋言白也。鉢愁,晋言山也。'是支載爲晋時人無疑。"

庾亮參佐名　謹按見《世説·雅量篇》注。

大司馬僚屬名　伏滔。謹按見《世説·賞譽篇》注。大司馬謂桓温。

齊王官屬名　謹按見《世説·方正篇》注。

明帝東宫僚屬名　謹按見《世説·雅量篇》注。

晋東宫官名　謹按見《世説·任誕》、《排調》兩篇注。

庾亮僚屬名　謹按見《世説·言語》、《排調》兩篇注。

征西僚屬名　謹按見《世説·文學篇》注。

江左名士傳　謹按見《世説·賞譽篇》注。

趙吴郡行狀　謹按見《世説·賞譽篇》注。趙吴郡謂趙穆。

永嘉流人名　謹按《世説》注屢引。

志節沙門傳　釋法安。謹按見慧皎《高僧傳·序》。

高逸沙門傳一卷　釋法濟。謹按見《大唐内典目録》。

東山僧傳　郄超。謹按見慧皎《高僧傳·序》。

王祥世家　謹按見《世説·言語篇》注。

陶氏序　謹按見《世説·言語篇》注。

徐江州本事　謹按見《世説·賞譽篇》注。本書《徐甯傳》:"遷吏部郎,左將軍,江州刺史。"

陶侃故事　謹按見原本《北堂書鈔》酒食部。

逸民傳　孫盛。謹按見《初學記》人事部。《御覽》引書綱目作"逸人傳",即此書。

顧譚傳　陸機。謹按見裴氏《吴志》注。

王弼傳　何邵。謹按見本書邵傳。亦見《魏志・鍾會傳》注。

吴猛别傳　謹按原本《北堂書鈔》石類引。

曹志别傳　謹按見《魏志・陳思王植傳》注。

孫惠别傳　謹按見《吴志・孫賁傳》注。

夏侯稱夏侯榮序　夏侯湛。謹按見《魏志・夏侯淵傳》注。

荀粲傳　何劭。謹按見本書劭傳。亦見《魏志・荀昜傳》注。

王粲傳　何劭。謹按見本書劭傳。

辛憲英傳　夏侯湛。謹按見《魏志・辛毗傳》注。

潘岳别傳　謹按見《世説・容止篇》注。《魏志・王粲傳》注亦引。

盧諶别傳　謹按見《魏志・盧毓傳》注。

嵇康别傳　謹按見《文選》注。家大人曰:"别傳類出。當時所撰作者非一人,則流傳亦不止一篇。《文選》、《御覽》諸書所引一人或具數傳職由于斯。"《華陽國志》言:"何隨卒,杜景文、何興仁皆爲作傳。"又言:"二州先達及華下之士多爲陳壽作傳。"即其證矣。有疑蒙著録各傳,涉于複謁者,故附辨于此。《世説・容止》、《棲逸》兩篇注亦引。

嵇康傳　嵇喜。謹按見《魏志・王粲傳》注。《文選注》亦引。

嵇中散傳　孫綽。謹按見《文選》注。

佛圖澄傳　謹按見《世説・言語篇》注。《藝文類聚》八十一。引作"浮圖澄傳"。

佛圖澄别傳　謹按見《御覽》引書綱目。

桓靈寶傳　謹按見李氏《文選注》。

桓玄别傳　謹按見《世説・德行》、《任誕》兩篇注。《舊唐志》有《桓玄傳》二卷,据《宋書》知爲荀伯子撰,不列入。

阮光禄别傳　謹按見《世説・德行篇》注。本書《阮裕傳》,官金紫光禄大夫。

阮裕别傳　謹按見《世説・棲逸篇》注。

夏統别傳　謹按見《御覽》。此《傳》有注,不知何人所作,卷八百五十一曾引。

夏仲御别傳　謹按見《御覽》。仲御,夏統字。

夏仲舒别傳　謹按見《御覽》。家大人曰:"原本《書鈔》倡優類兩引《仲舒别傳》,載女巫章丹陳珠吞刀吐火事。以《晋書》攷之,即夏統事也,是'仲舒'實'仲御'之譌,或非出一手所撰,故過而存之。"

王敦别傳　謹按見《御覽》引書綱目。

王處仲别傳　謹按見《御覽》引書綱目。

支法師傳　謹按見《世説・文學篇》注。《高僧傳》四言支遁以太和元年卒,郄超爲之序傳,疑此《傳》即超所撰。

支遁别傳　謹按見《世説・賞譽》、《品藻》、《傷逝》三篇注。

支遁傳　謹按見《御覽》引書綱目 。

安法師傳　謹按見《世説・文學篇》注。法師謂釋道安。

安和尚傳　謹按見《世説・文學篇》注。

釋道安傳　謹按見《御覽》引書綱目。

王瑕别傳　謹按見《御覽》引書綱目。

王廙别傳　謹按見《世説・仇隟篇》注。《御覽》亦引。

石虎别傳　謹按見《御覽》引書綱目。

雷煥别傳　謹按見原本《北堂書鈔》劍類。《御覽》亦引。

孫登别傳　孫綽。謹按見《水經・温水篇》注。《御覽》亦引。

孫略别傳　謹按見《御覽》引書綱目。

江祚别傳　謹按見《御覽》引書綱目。

許邁别傳　謹按見《御覽》引書綱目。

衞玠别傳　謹按見《世説注》。《御覽》亦引。

荀勗别傳　謹按見《御覽》引書綱目。

孫施别傳　謹按《御覽》卷七百七十引。

曹攄别傳　謹按見《御覽》引書綱目。

王濛别傳　謹按見《世説》注。《御覽》亦引。

王長史别傳　謹按見《世説・言語篇》注。長史謂王濛。

王藴别傳　謹按見原本《書鈔》設官部。《御覽》亦引。

王珉别傳　謹按見《世説・政事篇》注。《御覽》亦引。

謝安别傳　謹按見《御覽》引書綱目。

徐邈别傳　謹按見《御覽》引書綱目。

祖逖别傳　謹按見《御覽》引書綱目。

杜祭酒别傳　謹按見《御覽》引書綱目。本書《杜夷傳》,元帝爲丞相,以夷爲祭酒,後又除國子祭酒。

山濤别傳　袁宏。謹按《御覽》卷四百九引。

陳武别傳　謹按見《御覽》引書綱目。

桓彝别傳　謹按見《御覽》引書綱目。

羅含别傳　謹按見《御覽》引書綱目。

羅府君别傳　謹按見《世説・方正篇》注。家大人曰:"《箴規篇》注又引《羅含别傳》,不作'府君',知非一篇,故兩列之。"

周處别傳　謹按見《御覽》引書綱目。

孫放别傳　謹按見《世説・言語》、《排調》兩篇注。《御覽》亦引。

江蕤别傳　謹按見《御覽》引書綱目。

羊祐别傳　謹按原本《書鈔》六十四。設官部引。《御覽》亦引。

許肅别傳　謹按見《御覽》引書綱目。

許遜别傳　謹按見《御覽》引書綱目。

陶侃别傳　謹按見《世説・方正》、《鑒識》、《賢媛》三篇注。《元和姓纂》、《御覽》均引。

潘京別傳　謹按見《御覽》引書綱目。

桓石秀別傳　謹按見《御覽》引書綱目。

庾亮別傳　謹按原本《書鈔》六十九。設官部引。

陸機別傳　謹按見《世説·言語篇》注。《御覽》亦引。

傅宣別傳　謹按見《御覽》引書綱目。

庾珉別傳　謹按見《御覽》引書綱目。

颜含別傳　謹按見《御覽》引書綱目。

郭翻別傳　謹按見《御覽》引書綱目。

裴楷別傳　謹按見《御覽》引書綱目。

江偉別傳　謹按見《御覽》引書綱目。

趙至別家　謹按《御覽》卷三百八十五引。

潘尼別傳　謹按見《三國志》注。

會稽孝文王傳　謹按見《世説·言語篇》注。

顧悦傳　顧愷之。謹按見《世説·言語篇》注。

高坐道人別傳　謹按見《世説·賞譽》、《言語》兩篇注。西域僧帛尸黎密多,華言吉友,時人稱爲高坐上人,事具《高僧傳》。

陸雲別傳　謹按《吴志·陸抗傳》注引機、雲《別傳》云云。機《別傳》已列前。

郄鑒別傳　謹按見《世説·德行篇》注。

劉尹別傳　謹按見《世説·德行》、《賞譽》、《品藻篇》注。本書《劉惔傳》,歷侍中,丹陽尹。

范宣別傳　謹按見《世説·德行篇》注。

王恭別傳　謹按見《世説·德行篇》注。

顧和別傳　謹按見《世説·言語篇》注。

王含別傳　謹按見《世説·言語篇》注。

庾翼別傳　謹按見《世説·言語篇》注。

桓温別傳 謹按見《世説・政事》、《文學》、《品藻》三篇注。

郄超別傳 謹按見《世説・言語篇》注。

王司徒別傳 謹按見《世説・言語篇》注。本書《王珣傳》:“隆安四年卒,追贈車騎將軍,桓玄輔政,改贈司徒。”

王丞相別傳 謹按見《世説・德行篇》注。本書《王導傳》:“成帝時進位太傅,又拜丞相。”

王中郎別傳 謹按見《世説・言語篇》注。本書《王坦之傳》:“累遷參軍從事,中郎。”

孟嘉別傳 謹按見《世説・鑒識篇》注。《書鈔》、《御覽》均引。

王祥別傳 謹按見《御覽》引書綱目。

王敦別傳 謹按見《世説・文學篇》注。《御覽》亦引。

謝車騎家傳 謹按見《世説・言語篇》注。本書《謝玄傳》:“卒于官,追贈車騎將軍。”

蔡司徒別傳 謹按見《世説・方正篇》注。本書《蔡謨傳》:“康帝即位,拜左光禄大夫,開府儀同三司,領司徒。”

王汝南別傳 謹按見《世説・賢媛篇》注。本書《王湛傳》:“爲汝南内史。”

王堪傳 謝朗。謹按《世説・賞譽篇》引原作“謝胡兒撰”。

庾異行別傳 謹按見《御覽》引書綱目。本書《庾衮傳》:“察孝廉,舉秀才,清白異行,皆不降志,世遂號爲庾異行。”

敘趙至 嵇紹。謹按見《世説・言語篇》注。

杜蘭香別傳 謹按見《藝文類聚》。家大人曰:“本書《曹毗傳》言:‘桂陽張碩爲神女杜蘭香所降,毗以詩二篇嘲之,并續蘭香歌詩十篇,甚有文彩。’此傳當即毗所撰。”

神女傳 張敏。謹按原本《北堂書鈔》百二十八引。即《太平廣記》所載之《成公智瓊傳》也,攷見洪氏《容齋隨筆》。

紫陽真人周君傳一卷 華嶠。謹按見《册府元龜》國史部。《新唐志》亦著録。

王胡之别傳　謹按見《世説·言語》、《賞譽》、《品藻》三篇注。

諸葛恢别傳　謹按見《世説·方正篇》注。

王彪之别傳　謹按見《世説·方正篇》注。

顧愷之别傳　謹按見《世説·方正篇》注。

鍾雅别傳　謹按見《世説·政事篇》注。

陵玩别傳　謹按見《世説·政事》、《箴規》二篇注。

殷羡言行　謹按見《世説·政事》、《品藻篇》注。

殷浩别傳　謹按見《世説·政事》、《文學篇》注。

謝鯤别傳　謹按見《世説·文學》、《箴規篇》注。

王述别傳　謹按見《世説·文學》、《任誕篇》注。

左思别傳　謹按見《世説·文學篇》注。

郭璞别傳　謹按見《世説·術解篇》注。

周顗别傳　謹按見《世説·方正》、《棲逸》兩篇注。

王雅别傳　謹按見《世説·讒險篇》注。

虞光禄傳　謹按見《世説·品藻篇》注。本書《虞駿傳》:“歷吴興太守,金紫光禄大夫。”

向秀别傳　謹按見《世説·言語篇》注。

于法蘭别傳　謹按見《高僧傳》中法蘭傳。

孔愉别傳　謹按見《世説·方正篇》注。

祖約别傳　謹按見《世説·雅量篇》注。

阮孚别傳　謹按見《世説·雅量》、《任誕》兩篇注。

羊曼别傳　謹按見《世説·雅量篇》注。

王劭别傳　謹按見《世説·雅量篇》注。

王薈别傳　謹按見《世説·雅量篇》注。

王彬别傳　謹按見《世説·鑒識篇》注。

王澄别傳　謹按見《世説·賞譽篇》注。

王邃别傳　謹按見《世説·賞譽篇》注。

卞壼别傳　謹按見《世説·賞譽》、《任誕》二篇注。

陳逵别傳　謹按見《世説·品藻篇》注。

郄愔别傳　謹按見《世説·品藻篇》注。

賀循别傳　謹按見《世説·箴規篇》注。

桓冲别傳　謹按見《世説·箴規篇》注。

桓豁别傳　謹按見《世説·豪爽篇》注。

郄曇别傳　謹按見《世説·賢媛篇》注。

范汪别傳　謹按見《世説·排調篇》注。

賈充别傳　謹按見《世説·惑溺》、《賢媛》二篇注。

司馬晞傳　謹按見《世説·黜免篇》注。

司馬無忌别傳　謹按見《世説·仇隙篇》注。

趙敺傳　謹按見《宋書·氐胡傳》。

石勒傳　謹按見《世説·鑒識篇》注。《藝文類聚》卷九十九引。

石勒别傳　謹按原本《北堂書鈔》石類引。

王舒傳　謹按見《世説·鑒識篇》注。

郭文舉别傳　謹按原本《北堂書鈔》石類引。

葛洪别傳　謹按原本《北堂書鈔》好學類引。

傅咸别傳　謹按原本《北堂書鈔》歎賞類引。

曹肇傳　曹毗。謹按原本《北堂書鈔》百三卷引。《藝文類聚》亦引。

道人善道開傳一卷　康泓。謹按見《隋志》。本書《藝術傳》作“單道開”。《御覽》七百五十九引，袁彦伯《羅山疏》亦作“善道開”。《高僧傳》卷九有《道開傳》，較本書爲詳，泓爲開作傳，事具載其中。

竺法曠傳　顧愷之。謹按見《高僧傳》五竺法曠傳。

龍樹菩薩傳一卷　鳩摩羅什譯撰。謹按見《法苑珠林·傳記篇》。

馬鳴菩薩傳一卷　鳩摩羅什譯撰。謹按見《法苑珠林·傳記篇》。

提婆菩薩傳一卷 鳩摩羅什譯撰。謹按見《法苑珠林·傳記篇》。

右雜傳類,存六十七家,失名一百四十九家,二百三十六部。

錢服經一百七十卷 摯虞。謹按見《隋志》。

洛陽記一卷 陸機。謹按見《隋志》。

洛陽圖一卷 懷州刺史楊佺期。謹按見《隋志》。《新唐志》作"洛城圖"。又名《洛陽宫圖狀》,見張彦遠《歷代名畫記》。《通志·藝文略》作"楊佺期《唐洛陽京城圖》","唐"係"晋"之譌。《御覽》屢引楊龍驤《洛城記》,《藝文類聚》亦屢見,即此書也。楊佺期爲龍驤將軍,見本書孝武太安十九年紀。

風土記三卷 周處。謹按見《隋志》。兩《唐志》均十卷。嚴可均曰:"以史能之《咸淳毗陵志》攷之,知石晋後有續補本,或《舊志》誤据而《新志》沿之,故卷數增多也。"

吴郡記一卷 顧夷。謹按見《隋志》。家大人曰:"是書《隋志》凡兩見,前作一卷,後作二卷,當係複譌,今二卷本不再列入。"

會稽記一卷 賀循。謹按見《隋志》。

三巴記一卷 譙周。謹按見《隋志》。《續漢書·郡國志》注巴郡下。屢引周《巴漢志》,即此書。

朱崖傳一卷 僞燕聘晋使蓋泓。謹按見《隋志》。

鄴中記二卷 國子助教陸翽。謹按見《隋志》。

春秋土地名三卷 裴秀客京相璠等撰。謹按見《隋志》。人名下舊無"等"字,家大人据經部春秋類增。

發蒙記一卷 束晳。謹按見《隋志》。舊注云:"載物産之異。"知非小學類之一卷本也。

三輔故事二卷 謹按見《隋志》。舊注云:"晋世撰。"《唐志》地理類有《三輔舊事》三卷,無撰人。故事類又有《韋氏三輔舊事》一卷,頗疑即是此書。

元康三年地記六卷 謹按見《隋志》。《續漢書·郡國志》注引《元康地道記》,《藝文類聚》地部引《元康地記》,皆即此書。

山海經圖讚二卷 郭璞注。謹按見《隋志》。"注"當爲"撰"之譌。張彦遠《歷代名畫記》載《山海經圖》六,又《鈔圖》一,《大荒經圖》二十六。

臨海水土異物志一卷 沈瑩。謹按見《隋志》。舊脱"異"字,家大人据兩《唐志》增。

元康六年户口簿記三卷 謹按見《隋志》。

江圖 僧道安。謹按見《通志》圖譜類。

四海百川水源記一卷 釋道安。謹按見《隋志》。

關中記一卷 潘岳。謹按見兩《唐志》。

州郡縣名五卷 謹按見《舊唐志》。舊注云:"太康三年撰。"《新志》作"太康州郡縣名"。

太康土地記十卷 謹按見《新唐志》。是書《史記正義》引作"晋太康地記",《索隱》引作"太康地里志",《宋書·州郡志》引作"太康地志"。

山海經注二十三卷 郭璞。謹按見《隋志》。《舊唐志》云十八卷,蓋据劉秀校定之十八篇,[①]篇爲一卷也。《新唐志》仍二十三卷。

山海經音二卷 郭璞。謹按見《隋志》。舊脱撰人,家大人据兩《唐志》補。

水經注三卷 郭璞。謹按見《隋志》。《舊唐志》作"郭璞撰","撰"字誤。《通典》謂:"璞注解《水經》疏略,多迂怪,今不存。"近畢氏沅《山海經注》謂:"此書隋唐二《志》皆次在《山海經》末,

① 劉秀即劉歆。劉歆,劉向少子,字子駿。改名劉秀,字穎叔。傳附《漢書·楚元王傳》。

當即《海內中經》文。"所攷致確,足袪羣疑。

禹貢地域圖十八篇　裴秀。謹按見本書秀傳。

梁州巴記　黄容。謹按見《華陽國志》容傳。

夏禹治水圖　顧愷之。謹按見《宣和畫譜》。

山海經圖畫讚　張駿。謹按《初學記》、《御覽》均引。

遠游志十卷　續咸。謹按見本書咸傳。

異物志十卷　續咸。謹按見本書咸傳。

異物志十卷　譙周。謹按見《文選·蜀都賦》注。

湘中山水記三卷　羅含。謹按是書《水經注》、《白帖》、《御覽》均引作"湘中記",此家大人据《崇文總目》著録。其書頗及隋唐以後事,蓋後人有所附益。《通志》誤作"湘川記"。

宜都山川記　袁山松。謹按是書原本《書鈔》、《藝文類聚》、《初學記》、《御覽》均引,或省作"宜都記"。蓋山松曾守宜都,本傳失載。此其在郡時所著。《藝文類聚》嘯類載桓玄與袁宜都書,即山松。

荆州記　范汪。謹按是書《史記正義》、《藝文類聚》、《書鈔》、《御覽》均引。

宜陽記　阮籍。謹按見《御覽》引書綱目。

秦記　阮籍。謹按《御覽》卷四百七十四引。

兖州記　荀綽。謹按是書《世説》注、原本《書鈔》、《藝文類聚》、《御覽》均引。

西域志一卷　釋道安。謹按見《大唐内典目録》。是書《藝文類聚》、《太平御覽》屢引。

北征記　伏滔。謹按是書《續漢書·郡國志》、《文選》注、《御覽》均引。《水經注》則引作"伏韜"。

勾將山記　袁山松。謹按是記《御覽》、地部。《太平寰宇記》山南東道。均引。

神異經注一卷 張華。謹按見《隋志》。兩《唐志》作“二卷”。《新志》入釋氏。

交廣記 王隱。謹按見《三國志》注。

晋地記 謹按見《宋書·州郡志》。家大人曰:“凡《太康地志》,《宋志》往往稱《太康地記》,其稱《晋地記》者凡四見,蓋又是一書,非《太康志》,亦非王隱《晋書》中《地道記》也,故别著於録。”

南方草木狀一卷 襄陽太守嵇含。謹按見《文獻通攷》。宋本題“永興元年十一月振威將軍襄陽太守嵇含撰。”家大人曰:“本書含傳:‘永興初,除中庶子,道阻,未應召,尋授振威將軍,襄城太守。’是則舊題‘襄陽’,實‘襄城’之誤。”含拜廣州刺史,未發被害。《七録》雖有廣州太守之目,實則含未南涖方也。

冀州記 裴秀。謹按見《史記索穏》、《封禪書》。原本《北堂書鈔》亦引。

聖賢冢墓記一卷 李彤。謹按見《隋志》。

荆揚以南異物志 薛瑩。謹按見《文選·吴都賦》注。

伏滔地記 謹按是書《藝文類聚》、百八十五。原本《書鈔》百六十。均引。

交廣二州記一卷 王範。謹按見《新唐志》。裴松之《吴志》注引作“交廣二州春秋”,《孫策傳》注。《後漢·郡國志》注、《水經注》均引作“交廣春秋”。《御覽》設官部屢引黄羲仲《交廣二州記》,羲仲疑即範字。又設官部屢引黄恭《交州記》,不知恭爲何人,或即此書譌“範”爲“恭”也。

齊記 伏琛。謹按見《水經·沭水篇》注。《御覽》地部屢引之。

吴地記一卷 張勃。謹按見兩《唐志》。家大人曰:“《通志》此書外又載勃《吴都記》一卷,蓋本一書,譌‘地’爲‘都’也,不復列。”

吴興山墟名　張玄之。謹按見宋王象之《輿地紀勝》。玄之字希祖,見本書《謝玄傳》。《寰宇記》引作"京之",近人《隋志攷證》引作"充之",嚴可均以爲作《前溪曲》之沈充,皆誤,詳繆氏荃孫輯本序。

廬山記略一卷　釋慧遠。謹按見《唐志》。原本《書鈔》百五十一。雨類兩引是《記》,無"略"字。《白帖》卷五兩引是《記》,亦無"略"字。

羅浮山記　袁宏。謹按《元和郡縣志》嶺南道引。《御覽》引作"羅山疏",蓋誤以竺法真書當之也。

登羅山疏　竺法真。謹按《御覽》地部、香部、獸部、豸部、竹部均引。《白帖》卷五。山類引作"袁彦伯《羅浮山疏》",蓋誤竺書爲袁書。

西征記一卷　戴祚。謹按見《隋志》。家大人曰:"《隋志》又有《西征記》二卷,云戴延之撰。延之,祚字,實一書也,不複列。"

洛陽記一卷　戴延之。謹按見兩《唐志》。延之即著《西征記》之戴祚,晋末江東人。

冀州記　荀綽。謹按見《世説》注。《文選》注亦引。

齊地記二卷　晏謨。謹按見《新唐志》。謨,青州人,慕容德時尚書郎,見本書載記。《御覽》四十二。引作"晏謀",誤。《太平寰宇記》引此或作"三齊記",或作"齊記",實一書也。

九州記　樂資。謹按見《水經注》。

外國圖　謹按見《水經·河水篇》注。家大人曰:"道元引此書有從大晋國正西七萬里得崑崙之墟語,爲晋時所撰無疑。"

交州記　劉欣期。謹按是書原本《北堂書鈔》屢引。

益州志　譙周。謹按見《文選·蜀都賦》注。

永寗地志　謹按見《宋書·州郡志》。永寗,惠帝年號。

蜀志一卷　東京武平太守常寬。謹按見《隋志》。

十四州記 苗恭。謹按見《藝文類聚》。家大人曰:“恭,不知何時人。《玉海》于《晋地道記》下附此,蓋以爲晋人也。今据以著録。”

皇甫謐　地書 謹按見《隋書·崔頤傳》。

畫雲龍山記 顧凱之。謹按見《歷代名畫記》。

右地理類,存四十四家,失名八家,六十七部。

族姓昭穆十卷 摯虞。謹按見本書虞傳。《隋志》作“族姓昭穆記”,《史通》作“族姓記”。

魏世譜 孫盛。謹按見裴氏《三國志注》。

蜀世譜 孫盛。謹按見裴氏《三國志注》。

華嶠譜序 謹按見裴氏《三國志注》。

庾氏譜 謹按見《魏志·管寧傳》注。家大人曰:“据《譜》有文康公亮、司空公冰,皆遁之曾孫貴達至今語,則《譜》爲晋時撰無疑。”

晋語譜 謹按見《世説·言語》、《政事》兩篇注。

摯氏世本 謹按見《世説·言語篇》注。

司馬氏系本 譙王司馬無忌。謹按見《史記·太史公自序》正義。

複姓録 餘頠。謹按見《元和姓纂》二。

潘氏家譜 潘岳。謹按見《元和姓纂》四。

晋姓氏簿狀 賈弼。謹按見《玉海》。《通典》言:“晋太元中員外散騎侍郎賈弼好簿狀,大披羣族,所撰十八州百一十六郡,合七百一十二卷,士庶略無遺漏。”《新唐書·柳冲傳》作“七百一十二篇”,蓋每卷一篇。

右譜系類,存七家,失名三家,凡十一部。

魏中經 鄭默。謹按見王隱《晋書》。《御覽》二百三十四引。《隋志·

敘》云:"魏祕書郎鄭默始著《中經》。"

晋中經十四卷 荀勗。謹按見《隋志》。《舊唐志》作"中經簿",《新唐志》作"中書簿"。

晋義熙已來新集目録三卷 謹按見《隋志》。

雜撰文章家集敘十卷 荀勗。謹按見《隋志》。兩《唐志》作"《新撰文章家集》五卷"。

文章志四卷 謹按見《隋志》。

晋元帝書目 謹按見《七録》。見《宏明集》所載,非《隋志》注也,下一書同。

義熙四年祕閣四部目録 謹按見《七録》。

王朝目録 謹按見《世説・品藻篇》注。

晋文章紀 顧愷之。謹按見《世説・文學篇》注。

大秦衆經目録 姚秦釋僧叡。謹按見《大唐内典目録》。

綜理衆經目録一卷 釋道安。謹按見《大唐内典目録》。《道安傳》《高僧傳》卷五。言:"自漢迄晋,經來稍多,而傳經之人名字弗説,後人追尋,莫測年代,安乃總集名目,表其時人,詮品新舊,撰爲《經録》。"即此書也。

傳譯經録 沙門支敏度。謹按見《高僧傳》卷四《康僧淵傳》。

諸經目録 釋道祖。謹按見《高僧傳》中道祖傳。

衆經目一卷 竺法護。謹按見《法苑珠林・傳記篇》。

論畫篇 顧愷之。謹按見《歷代名畫記》。

右簿録類,存十家,失名四家,十五部。

凡史之所記,存二百七十家,失名二百五十九家,六百一部。

補晋書藝文志卷三

常熟丁國鈞撰　子辰注

丙部子録

孟子注九卷　綦毋邃。謹按見《七録》。《孟子》本有《外書》四篇，在今所傳七篇外，諸家注《孟》俱七卷，此並及《外書》，故多二卷。《唐志》作“七卷”者，非“七”字衍文，則《外書》注二卷彼時已佚也。國朝吴騫曾輯邃《外書注》一卷。邃，江左時人，官邵陽太守，見《元和姓纂》。《漢志》“孟子十一篇”，并《外書》在内。

通語十卷　尚書左丞殷興。謹按見《七録》。“興”，一作“基”。雲陽人，吴零陵太守殷禮子。《舊唐志》載此書云：“文禮撰，殷興續。”《新志》則作“文禮通語”，云：“殷興續。”馬國翰曰：“《唐志》以《文禮通語》標目，其誤顯然。興父名禮，興不得以父名爲字。謂文禮即殷禮，而《通語》實非禮作。《通語》爲禮子基作，詳《吴志·顧邵傳》注。蓋因興書載父禮事，遂訛父爲文耳。”按馬説致覈，足正兩《唐志》之譌。

譙子法訓八卷　譙周。謹按見《隋志》。《御覽》屢引是書，卷四百六引一條，稱譙子《齊交》，蓋是書篇名。

譙子五教志五卷　譙周。謹按見《七録》。兩《唐志》著録無“志”字。

袁子正論十九卷　袁準。謹按見《隋志》。兩《唐志》均二十卷，殆有《録》一卷，并計之也。

袁子正書二十五卷　袁準。謹按見《七録》。《蜀志·諸葛亮傳》

注曾引《袁子》,即準此書。

通玄經四卷　王長文。謹按見本書長文傳。《七録》有《通經》二卷,云:"丞相從事中郎王長元撰。"即是書,而亡佚二卷。"長元"則"長文"之譌也。

新論十卷　散騎常侍夏侯湛。謹按見《隋志》。本書湛傳言:"著《論》三十餘篇,别爲一家之言。"即此書。

楊子物理論十六篇　徵士楊泉。謹按見《七録》。兩《唐志》著録。

楊子太玄經十四卷　徵士楊泉。謹按見《七録》。此書有劉緝注,見《唐志》。《通志・藝文略》删去"經"字,但作"太元",誤。

新論十卷　金紫光禄大夫華譚。謹按見《七録》。兩《唐志》著録。

梅子新論一卷　梅陶。謹按見《七録》。是書《隋志》無撰人名,家大人据《意林》"晋人撰"之文,知爲陶書,補題著録。《御覽》卷九百六十二及九百六十七均引《梅子》,又卷三十三引《梅陶書》,卷六百四十九又引《梅陶自序》。按《梅陶書》即《梅子》,其《自序》當亦在是書中。陶字叔貞,見《世説・方正篇》注。

孫氏成敗志三卷　孫毓。謹按見《七録》。兩《唐志》著録。

古今通論二卷　松滋令王嬰。謹按見《七録》。兩《唐志》作"三卷",前亡後存,卷數增多,非唐人得其遺篇,别爲分第,則後人有附益也。《通志・藝文略》作"二十卷","十"字衍文。

蔡氏清化經十卷　蔡洪。謹按見《七録》。《世説・言語篇》注引洪《集録》云:"洪字叔開,吴郡人,有才辨,初仕吴朝。太康中,本州從事,舉秀才。"王隱《晋書》曰:"洪書稱經,蓋擬《易》而作。"《御覽》引書綱目作"清化論",誤。兩《唐志》著録。

志林新書三十卷　虞喜。謹按見《隋志》。本書喜傳作"三十篇",無"新書"字。兩《唐志》著録均二十卷。此書有注,見《御覽》卷六十浙江水條下引。

廣林二十四卷　虞喜。謹按見《七録》。

後林十卷 虞喜。謹按見《七録》。兩《唐志》作“後林新書”。

鄒子一卷 鄒湛。謹按見《意林》。此書《隋》、《唐志》不載，馬國翰謂：“《意林》次此於蔡洪《清化經》、孫毓《成敗志》之間，蔡、孫晋人，則鄒自亦同時人，蓋鄒湛之書也。湛傳言所著詩及論事議二十五首，爲時所重，此湛有撰述之證。又與蔡洪、孫毓同在晋初，益可無疑。”家大人謂馬氏所攷致確，故補湛名列此。《御覽》引《鄒子》朱買臣孜孜修學云云，即湛是書。錢大昕《養新録》疑爲漢時之鄒伯奇，攷之未審。

干子十八卷 干寶。謹按見《七録》。家大人曰：“《唐志》著録寶書作‘《正言》十卷、《立言》十卷’，當即此十八卷之本，今不再著録。”《荆楚歲時記》曾引寶《變化論》，當在此書内。

閡論二卷 江州從事蔡韶。謹按見《七録》。《新唐志》著録。

顧子十卷 楊州主簿顧夷。謹按見《七録》。兩《唐志》皆作“顧子義訓”。

要覽十卷 郡儒林祭酒吕竦。謹按見《隋志》。兩《唐志》作“五卷”。

楊子法言注十五卷　解一卷 李軌。謹按見《隋志》。《舊唐志》存十卷，《新志》僅三卷，頗疑其奪“十”字。李善《文選注》二十二引作“李宏範”，蓋軌之字。

辨道三十卷 華譚。謹按見本書譚傳。

典林二十三卷 韋謏。謹按見本書謏傳。

典言五篇 常寬。謹按見本書寬傳。

二九神經 祈嘉。謹按見本書嘉傳。此書擬《孝經》而作。

善文 華廙。謹按見本書廙傳。此書集經書要事而成。

無名子十二篇 王長文。謹按見《華陽國志》長文傳。

言道 陸喜。謹按見本書喜傳。

黄氏家訓 黄容。謹按見《華陽國志》容傳。

典式八篇 賈充妻李婉。謹按見《婦人集》。《世説·賢媛篇》注引。《御覽》、卷三十。《玉燭寶典》均引作"典誡"。本書《賈充傳》言:"李氏著《女訓》行於世。"即此書也。

太玄經注十二卷　范望。謹按見兩《唐志》。望字叔明。《文獻通攷》作"十卷"。

述理篇十篇　李密。謹按見《華陽國志》密傳。

典誡十五篇　慕容皝。謹按見本書載記。

家令　慕容廆。謹按見本書載記。

去伐論　袁宏。謹按見《藝文類聚》二十二。此《論》《隋》、《唐志》不著録。攷《七録》有王粲《去伐論》三卷,入儒家。家大人命依其例列入。

祖台之道論　謹按見《初學記》。

虞溥厲學　謹按見《御覽》引書綱目。

右儒家類,存四十三家,三十九部。

老子道德經解釋二卷　太傅羊祐。謹按見《隋志》。《釋文·敘録》作"四卷",《新唐志》、《通志》同。

老子注二卷　羊祐。謹按見兩《唐志》。與《解釋》四卷各著録,知非一書。祐傳作"老子傳",不作"注"。

老子經注二卷　江州刺史王尚述。謹按見《七録》。《釋文·敘録》云:"尚述字君胄,瑯邪人,東晋江州刺史,封杜忠侯。"《通志·藝文略》作"王尚楚",兩《唐志》則作"王尚",疑互有譌奪,不足据。

老子集解二卷　郎中程韶。謹按見《七録》。《釋文·敘録》云:"韶,鉅鹿人,東晋郎中,關内侯。"兩《唐志》作"集注"。

老子道德經注二卷　音一卷　尚書郎孫登。謹按見《隋志》。登爲孫統子,附見《孫楚傳》。《釋文·敘録》云:"登字仲山。"《通志·藝文略》既載此書,又列登《注老子》一卷,複誤。

老子道德經注二卷 西中郎將袁真。謹按見《七録》。《釋文·敘録》云："真字彦仁，陳郡人，東晋西中郎將，豫州刺史。"兩《唐志》著録。

老子道德經序訣二卷 葛洪。謹按見兩《唐志》。

老子道德經注二卷 張憑。謹按見《七録》。兩《唐志》著録。

老子注二卷 鳩羅摩什。謹按見兩《唐志》。

老子道德經注二卷 蜀才。謹按見《七録》。兩《唐志》著録。

老子玄譜一卷 柴桑令劉遺民。謹按見《七録》。兩《唐志》作"劉道人"。《中興書》曰："劉驎之，一字遺民。"本書有驎之傳。

老子注 鄧粲。謹按見本書粲傳。

老子注 劉黄老。謹按見本書《劉波傳》。

老子音一卷 李軌。謹按見《隋志》。

老子音一卷 散騎常侍戴逵。謹按見《七録》。

莊子注二十卷 散騎常侍向秀。謹按見《隋志》。舊注："本二十卷。""二"是"三"之譌，李頤注本亦三十卷也。本書秀傳言爲《莊子隱解》，即是書。《釋文·敘録》、兩《唐志》均二十卷。

莊子注十卷 議郎崔譔。謹按見《七録》。《釋文·敘録》云："譔，清河人。"兩《唐志》皆著録。

莊子注二十一卷 司馬彪。謹按見《七録》。《隋志》云："本二十一卷。"今闕。《釋文·敘録》、兩《唐志》仍二十一卷。

莊子注三十卷 目一卷 太傅主簿郭象。謹按見《隋志》。《七録》三十三卷。《釋文·敘録》、兩《唐志》均十卷。

莊子十七卷 葛洪修撰。謹按見釋法琳《辨正論》卷九引是書。疑采擇諸家注所成，故曰修撰，然他書絶未引及。

莊子注三十卷 丞相參軍李頤。謹按見《七録》。兩《唐志》皆作"李頤集解"，二十卷。《釋文·敘録》同，云："頤字景真，潁川襄城人，自號玄道子。"

莊子注　盧諶。謹按見本書諶傳。

釋莊論二卷　李充。謹按見兩《唐志》。《通志》作“《莊子論》二卷”。

莊子音三卷　郭象。謹按見《隋志》。

莊子音一卷　李軌。謹按見《隋志》。

莊子集音三卷　徐邈。謹按見《隋志》。

莊子音一卷　向秀。謹按見《七録》。

莊子音三卷　徐邈。謹按見《隋志》。《册府元龜》作“一卷”。

莊子注音一卷　司馬彪等撰。謹按見《七録》。

列子注八卷　光禄勳張湛。謹按見《隋志》。湛字處度,高平人,仕至中書郎。見《世説·任誕篇》注。

列子音義一卷　張湛。謹按見《宋書·藝文志》。是書《七録》以下均不載。今攷湛《列子注》中尚附有《音義》,乃湛所爲,非殷敬順釋文也。疑當時《音義》本單行,故《宋志》得据以入録。

蘇子七卷　北中郎參軍蘇彦。謹按見《七録》。兩《唐志》著録。

宣子二卷　宣城令宣聘。謹按見《七録》。兩《唐志》著録。

陸子十卷　陸雲。謹按見《七録》。本書雲傳言:“撰《新書》十篇。”即此書。兩《唐志》著録。

唐子十卷　唐滂。謹按見《隋志》。舊題“吴人”,据《意林》載是書有“大晋應期,一舉席捲”語,則書實成於晋時。《意林》注云:“滂字惠潤,生於吴太元二年。”是吴亡時滂年甫三十,其入晋宜矣。

杜氏幽求新書二十卷　杜夷。謹按見《隋志》。本書夷傳言:“爲《幽求子》三十篇。”即此書。《唐志》著録三十卷。

抱朴子内篇二十一卷　音一卷　葛洪。謹按見《隋志》。洪《自序》謂:“内篇二十卷。”《舊唐志》同,《新志》存十卷,當非完帙。今世所行本仍二十卷。

顧道士新書論經三卷 方士顧谷。謹按見《七録》。此書《玉燭寶典》曾載一條,餘書鮮有引者。《舊唐志》作“顧道士論”,凡二卷。

孫子十二卷 孫綽。謹按見《隋志》。《御覽》諸書所引亦稱《孫綽子》,蓋以别兵家之《孫子》。《高僧傳》四《朱士行傳》。引綽《正像論》,《宏明集》卷三載綽《喻道論》數千言,當皆在此書中。兩《唐志》均著録,陳氏《書録解題》謂《唐志》不載,誤。

苻子二十卷 員外郎苻朗。謹按見《隋志》。兩《唐志》作“三十卷”。《御覽》資産部引苻子《方外》,蓋其篇名。

養生論三卷 嵇康。謹按見《七録》。

攝生論二卷 河内太守阮侃。謹按見《七録》。

簡文談疏六卷 簡文帝撰。謹按見《隋志》。

玄微論 徐苗。謹按見本書苗傳。

通老論 阮籍。謹按見《御覽》引書綱目。

右道家類,存三十五家,四十五部。

慎子注十卷 滕輔。謹按見兩《唐志》。

蔡司徒難論五卷 三公令史黄命。謹按見《七録》。

肉刑論 氾毓。謹按見本書毓傳。

慎子注 劉黄老。謹按見本書《劉波傳》。

右法家,存四家,四部。

文子注 張湛。謹按見《文選》注。

右名家,存一家,一部。

墨辨注六篇 魯勝。謹按見本書勝傳。

右墨家,存一家,一部。

鬼谷子注三卷　皇甫謐。謹按見《隋志》。

右縱横家,存一家,一部。

傅子百二十卷　司隸校尉傅玄。謹按見《隋志》。《通志·藝文略》存五卷。

析言論二十卷　議郎張顯。謹按見《七録》。

桑邱先生書二卷　征南軍司楊偉。謹按見《七録》。

時務論十二卷　楊偉。謹按見《隋志》。

孔氏説林二卷　孔衍。謹按見《七録》。兩《唐志》皆著録五卷。《通典》卷九十八引衍《乖離論》,當在此書中。

抱朴子外篇三十卷　葛洪。謹按見《隋志》。原注:"梁有五十一卷。"据葛氏《自序》,知《外篇》本五十卷,《舊唐志》、《宋志》同,《新唐志》作"二十卷",晁氏《讀書志》作"十卷",蓋非完帙。今行世本,仍五十卷,《道藏》舊笈也。《日本現在書目》亦作"五十卷"。

博物志十卷　張華。謹按見《隋志》。本傳作"十篇"。攷《北史·常景傳》有"删正《博物志》"語,是世所傳本已非張氏之舊。段公路《北户録》及《文選》注《西京賦》、《閒居賦》、《七命》。所引各條,多出今本之外,疑据景未删之舊笈也。兩《唐志》入小説家。

張公雜記一卷　張華。謹按見《隋志》。舊注云:"梁有五卷。"與《博物志》相似,小小不同。

雜記十一卷　張華。謹按見《隋志》。

古今訓十一卷　張顯。謹按見《隋志》。

子林二十卷　孟儀。謹按見《七録》。兩《唐志》著録。

古今注三卷　崔豹。謹按見《隋志》。《舊唐志》作"五卷",原本《北堂書鈔》歌類引作"古今雜記"。

論集八十六卷　殷仲堪。謹按見《隋志》。《七録》九十六卷。

感應傳八卷　尚書郎王延秀。謹按見《隋志》。

時務論五篇　何攀。謹按見《華陽國志》攀傳。

索子二十卷 索靖。謹按見本書靖傳。

訪論 陸喜。謹按見本書喜傳。

西州清論 陸喜。謹按見本書喜傳。

審機 陸喜。謹按見本書喜傳。

雜記 孫盛。謹按見裴氏《三國志注》。

新議八篇 薛瑩。謹按見《吴志》。

廣志二卷 郭義恭。謹按見《隋志》。

要覽三卷 陸機。謹按見兩《唐志》。《玉海》載機《自序》云:"省直之暇,乃集《要覽》之篇。上曰《連璧》,集其嘉名,取其連類。中曰《述聞》,實述余之所聞。下曰《析名》,乃搜同辨異也。篇目大旨,已具斯數語中。"

獨斷注 司馬彪。謹按見李善《文選注》。

雜記 徐廣。謹按見戴凱之《竹譜》。

異同志 李軌。謹按見《玉燭寶典》二月下引。

默語 周處。謹按見本書處傳。

人物論 庾法暢。謹按見《世説・文學篇》注。

八賢論 謝萬。謹按見《世説・文學篇》注。亦見本書萬傳。

錢神論一卷 魯褒。謹按見《崇文總目》。褒傳亦載是《論》,以《御覽》資産部所引校之,知非全文。

錢神論 成公綏。謹按見《御覽》資産部引。

李嵩行事記 謹按見《通典》九十五禮類。

右雜家類,存二十五家,三十二部。

語林十卷 處士裴啟。謹按見《七録》。据《裴氏家傳》,則書爲裴榮作,榮或啟之别名也。詳見《世説・文學篇》注。

郭子三卷 東晋從事中郎郭澄之。謹按見《隋志》。舊脱"中郎"字,家大人據本書澄之傳補。此書有賈泉注,見《通志・藝文略》。

陸氏異林　謹按《魏志·鍾繇傳》注引此書有"叔父清河太守"語,裴氏謂清河陸雲也,知書爲士龍之姪所作,惜名無可攷。

列異傳一卷　張華。謹按見《新唐志》。

羣英論一卷　郭頒。謹按見《七録》。

博物志十卷　張華。謹按見《隋志》。互見雜傳類。

搜神記三十卷　干寶。謹按見本書寶傳。互見雜傳類。

搜神後記十卷　陶潛。謹按見《隋志》。互見雜傳類。

志怪二卷　祖台之。謹按見《隋志》。兩《唐志》作"四卷",互見雜傳類。《御覽》引書綱目作"志怪集"。

孔氏志怪四卷　謹按見《新唐志》。《世説·方正篇》盧志條注引此書有"毓爲魏司空,冠蓋相承至今"語,知係晋人所作。《文苑英華》載顧況《廣異記·序》稱孔慎言《志怪》,疑即此書。互見雜傳類。

魯史欹器圖注一卷　儀同劉徽。謹按見《隋志》。

神異記　王浮。謹按見《御覽》八百六十七飲食部。

甄異記　戴祚。謹按見《新唐志》。互見雜傳類。

曹毗志怪　謹按《初學記》地部、《御覽》地部均引。

右小説類,存十家,失名二家,十四部。

兵林六卷　江都相孔衍。謹按見《隋志》。

兵記八卷　司馬彪。謹按見《隋志》。舊注云:"一本作二十卷。"兩《唐志》十二卷。

兵法孤虚月時祕要法一卷　葛洪。謹按見《新唐志》。

握奇經述讚　馬隆。謹按見高似孫《子略》。《宋志》有《風后握機經》一卷,云馬隆略序,即此書。陳振孫曰:"奇,馬隆本作'機'。"

圍棊九品序録五卷　范汪等撰。謹按見《七録》。兩《唐志》作"《棊品》五卷"。

圍棊勢二十九卷　趙王倫舍人馬朗等撰。謹按見《七録》。

投壺變一卷　左光禄大夫虞潭。謹按見《七録》。是書有注，不知何人所作，《御覽》曾引之。兩《唐志》有《投壺經》一卷，云："郝冲、虞譚法撰。"攷《七録》於虞書外尚有郝冲《投壺道》一卷，《唐志》所云疑合兩人書而一之，且誤衍一"法"字。

棊九品序録一卷　范汪等注。謹按見《隋志》。

棊品序一卷　陸雲。謹按見《隋志》。

彈棊譜一卷　徐廣。謹按見《隋志》。

右兵家類，存九家，十部。

天文集占十卷　太史令陳卓定。謹按見《隋志》。卓字季冑，見虞喜《安天論》。《御覽》卷二引。武帝時爲太史令，至愍帝建興五年尚在，見本書《天文志》。是書兩《唐志》均七卷，《玉海》云"梁有百卷"，蓋誤以《隋志》《天文集占》下子注屬之此書也，不足据。《隋・天文志》上以卓爲三國時吴太史令，意卓初仕吴，後入晋，仍其舊官也。

五星占一卷　陳卓。謹按見《隋志》。

石氏星經七卷　陳卓記。謹按見《七録》。

天官星占十卷　陳卓。謹按見《隋志》。

四方宿占四卷　陳卓。謹按見《七録》。《隋》、《唐志》均存一卷。宿，《唐志》作"星"。

安天論六卷　虞喜。謹按見《七録》。兩《唐志》存一卷。

天文要集四十卷　太史令韓楊。謹按見《隋志》。

天文志　郭琦。謹按見本書琦傳。

穹天論　虞聳。謹按見本書《天文志》。聳字世龍，翻第六子，入晋爲河間相，見《會稽典録》。祖暅《天文録》、《御覽》卷二引。賀道養《渾天記》《玉海》卷二引。及《御覽》引書綱目皆以《穹天》爲虞昺作。攷虞喜《安天論》有"族祖河間相立穹天"之語,則《論》爲聳著甚明。宋、隋兩《天文志》亦作"虞聳"。

星圖定紀　陳卓。謹按見本書《天文志》。

正天論　魯勝。謹按見本書勝傳。

天論　劉智。謹按見《開元占經》。

右天文類,存七家,十二部。

正曆四卷　太常劉智。謹按見《隋志》。《開元占經》一引《智天論》,作"侍中",不云"太常"。

古今曆　陸喜。謹按見本書喜傳。

朔氣長曆二卷　皇甫謐。謹按見《七録》。

春秋長曆　杜預。謹按見本書《律曆志》及預傳。

乾度曆　李修、卜顯撰。謹按見本書《律曆志》。卜顯,杜氏《長曆》作"夏顯"。

通曆　著作郎王朔之。謹按見本書《律曆志》。《志》言是《曆》造于穆帝永和八年,朔之官中領軍,見《宋·天文志》。

渾天論　姜岌。謹按見本書《律曆志》。

京氏要集曆術四卷　姜岌。謹按見《七録》。《新唐志》三卷。

三紀曆一卷　姜岌。謹按見《隋志》。家大人曰:"是書及下一種舊題'姜氏',不標名。攷本書《律曆志》,有姚興時姜岌爲《三紀甲子元曆》事,則二書爲岌撰明矣。"今補岌名著於録。

曆序一卷　姜岌。謹按見《隋志》。舊題"姜氏",攷具上條。

海島算經一卷　劉徽。謹按見兩《唐志》。

九章重差圖一卷　劉徽。謹按見《隋志》。

九章算術十卷　劉徽。謹按見《隋志》。《日本現在書目》有《九章》九卷,云劉徽注,當即此書。

河西甲寅元曆一卷 涼太史趙𢾺。謹按見《隋志》。兩《唐》作"壬辰元曆"。攷甲寅爲北涼玄始二年,當晋安帝義熙十年,若作"壬辰",則爲晋孝武太元十七年,在蒙遜立國前八年矣,顯誤。《魏書·曆志》亦作《甲寅曆》,又謂之《玄始曆》,蓋曆作于玄始時,故名也。𢾺,敦煌人,字亦作匪。見《北史·李興業傳》。

甲寅元曆序一卷 涼太史趙𢾺。謹按見《隋志》。是書《志》凡二見,蓋複出。

七曜曆數算經一卷 趙𢾺。謹按見《隋志》。

算經一卷 趙𢾺。謹按見《隋志》。

陰陽曆術一卷 趙𢾺。謹按見《隋志》。

述曆讚 張亢。謹按見本書亢傳。

既往七曜曆 徐廣。謹按見《宋書·曆志》。《世説》注二引廣《律紀》,即此。

景初曆三卷 楊偉。謹按見《隋志》。偉字世英,馮翊人,見《魏志》注所引《魏晋世語》。魏時爲尚書郎,見本書《律曆志》。後入晋爲征南軍司。《隋志》雜家類注。此《曆》作於魏景初時,故名。

景初曆術二卷 楊偉。謹按見《七録》。

景初曆法三卷 楊偉。謹按見《七録》。家大人曰:"舊注云:'又一本五卷。'疑並上二卷爲一書,非别有增益也,不再著録。"

景初壬辰元曆一卷 楊冲。謹按見《隋志》。

漏刻經一卷 楊偉。謹按見《七録》。家大人曰:"舊作三卷,云後漢待詔霍融、何承天、楊偉等撰,蓋每人一卷也。今爲别出著於録。"

右曆數類,存十四家,二十三部。

遯甲肘後立成囊中祕一卷 葛洪。謹按見《隋志》。《抱朴子·登涉篇》"余少有入山之志,由此乃行學遁甲書,乃有六十餘卷事,不可卒精,故抄集其要爲《囊中立》"云云。即此書,並以下各種。

遁甲返覆圖一卷 葛洪。謹按見《隋志》。

遯甲要用四卷 葛洪。謹按見《隋志》。

遯甲祕要一卷 葛洪。謹按見《隋志》。

三元遁甲圖三卷 葛洪。謹按見兩《唐志》。

遯甲要一卷 葛洪。謹按見《隋志》。

龜決二卷 葛洪。謹按見《七録》。

周易筮占二十四卷 徵士徐苗。謹按見《七録》。

周易新林四卷 郭璞。謹按見《隋志》。璞傳言:"又鈔京、費諸家要最,更撰《新林》十篇。"即此書。《日本現在書目》五行家載璞《周易新林占》三卷,當即此書。

周易雜占十卷 葛洪。謹按見《七録》。

易洞林三卷 郭璞。謹按見《隋志》。兩《唐志》作"周易洞林解"。胡一桂《易啟蒙翼傳》云:"郭氏《洞林》,世罕其書,從王楚翁才古鈔得之。"則元時此書尚存。璞傳言:"撰前後筮驗六十餘事,名爲《洞林》。"即此書。

易八卦命録斗内圖一卷 郭璞。謹按見《隋志》。

易斗圖一卷 郭璞。謹按見《隋志》。

易腦一卷 郭璞。謹按見兩《唐志》。舊題"郭氏",蓋亦璞書。

周易新林九卷 郭璞。謹按見《隋志》。家大人曰:"此與上四卷之《新林》各著録,又有《周易新林》一卷、《周易新林》二卷,無撰人名,疑皆複見之本。"

周易林五卷 郭璞。謹按見《七録》。

易立成林二卷 郭璞。謹按見《隋志》。舊題"郭氏",蓋亦璞書。

卜韻一篇 郭璞。謹按見本書璞傳。《神仙傳》引作"卜繇"。

五行三統正驗論 索靖。謹按見本書靖傳。

五行傳 郭琦。謹按見本書琦傳。

周易品元二卷 干寶。謹按見《隋志》。舊脱撰人名,此據《册府元龜》補,攷具易類寶此書下。

晋玄石圖一卷 謹按見《七録》。家大人曰:"《武帝紀》:'泰始三年,張掖太守焦勝上言,氐池縣太柳谷有玄石一所,白畫成文,實大晋之休祥,圖之以獻,詔藏之天府。'《七録》此《圖》及下《易天圖》當皆傳自晋代,故並列入。"

晋德易天圖二卷 謹按見《七録》。

右五行類,存六家,失名二家,二十三部。

黄帝三部鍼經十三卷 皇甫謐。謹按見兩《唐志》。即《七録》十二卷之《黄帝甲乙經》也,本有《音》一卷,《唐志》並計之,故云十三卷。此書彙集舊文而成,首有謐《自序》,《新志》既入録,而又出《黄帝甲乙經》十二卷,複誤顯然。

脉經十卷 王叔和。謹按見《隋志》。叔和,西晋時高平人,官太醫令。事略具唐甘伯宗《名醫傳》。《日本現在書目》醫方類有《黄帝脉經訣》十二卷,云"王叔和新撰",疑合下《脉訣》一卷計之,實即此書。

脉訣一卷 王叔和。謹按見《文獻通攷》。陳、晁兩家書目有《脉訣機要》三卷,云:"叔和撰,通真子注。"即此書。有注,故增多二卷。

論病六卷 王叔和。謹按見《七録》。

張仲景藥方十五卷 王叔和撰。謹按見兩《唐志》。

傷寒卒病論十卷 王叔和。謹按見《新唐志》。《通攷》作"張仲景《傷寒論》十卷,王叔和撰次"。

依諸方撰一卷 皇甫謐。謹按見《隋志》。

金匱要略方三卷　張仲景撰,王叔和集。謹按見《直齋書録解題》。家大人曰:"馬氏《通攷》無此書,而有《金匱玉函經》八卷。《宋志》無"經"字,疑有奪字。据陳氏《解題》言,是書得於館閣蠹簡中,本名《金匱玉函要略方》。是知《通攷》所載八卷之《經》,即此書,特稍變其名耳。陳氏又云:'上卷論傷寒,中論雜病,下載其方,并療婦人。'則書本三卷,作八卷者,疑出後人附益,或即'三'之譌耳。《宋志》既列此書,又列《金匱玉函》八卷,複誤顯然。"

論寒食散方二卷　皇甫謐、曹歙。謹按見《七録》。裴氏《魏志》注云:"曹歙撰《寒食散方》,與皇甫謐所撰並行於世。"即此二卷之本。

金匱藥方一百卷　葛洪。謹按見本書洪傳。《抱朴子・雜應篇》:"余所撰百卷,名曰《玉函方》,皆分別病名,以類相續,不相雜錯。"其九十三卷皆單行,然則此百卷本名《玉函方》,其餘各種著録於《七録》諸志者,皆百卷中之單行者也。

神仙服食方十卷　葛洪。謹按見《隋志》。舊題"抱朴子撰"。

太清神仙服食經一卷　葛洪。謹按見《新唐志》。舊題"抱朴子"。《舊志》脱撰人名。

服食方四卷　葛洪。謹按沙門法琳《辨正論》卷九引。

玉函煎方五卷　葛洪。謹按見《隋志》。

肘後急要方四卷　葛洪。謹按見《七録》。本書洪傳作《肘後方》,云"二卷",《隋志》作"六卷",兩《唐志》作《肘後救卒方》,卷同《隋志》,當即此書。

序房内祕術一卷　葛洪。謹按見《隋志》。舊題"葛氏撰",亦稚川之書。

殷荆州要方一卷　殷仲堪。謹按見《七録》。

范東陽方一百五卷　録一卷　范汪。謹按見《隋志》。《七録》

作"一百七十六卷",兩《唐志》作"一百七十卷",云"尹穆撰"。

解散方七卷 范汪。謹按見《七録》。家大人曰:"此書舊與下二書但題'范氏',無名。攷《隋志》醫方類東陽外無别有姓范者,此三種亦爲汪書,可以意决,當爲百七十餘卷中傳録别行之本,孝緒据所見各著於録耳。今補汪名,備列於下。"

療婦人藥方十一卷 范汪。謹按見《七録》。

療小兒藥方一卷 范汪。謹按見《七録》。

議論備禦方一卷 于法開。謹按見《隋志》。法開,舊《晋書》有傳,見《世説·術解篇》注。

申蘇方五卷 支法存。謹按見《七録》。

青精鍵飯方 魏夫人。謹按見《南嶽魏夫人傳》。《太平廣記》五十八引。

新書病總要略一卷 王叔和。謹按見《崇文總目》。錢氏侗曰:"《通志》、《宋志》並作《新集病總略》,'書'字疑譌。"

右醫方類,存九家,二十五部。

凡諸子,存一百六十五家,失名四家,二百三十部。

補晉書藝文志卷四

常熟丁國鈞撰　子辰注

丁部集録

楚辭注三卷　郭璞。謹按見《隋志》。兩《唐志》均十卷。

楚辭音一卷　徐邈。謹按見《隋志》。

右楚辭類,存二家,二部。

宣帝集五卷　録一卷　謹按見《七録》。《隋志》佚《録》一卷。

文帝集三卷　謹按見《隋志》。

齊王攸集三卷　謹按見《七録》。《隋志》存二卷。本書有傳。

步兵校尉阮籍集十三卷　録一卷　謹按見《七録》。《隋志》存十卷,兩《唐志》五卷,《宋志》仍十卷。

中散大夫嵇康集十五卷　録一卷　謹按見《七録》。《隋志》十三卷,兩《唐志》仍十五卷。

王沈集五卷　謹按見《隋志》。本書有傳。

鄭袤集二卷　謹按見《七録》。兩《唐志》著録。本書有傳。

宗正嵇喜集二卷　録一卷　謹按見《七録》。《隋志》一卷,兩《唐志》仍二卷。《晉百官名》《世説·簡傲篇》注。曰:"喜字公穆,歷楊州刺史,嵇康兄也。"

散騎常侍應貞集五卷　謹按見《七録》。《隋志》一卷,兩《唐志》仍五卷。本書有傳。

司隸校尉傅玄集五十卷　録一卷　謹按見《七録》。《隋志》十五卷,兩《唐志》仍五十卷。本書有傳。

著作郎成公綏集十卷 謹按見《七録》。《隋志》九卷，兩《唐志》仍十卷。本書有傳。

裴秀集三卷 録一卷 謹按見《七録》。兩《唐志》著録。本書有傳。

金紫光禄大夫何楨集五卷 謹按見《七録》。《隋志》一卷。嚴可均《全晋文・目録》云："楨字元幹，廬江灊人，魏太和中爲楊州别駕，正始中爲宏農太守，歷幽州刺史，拜廷尉，入晋爲尚書光禄大夫。"兩《唐志》仍五卷。

袁準集二卷 録一卷 謹按見《七録》。兩《唐志》著録。本書有傳。

少傅山濤集五卷 録一卷 謹按見《七録》。《隋志》九卷，又一本十卷，齊奉朝請裴津注。兩《唐志》著録仍五卷。本書有傳。

向秀集二卷 録一卷。謹按見《七録》。兩《唐志》著録。本書有傳。

平原太守阮种集二卷 録一卷 謹按見《七録》。兩《唐志》著録，誤作"阮冲"。本書有傳。

阮侃集五卷 録一卷 謹按見《七録》。《陳留志》《世説・賢媛篇》注引。："侃字德如，仕至河内太守。"東晋末又有尋陽太守阮侃，見《高僧傳》中《慧遠傳》。乃别一人。兩《唐志》著録。

太傅羊祜集二卷 録一卷 謹按見《七録》。《隋志》存一卷，兩《唐志》仍二卷。本書有傳。

蔡玄通集五卷 謹按見《七録》。

太宰賈充集五卷 録一卷 謹按見《七録》。兩《唐志》存二卷。本書有傳。

侍中庾峻集二卷 録一卷 謹按見《七録》。兩《唐志》三卷。本書有傳。

荀勗集三卷 録一卷 謹按見《七録》。兩《唐志》作"二十卷"。本書有傳。

征南將軍杜預集十八卷　謹按見《隋志》。兩《唐志》作"二十卷"。本書有傳。

輔國將軍王濬集一卷　謹按見《隋志》。《七録》、《唐志》均著録。本書有傳。

徵士皇甫謐集二卷　録一卷　謹按見《隋志》。本書有傳。

侍中程咸集三卷　謹按見《隋志》。兩《唐志》作"二卷"。咸字延休,魏正始中爲司隸校尉府主簿,入晋歷黄門郎、散騎常侍,累遷至侍中。

光禄大夫劉毅集二卷　録一卷　謹按見《七録》。兩《唐志》著録。本書有傳。

巴西太守郤正集一卷　謹按見《隋志》。正仕蜀爲祕書郎,入晋仕至巴西太守。《蜀志》有傳。

散騎常侍薛瑩集三卷　謹按見《隋志》。瑩卒於太康三年,附見《吴志·薛綜傳》。兩《唐志》存二卷。

散騎常侍陶濬集二卷　録一卷　謹按見《七録》。

通事郎江偉集六卷　謹按見《隋志》。兩《唐志》存五卷。偉,陳留襄邑人。

宣舒集五卷　謹按見《七録》。舒字幼驥,陳郡人,爲宜城令。見《釋文·敘録》。兩《唐志》著録三卷,"舒"誤"騁"。

散騎常侍曹志集二卷　録一卷　謹按見《七録》。兩《唐志》著録。本書有傳。

鄒湛集三卷　録一卷　謹按見《七録》。兩《唐志》作"四卷"。本書有傳。

汝南太守孫毓集六卷　謹按見《隋志》。毓爲孫觀子,見《魏志·臧霸傳》。《新唐志》存五卷,《舊唐志》存二卷。

處士楊泉集二卷　録一卷　謹按見《隋志》。泉字德淵,見《意林》。吴處士入晋徵爲侍中,不就。見原本《北堂書鈔》。

司徒王渾集五卷　謹按見《七録》。兩《唐志》著録。本書有傳。

冀州刺史王琛集五卷　謹按見《七録》。兩《唐志》存四卷。

徵士閔鴻集三卷　謹按見《隋志》。嚴可均《全晋文・目録》曰："鴻，廣陵人，仕吴爲尚書，入晋徵不就。"兩《唐志》存二卷。

光禄大夫裴楷集二卷　録一卷　謹按見《七録》。兩《唐志》著録。本書有傳。

司空張華集十卷　録一卷　謹按見《隋志》。本書有傳。

尚書僕射裴頠集九卷　謹按見《隋志》。兩《唐志》均十卷　本書有傳。

太子中庶子許孟集三卷　録一卷　謹按見《七録》。兩《唐志》存二卷。

太宰何邵集二卷　録一卷　謹按見《七録》。兩《唐志》著録。本書有傳。

光禄大夫劉頌集三卷　録一卷　謹按見《七録》。兩《唐志》著録。本書有傳。

劉寔集二卷　録一卷　謹按見《七録》。兩《唐志》著録。本書有傳。

散騎常侍王佑集三卷　録一卷　謹按見《七録》。兩《唐志》著録。佑官至北軍中候，見本書《王嶠傳》。

驃騎將軍王濟集二卷　謹按見《七録》。兩《唐志》著録。本書有傳。

華嶠集八卷　謹按見《隋志》。《七録》二卷。本書有傳。

祕書丞司馬彪集四卷　謹按見《隋志》。本書有傳。

尚書庾儵集二卷　録一卷　謹按見《七録》。兩《唐志》著録《庾氏譜》，《管寧傳》注引。"鯈"作"儵"，云："字玄默，晋尚書陽翟子。"家大人從原本《北堂書鈔》、《藝文類聚》諸書輯存一卷。

國子祭酒謝衡集二卷　謹按見《七録》。兩《唐志》著録。衡爲謝安祖，曾官博士，見《永嘉流人名》。又官散騎常侍，見本書《禮志》。

又官太子太傅。見《中興書》。

漢中太守李虔集二卷　録一卷　謹按見《七録》。兩《唐志》均十卷。本書《李密傳》:"密,一名虔。"

司隸騎尉傅咸集三十卷　録一卷　謹按見《七録》。《隋志》存十七卷,兩《唐志》仍三十卷。本書有傳。

太子中庶子棗據集二卷　録一卷　謹按見《七録》。本書據傳所著詩賦論四十五首,遇亂多亡佚,此二卷殆佚賸之本。兩《唐志》仍著録。

劉寶集三卷　謹按見《七録》。《晋百官名》《世説·德行篇》注。:"寶字道真,高平人。"

馮翊太守孫楚集十二卷　録一卷　謹按見《七録》。《隋志》六卷,兩《唐志》十卷。本書有傳。

散騎常侍夏侯湛集十卷　録一卷　謹按見《七録》。本書有傳。

弋陽太守夏侯淳集二卷　謹按見《七録》。兩《唐志》均十卷。淳爲湛弟,本書附湛傳後。

散騎侍郎王讚集五卷　謹按見《七録》。臧榮緒《晋書》《文選注》二十九引。:"讚字正長,義陽人,博學有俊才,辟司空椽,歷散騎侍郎,卒。"《舊唐志》三卷,《新志》二卷。

衛尉卿石崇集六卷　録一卷　謹按見《七録》。兩《唐志》均五卷。本書有傳。

尚書郎張敏集五卷　謹按見《七録》。《隋》、《唐志》均二卷。嚴可均《全晋文·目録》曰:"敏,太原中都人。咸寧中,爲尚書郎,領祕書監。太康初,出爲益州刺史。"

黄門郎伏倬集一卷　謹按見《七録》。

黄門郎潘岳集十卷　謹按見《隋志》。本書有傳。

太常卿潘尼集十卷　謹按見《隋志》。本書有傳。

頓邱太守歐陽建集二卷　謹按見《隋志》。建字堅石,本書附《石崇傳》

後，傳言官馮翊太守，不及頓邱。

宗正劉許集二卷　録一卷　謹按見《七録》。《晋百官名》《世説・排調篇》注引。言："許字文生，涿郡人，惠帝時爲宗正。"兩《唐志》著録。

散騎常侍李重集二卷　謹按見《七録》。兩《唐志》著録。本書有傳。

光禄大夫樂廣集二卷　録一卷　謹按見《七録》。兩《唐志》著録。本書有傳。

阮渾集二卷　録一卷　謹按見《七録》。兩《唐志》存二卷。渾爲阮籍子，本書附籍傳。

侍中嵇紹集二卷　録一卷　謹按見《隋志》。本書有傳。

錢塘令楊建集九卷　謹按見《七録》。

長沙相盛彦集五卷　謹按見《七録》。本書有傳。

左長史楊乂集三卷　録一卷　謹按見《七録》。

尚書盧播集二卷　録一卷　謹按見《七録》。《隋》、《唐志》均作"一卷"。嚴可均《全晋文・目録》曰："播字景宣，陳留人，爲本州别駕，元康中遷梁王肜征西長史，進振威將軍，後爲尚書。"

欒肇集五卷　録一卷　謹按見《七録》。兩《唐志》仍五卷。

南中郎長史應亨集二卷　謹按見《七録》。兩《唐志》著録。嚴可均曰："亨爲貞從孫，爲著作郎，累遷南中郎長史。"

國子祭酒杜育集二卷　謹按見《隋志》。育字方叔，襄城人，見《世説・品藻篇》注。

太常卿摯虞集十卷　録一卷　謹按見《七録》。《隋志》九卷，《新唐志》仍十卷。本書有傳。

祕書監繆徵集二卷　録一卷　謹按見《七録》。兩《唐志》著録。徵爲魏繆襲孫，見《文章志》。

齊王府記室左思集五卷　録一卷　謹按見《七録》。《隋志》存二卷,兩《唐志》仍五卷。本書有傳。

豫章太守夏靖集二卷　録一卷　謹按見《七録》。兩《唐志》著録作夏侯靖,侯字誤衍。靖有《答陸士衡詩》,見《文館詞林》百五十七。

吴王文學鄭豐集二卷　録一卷　謹按見《七録》。兩《唐志》著録。据《文館詞林》卷百五十六,知豐字曼季。

大司馬東曹椽張翰集二卷　録一卷　謹按見《七録》。兩《唐志》著録。本書有傳。

清河王文學陳略集二卷　録一卷　謹按見《七録》。兩《唐志》著録。

揚州從事陸冲集二卷　録一卷　謹按見《七録》。兩《唐志》著録。

平原内史陸機集四十七卷　録一卷　謹按見《七録》。《隋志》十四卷,兩《唐志》十五卷。本書機傳言:"所著文章三百餘篇,並行於世。"

清河太守陸雲集十卷　録一卷　謹按見《七録》。《隋志》十二卷,兩《唐志》均十卷。本書雲傳言:"所著文章三百四十九篇,並行於世。"

少府丞孫拯集二卷　録一卷　謹按見《七録》。拯,附見《陸機傳》後,字亦作"丞"。見《吴志·孫桓傳》注。《隋志》作"孫極",誤。兩《唐志》著録。

中書郎張載集七卷　謹按見《隋志》。舊注云:"梁一本二卷,《録》一卷。"《舊唐志》二卷,《新志》三卷。本書有傳。

黄門郎張協集四卷　録一卷　謹按見《七録》。《隋志》三卷,兩《唐志》均二卷。本書有傳。

著作郎束晳集七卷　謹按見《隋志》。《七録》五卷,兩《唐志》同。本書有傳。

征南司馬曹攄集三卷　録一卷　謹按見《七録》。兩《唐志》二卷。本書有傳。

散騎常侍江統集十卷　録一卷　謹按見《七録》。兩《唐志》著録。本書有傳。

著作郎胡濟集五卷　録一卷　謹按見《七録》。兩《唐志》著録。本書《伍朝傳》有尚書郎胡濟，當即其人。

中書令卞粹集五卷　謹按見《七録》。《隋志》一卷，兩《唐》二卷。粹爲卞壺父，本書附見壺傳。

光禄勳閭丘冲集二卷　録一卷　謹按見《七録》。兩《唐志》著録。荀綽《兖州記》《世説·品藻篇》注引。："冲字賓卿，高平人，家世二千石，京邑未潰，乘車出，爲賊所害。"

太傅從事中郎庾敳集五卷　録一卷　謹按見《七録》。《隋志》一卷，兩《唐志》均二卷。本書有傳。

太子洗馬阮修集二卷　録一卷　謹按見《七録》。兩《唐志》著録。本書有傳。

廣威將軍裴邈集二卷　録一卷　謹按見《七録》。兩《唐志》著録。邈字景聲，河東聞喜人，歷太傅從事中郎、左司馬監、東海王軍事。見《晋諸公讚》。《世説·雅量篇》注引。

太子中舍人阮瞻集二卷　録一卷　謹按見《七録》。兩《唐志》著録。本書有傳。

太傅主簿郭象集五卷　録一卷　謹按見《七録》。《隋志》二卷，兩《唐志》仍五卷。舊脱"主簿"字，此据本書象傳補。

廣州刺史嵇含集十卷　録一卷　謹按見《七録》。兩《唐志》均著録。含爲嵇紹從子，本書附紹傳。

安豐太守孫惠集十一卷　録一卷　謹按見《七録》。《隋志》八卷，兩《唐志》均十卷。本書有傳。

松滋令蔡洪集二卷　録一卷　謹按見《七録》。兩《唐志》著録。本書附見《王沈傳》。

平北將軍牽秀集四卷　謹按見《隋志》。《七録》三卷，兩《唐志》

均五卷。本書有傳。

車騎從事中郎蔡克集二卷　録一卷　謹按見《七録》。兩《唐志》著録。克爲蔡謨父,本書附見謨傳。

游擊將軍索靖集三卷　謹按見《七録》。兩《唐志》著録。本書有傳。

隴西太守閻纘集二卷　録一卷　謹按見《七録》。兩《唐志》著録。本書有傳。

秦州刺史張輔集二卷　録一卷　謹按見《七録》。兩《唐志》著録。本書有傳。

交趾太守殷巨集二卷　謹按見《七録》。兩《唐志》著録。《文士傳》。《吴志·顧邵傳》。注引:"巨字元大,興子,[①]仕吴爲偏將軍,入晉歷交趾太守。"

太子洗馬陶佐集五卷　録一卷　謹按見《七録》。兩《唐志》著録。

鄱陽太守虞溥集二卷　録一卷　謹按見《七録》。兩《唐志》著録。本書有傳。

益陽令吴商集五卷　謹按見《七録》。兩《唐志》著録。

仲長敖集二卷　謹按見《七録》。兩《唐志》著録。

太常卿劉弘集三卷　録一卷　謹按見《七録》。兩《唐志》著録。本書有傳。

開府山簡集二卷　録一卷　謹按見《七録》。兩《唐志》著録。本書有傳。

兖州刺史宗岱集二卷　謹按見《七録》。兩《唐志》著録三卷。岱曾爲襄陽太守,見本書《孫旂傳》。青州刺史。見《太平廣記》鬼類。

侍中王峻集二卷　録一卷　謹按見《七録》。兩《唐志》著録。

---

① 據中華書局標點本《三國志》注,巨为殷基子。

濟陽内史王曠集五卷　録一卷。謹按見《七録》。兩《唐志》著録。本書《王羲之傳》，父曠，淮南太守。

散騎常侍棗嵩集二卷　録一卷　謹按見《七録》。《隋志》存一卷，兩《唐志》著録。本書附《棗據傳》。

襄陽太守棗腆集二卷　録一卷　謹按見《七録》。兩《唐志》著録。孜本書《棗據傳》，腆係襄城太守，《册府元龜》同。此作"襄陽"，誤。

太尉劉琨集十卷　謹按見《七録》。《隋志》九卷，兩《唐志》仍十卷。本書有傳。

劉琨别集十二卷　謹按見《隋志》。

司空從事中郎盧諶集十卷　謹按見《隋志》。本書有傳。

祕書丞傅暢集五卷　謹按見《隋志》。暢爲傅祗子，本書附祗傳。

明帝集五卷　録一卷　謹按見《七録》。兩《唐志》著録。

簡文帝集五卷　録一卷　謹按見《七録》。兩《唐志》著録。

孝武帝集二卷　録一卷　謹按見《七録》。

彭城王紘集二卷　謹按見《七録》。兩《唐志》著録。本書有傳。

譙烈王集九卷　録一卷　謹按見《七録》。本書有傳。

會稽王司馬道子集九卷　謹按見《七録》。《隋志》存八卷。本書有傳。

鎮東從事中郎傅毅集五卷　謹按見《七録》。兩《唐志》著録。

衡陽内史曾懷集四卷　録一卷　謹按見《七録》。《隋志》存三卷。

驃騎將軍顧榮集五卷　録一卷　謹按見《七録》。兩《唐志》著録。本書有傳。

司空賀循集二十卷　録一卷　謹按見《七録》。《隋志》十八卷，兩《唐志》同《七録》。本書有傳。

散騎常侍張抗集二卷　録一卷　謹按見《七録》。兩《唐志》均三卷。抗，本書作"亢"，張協弟也，附見協傳。《册府元龜》則引作"張伉"。

車騎長史賈彬集三卷　録一卷　謹按見《七録》。兩《唐志》作“賈霖”。

光禄大夫衛展集十五卷　謹按見《七録》。《隋志》十二卷,兩《唐志》十四卷。本書附見《衛恒傳》。

太尉荀組集三卷　録一卷　謹按見《七録》。《新唐志》存一卷,《舊唐志》二卷。本書附見《荀勗傳》。

祕書郎張委集九卷　謹按見《隋志》。《七録》五卷。

關内侯傅珉集一卷　謹按見《七録》。

光禄大夫周顗集二卷　録一卷　謹按見《七録》。兩《唐志》著録。本書有傳。

太常謝鯤集二卷　謹按見《七録》。《隋》、《唐志》均六卷。本書有傳。

驃騎將軍王廙集三十四卷　録一卷　謹按見《七録》。《隋志》十卷。本書有傳。

華譚集二卷　謹按見《七録》。兩《唐志》著録。本書有傳。

御史中丞熊遠集五卷　録一卷　謹按見《七録》。《隋志》十二卷,兩《唐志》仍五卷。本書有傳。

湘州秀才谷儉集一卷　謹按見《七録》。儉事附見本書《甘卓傳》。

大鴻臚周嵩集三卷　録一卷　謹按見《七録》。兩《唐志》著録。本書有傳。

弘農太守郭璞集十卷　録一卷　謹按見《七録》。《隋志》十七卷,兩《唐志》著録仍十卷。本書有傳。

張駿集八卷　謹按見《隋志》。舊注云:“殘缺。”本書有傳。

大將軍王敦集十卷　謹按見《隋志》。本書有傳。

吴興太守沈充集二卷　謹按見《七録》。本書附《王敦傳》後。

散騎常侍傅純集二卷　録一卷　謹按見《七録》。兩《唐志》著録。

光禄大夫梅陶集二十卷　録一卷　謹按見《七録》。《隋志》九卷，兩《唐志》十卷。陶曾爲王敦諮議參軍，見《陶侃傳》。又爲章郡太守。《通典》卷九十九。

金紫光禄大夫荀邃集二卷　録一卷　謹按見《七録》。兩《唐志》著録。本書附見《荀勗傳》。

著作佐郎王濤集五卷　謹按見《七録》。兩《唐志》著録。濤字茂略，歷著作郎、無錫令，見本書《王鑒傳》。

廷尉卿阮放集十卷　録一卷　謹按見《七録》。兩《唐志》五卷。本書有傳。

散騎常侍王覽集九卷　謹按見《隋志》。《七録》五卷。本書附見《王祥傳》。

宗正卿張悛集二卷　録一卷　謹按見《七録》。兩《唐志》著録。悛字士然，吴國人，見孫盛《晋陽秋》。《隋》、《唐志》舊作“俊”，譌。

汝南太守應碩集二卷　謹按見《七録》。《新唐志》著録。

金紫光禄大夫張闓集二卷　録一卷　謹按見《七録》。兩《唐志》三卷。本書有傳。

揚州從事陸沈集二卷　録一卷　謹按見《七録》。《新唐志》著録。

驃騎將軍卞壺集二卷　録一卷　謹按見《七録》。兩《唐志》著録。本書有傳。

光禄勳鍾雅集一卷　謹按見《七録》。本書有傳。

衛尉卿劉超集二卷　謹按見《七録》。兩《唐志》著録。本書有傳。

衛將軍戴邈集五卷　録一卷　謹按見《七録》。兩《唐志》著録。本書有傳。

光禄大夫荀崧集二卷　謹按見《七録》。本書有傳。

大將軍温嶠集十卷　録一卷　謹按見《七録》。兩《唐志》著録。本書有傳。

侍中孔坦集十七卷　謹按見《隋志》。《七録》五卷，兩《唐志》

同。本書有傳。

臧冲集一卷　謹按見《七録》。

鎮南大將軍應詹集五卷　謹按見《七録》。《舊唐志》三卷,《新志》仍五卷。本書有傳。

太僕卿王嶠集八卷　謹按見《隋志》。《新唐志》存二卷。本書有傳,不言爲太僕。

衛尉荀闓集一卷　謹按見《七録》。本書附見《荀勗傳》。

鎮北將軍劉隗集二卷　謹按見《七録》。兩《唐志》均三卷。本書有傳。

大司馬陶侃集二卷　録一卷　謹按見《七録》。兩《唐志》著録。本書有傳。

丞相王導集十卷　録一卷　謹按見《七録》。《隋志》十一卷,兩《唐志》仍十卷。本書有傳。

太尉郗鑒集十卷　録一卷　謹按見《隋志》。本書有傳。

太尉庾亮集二十一卷　謹按見《隋志》。《七録》、兩《唐志》均二十卷。本書有傳。

虞預集十卷　録一卷　謹按見《七録》。兩《唐志》著録。本書有傳。

平越司馬黄整集十卷　録一卷　謹按見《七録》。兩《唐志》著録。

護軍長史庾堅集十三卷　謹按見《隋志》。《七録》十卷,《録》一卷。

司空庾冰集二十卷　録一卷　謹按見《七録》。《隋志》七卷,兩《唐志》仍二十卷。本書有傳。

給事中庾闡集九卷　謹按見《隋志》。兩《唐志》著録。家大人從原本《北堂書鈔》、《藝文類聚》諸書輯存一卷。本書有傳。

著作郎王隱集二十卷　録一卷　謹按見《七録》。《隋志》仍十卷。本書有傳。

太常卿殷融集十卷　謹按見《隋志》。融字洪遠，陳郡人，累遷吏部尚書、太常卿，卒。見《中興書》。《世説·文學篇》注引。

散騎常侍干寶集五卷　謹按見《七録》。《隋志》四卷。本書有傳。

衛尉張虞集十卷　謹按見《七録》。兩《唐志》五卷。嚴可均曰："虞，咸康中東陽太守，累遷衛尉卿。"

光禄大夫諸葛恢集五卷　録一卷　謹按見《七録》。兩《唐志》著録。本書有傳。

車騎將軍庾翼集二十二卷　謹按見《隋志》。《七録》二十卷，《録》一卷，兩《唐志》同。本書有傳。

司空何充集四卷　謹按見《隋志》。《七録》、兩《唐志》均五卷。本書有傳。

御史中丞郝默集五卷　謹按見《七録》。兩《唐志》著録。

征西諮議甄述集十二卷　謹按見《七録》。兩《唐》均五卷。述曾爲河南功曹，見本書《王尼傳》。

武昌太守徐彦則集十卷　謹按見《七録》。

散騎常侍王愆期集十卷　録一卷　謹按見《七録》。兩《唐志》著録。本書附見《王接傳》。

司徒左長史王濛集五卷　謹按見《七録》。兩《唐志》著録。見本書《外戚傳》。

丹陽尹劉惔集二卷　録一卷　謹按見《七録》。兩《唐志》五卷。本書有傳。

益州刺史袁喬集七卷　謹按見《七録》。兩《唐志》五卷。本書有傳。

尚書令顧和集五卷　録一卷　謹按見《隋志》。本書有傳。

尚書僕射劉遐集五卷　謹按見《七録》。兩《唐志》著録。本書有《劉遐傳》，係武夫，亦不云爲尚書僕射，疑此係别一人。

徵士江淳集三卷　録一卷　謹按見《七録》。兩《唐志》五卷。本書有傳。

李充集十五卷　録一卷　謹按見《七録》。《隋志》二十二卷,兩《唐志》十四卷。見本書《文苑傳》。

魏興太守荀述集一卷　謹按見《七録》。

平南將軍賀翹集五卷　謹按見《七録》。

李軌集八卷　謹按見《七録》。

司徒蔡謨集四十三卷　謹按見《七録》。《隋志》十七卷,兩《唐志》十卷。本書有傳。

揚州刺史殷浩集五卷　録一卷　謹按見《七録》。《隋志》四卷。本書有傳。

吴興孝廉紐滔集五卷　録一卷　謹按見《七録》。

宣城内史劉系之集五卷　録一卷　謹按見《七録》。兩《唐志》著録。

尋陽太守庾統集八卷　謹按見《隋志》。"統"舊譌作"純"。本書附見《庾懌傳》。

庾赤玉集四卷　謹按見《隋志》。赤玉爲庾統小字,見《世説·賞譽篇》注。《隋志》既載統集八卷,而又列此,當依阮《録》複出。

驃騎司馬王修集二卷　録一卷　謹按見《七録》。修爲王濛子,附見本書《外戚傳》。

衛將軍謝尚集十卷　録一卷　謹按見《七録》。兩《唐志》均五卷。本書有傳。

青州刺史王俠集二卷　謹按見《七録》。本書永和五年帝紀有"石遵揚州刺史王浹以壽陽降"語,疑即其人。此《集》兩《唐志》著録正作"王浹",意《隋志》"俠"字實"浹"之譌。

西中郎將王胡之集十卷　謹按見《隋志》。《七録》、兩《唐志》均五卷。胡之爲王廙子,本書附見廙傳。

中書令王洽集五卷　録一卷　謹按見《隋志》。兩《唐志》均三卷。洽，王導子，本書附見導傳。

宜春令范保集七卷　謹按見《七録》。

徵士范宣集十卷　録一卷　謹按見《七録》。兩《唐志》均五卷。見本書《儒林傳》。

建安太守丁纂集四卷　録一卷　謹按見《七録》。兩《唐志》二卷。纂曾爲黄門郎，見本書《蔡謨傳》。

金紫光禄大夫王羲之集十卷　録一卷　謹按見《七録》。《隋志》九卷，兩《唐志》均五卷。本書有傳。

散騎常侍謝萬集十卷　謹按見《七録》。《隋志》十六卷，兩《唐志》仍十卷，作"謝方"，蓋書"萬"爲"万"，譌成"方"也。本書有傳。

司徒長史張憑集一卷　謹按見《七録》。《隋志》、兩《唐志》均五卷。本書有傳。

高涼太守楊方集二卷　謹按見《七録》。本書有傳。

徵士許詢集八卷　録一卷　謹按見《七録》。《隋志》、兩《唐志》均三卷。許字玄度，高陽人，寓居會稽，見《晋中興書》。《文選注》三十二引。

征西將軍張望集十二卷　録一卷　謹按見《七録》。《隋志》十卷，兩《唐志》均三卷。

餘姚令孫統集九卷　録一卷　謹按見《七録》。《隋志》二卷，兩《唐志》均五卷。本書附見《孫楚傳》。

晋陵令戴元集三卷　録一卷　謹按見《七録》。

衛尉卿孫綽集二十五卷　謹按見《七録》。《隋志》十五卷。本書有傳。

太常江逌集九卷　謹按見《隋志》。兩《唐志》五卷。家大人從《藝文類聚》諸書輯存一卷。本書有傳。

謝沈集十卷　謹按見《七録》。兩《唐志》均五卷。本書有傳。

李顒集十卷　録一卷　謹按見《隋志》。家大人從《藝文類聚》

諸書輯存一卷。本書附見《李充傳》。

光禄勳曹毗集十五卷　録一卷　謹按見《七録》。《隋志》十卷,兩《唐志》卷同《七録》。家大人從《藝文類聚》諸書輯存一卷。本書《文苑》有傳。

郡主簿王蔑集五卷　謹按見《七録》。兩《唐志》著録。

劉彧集十六卷　謹按見《七録》。

張重華酒泉太守謝艾集八卷　謹按見《七録》。《隋》、《唐志》均七卷。艾事附見本書《張重華傳》。

撫軍長史蔡系集二卷　謹按見《七録》。兩《唐志》著録。系爲蔡謨子,見本書謨傳。《世説》注引《中興書》曰:"系字子叔。"

護軍將軍江彪集五卷　録一卷　謹按見《七録》。彪,《隋志》誤彬。本書有傳。

范汪集十卷　謹按見《七録》。《隋志》一卷,兩《唐志》八卷。本書有傳。

尚書僕射王述集八卷　謹按見《七録》。兩《唐志》五卷。本書有傳。

王度集五卷　録一卷　謹按見《七録》。兩《唐志》著録。

中領軍庾龢集二卷　録一卷　謹按見《七録》。兩《唐志》著録。龢爲庾亮子,附見本書亮傳。

將作大匠喻希集一卷　謹按見《七録》。嚴可均曰:"希字益期,豫章人。"

吴興太守孔嚴集十一卷　録一卷　謹按見《七録》。兩《唐志》五卷。本書有傳。

大司馬桓温集四十三卷　謹按見《七録》。《隋志》十一卷。本書有傳。

桓温要集二十卷　録一卷　謹按見《七録》。兩《唐志》著録。

豫章太守車灌集五卷　録一卷　謹按見《七録》。兩《唐志》著録。

尚書僕射王坦之集七卷 謹按見《隋志》。《七録》并《録》六卷。本書有傳。

左光禄大夫王彪之集二十卷 謹按見《隋志》。《七録》有《録》一卷。本書有傳。

中書郎郄超集十卷 謹按見《七録》。《隋志》九卷,《唐志》十五卷。本書有傳。

南中郎將桓嗣集五卷 謹按見《七録》。兩《唐志》著録。嗣爲桓冲子,本書附冲傳。

平固令邵毅集五卷 録一卷 謹按見《七録》。兩《唐志》著録。

太學博士滕輔集五卷 録一卷 謹按見《七録》。兩《唐志》著録。

苻堅丞相王猛集九卷 録一卷 謹按見《隋志》。本書附見《苻堅載記》。

顧夷集五卷 謹按見《七録》。兩《唐志》著録。夷字君齊,吴郡人,辟州主簿,不就。見《世説·政事篇》注。

散騎常侍鄭襲集四卷 謹按見《七録》。

撫軍椽劉暢集一卷 謹按見《七録》。暢爲劉瑾父,王羲之女壻,見《世説·品藻篇》注。

太常卿韓康伯集十六卷 謹按見《隋志》。兩《唐志》五卷。本書有傳。

黄門郎范啟集四卷 謹按見《七録》。兩《唐志》五卷,誤"啟"爲"起"。本書《范堅傳》,堅與子啟並有文筆行於世。《七録》但著啟《集》而不及堅,知佚久矣。

豫章太守王恪集十卷 謹按見《七録》。恪爲王遐子,見本書《外戚傳》。

零陵太守陶混集七卷 謹按見《七録》。

海鹽令祖撫集三卷 謹按見《七録》。

吴興太守殷康集五卷 録一卷 謹按見《七録》。兩《唐志》著録。康爲殷顗父,見本書顗傳。

太傅謝安集十卷　謹按見《隋志》。兩《唐志》均五卷。本書有傳。

中軍參軍孫嗣集三卷　録一卷　謹按見《七録》。兩《唐志》著録。嗣爲孫綽子,見本書綽傳。

司徒左長史劉袞集三卷　謹按見《七録》。

御史中丞孔欣時集七卷　謹按見《七録》。《隋志》八卷。

伏滔集十一卷　謹按見《隋志》。本書《文苑》有傳。

滎陽太守習鑿齒集五卷　謹按見《隋志》。本書有傳。

祕書監孫盛集十卷　録一卷　謹按見《七録》。《隋志》五卷,云殘缺。兩《唐志》仍十卷。本書有傳。

東陽太守袁宏集二十卷　録一卷　謹按見《七録》。《隋志》十五卷,兩《唐志》卷同《七録》。

黄門郎顧淳集一卷　謹按見《七録》。淳爲顧和子,見本書和傳。

尋陽太守熊鳴鵠集十卷　謹按見《七録》。鳴鵠爲熊遠兄子,見本書遠傳。

車騎司馬謝韶集三卷　謹按見《七録》。韶爲謝萬子,見本書萬傳。

金紫光禄大夫王獻之集十卷　録一卷　謹按見《七録》。本書有傳。

瑯邪内史袁質集二卷　録一卷　謹按見《七録》。兩《唐志》著録。質爲袁耽子,本書附耽傳。

太傅從事中郎袁邵集五卷　録一卷　謹按見《七録》。兩《唐志》三卷。

車騎長史謝朗集六卷　謹按見《七録》。兩《唐志》五卷。朗爲萬子,本書有傳。

車騎將軍謝顒集十卷　録一卷　謹按見《七録》。

新安太守郄愔集五卷　謹按見《七録》。《隋志》四卷,云殘缺。本書有傳。

吴郡功曹陸法之集十九卷　謹按見《七録》。

太常卿王珉集十卷　謹按見《隋志》。珉爲王洽子,本書有傳,《隋志》作

"王岷",誤。

中散大夫羅含集三卷 謹按見《隋志》。見本書《孝友傳》。

太宰長史庾倩集二卷 謹按見《七録》。兩《唐志》著録。倩爲庾冰子,見本書冰傳,《隋志》作"庾蒨",誤。

大司馬參軍庾攸之集三卷 謹按見《七録》。攸之,庾希子,見本書《庾冰傳》,《隋志》譌作"悠之"。

司徒左長史庾凱集二卷 謹按見《七録》。兩《唐志》著録作"庾軌"。

國子博士孫放集十卷 謹按見《七録》。《隋志》殘缺,存一卷。兩《唐志》均十五卷。放爲孫盛子,本書附見盛傳。

聘士殷叔獻集三卷 録一卷 謹按見《隋志》。叔獻,殷顗弟,見本書顗傳。

湘東太守庾肅之集十卷 録一卷 謹按見《隋志》。肅之,庾闡子,見本書闡傳。

北中郎參軍蘇彦集十卷 謹按見《七録》。兩《唐志》著録。《藝文類聚》卷八十二。引彦《芙蕖賦》作"吴蘇彦","吴"字誤。家大人從原本《書鈔》、《藝文類聚》諸書輯存一卷。

太子左率王肅之集三卷 録一卷 謹按見《七録》。《王氏譜》《世説・排調篇》注。:"肅之字幼恭,羲之第四子,歷中書郎,驃騎諮議。"

黄門郎王徽之集八卷 謹按見《七録》。本書有傳。

徵士謝敷集五卷 録一卷 謹按見《七録》。見本書《隱逸傳》。

太常卿孔汪集十卷 謹按見《七録》。本書有傳。

陳統集七卷 謹按見《七録》。統字元方,徐州從事,見《釋文・敘録》。

太常王愷集十五卷 謹按見《七録》。本書有傳。

右將軍王忱集五卷 録一卷 謹按見《七録》。本書有傳。

太常殷允集十卷 謹按見《七録》。兩《唐志》著録。《中興書》:"允字子思,陳郡人,太常康第六子,歷吏部尚書。"《世説・賞譽篇》注。

徵士戴逵集十卷　録一卷　謹按見《七録》。《隋志》九卷。見本書《隱逸傳》。

光禄大夫孫廞集十卷　謹按見《七録》。

尚書左丞徐禪集六卷　謹按見《七録》。

太子前率徐邈集二十卷　録一卷　謹按見《七録》。《隋志》并《目録》九卷。見本書《儒林傳》。

給事中徐禪集二十一卷　謹按見《隋志》。舊注云:“并《目録》。”

冠軍將軍張玄之集五卷　録一卷　謹按見《七録》。玄之事見本書《謝玄傳》。

員外常侍荀世之集八卷　謹按見《七録》。

袁山松集十卷　謹按見《七録》。本書有傳。

黄門郎魏遏之集五卷　謹按見《七録》。《世説・賞譽篇》注引《魏氏譜》云:“魏隱弟遏,官黄門郎。”晋人單名多加之字。

驃騎將軍卞湛集五卷　謹按見《七録》。兩《唐志》著録。

金紫光禄大夫褚爽集十六卷　録一卷　謹按見《七録》。見本書《外戚傳》。

豫章太守范甯集十六卷　謹按見《隋志》。兩《唐志》均十五卷。本書有傳。

餘杭令范弘之集六卷　謹按見《七録》。

司徒王珣集十一卷　謹按見《隋志》。舊注云:“并《目録》。”本書有傳。

處士薄蕭之集九卷　謹按見《隋志》。《七録》、兩《唐志》均十卷。

安北參軍薄要集九卷　謹按見《隋志》。

薄邕集七卷　謹按見《七録》。

延陵令唐邁之集十一卷　録一卷　謹按見《七録》。

孫恩集五卷 謹按見《隋志》。本書有傳。

殿中將軍傅綽集十五卷 謹按見《七録》。

驍騎將軍弘戎集十六卷 謹按見《七録》。

御史中丞魏叔齊集十五卷 謹按見《七録》。

司徒右長史劉甯之集五卷 謹按見《七録》。

臨海太守辛德遠集五卷 謹按見《隋志》。《舊唐志》作“《辛昺集》四卷”。昺德，遠名，即本書《孫恩傳》之臨海太守辛景也。

車騎參軍何瑾之集十一卷 謹按見《七録》。

太保王恭集五卷 録一卷 謹按見《七録》。本書有傳。

殷顗集十卷録一卷 謹按見《七録》。本書有傳。

荆州刺史殷仲堪集十二卷 謹按見《隋志》。舊注云：“并《目録》。”《七録》作“十卷”，《録》一卷。

驃騎長史謝景重集一卷 謹按見《隋志》。景重，謝朗子，見本書朗傳。

桓玄集二十卷 謹按見《隋志》。本書有傳。

丹陽令卞範之集五卷 録一卷 謹按見《七録》。本書附《桓玄傳》後。

光禄勳卞承之集十卷 録一卷 謹按見《七録》。

東陽太守殷仲文集七卷 謹按見《隋志》。《七録》五卷。本書附《桓玄傳》後。

司徒王謐集十卷 録一卷 謹按見《隋志》。本書有傳。

光禄大夫伏系之集十卷 録一卷 謹按見《七録》。系之，伏滔子，見本書滔傳。

右軍參軍孔璠集二卷 謹按見《隋志》。兩《唐志》均作“孔璠之”。

衛軍諮議湛方生集十卷 録一卷 謹按見《隋志》。家大人從《藝文類聚》諸書輯存一卷。

光禄大夫祖台之集十六卷 謹按見《隋志》。《七録》二十卷，兩

《唐志》均十五卷。本書附《王湛傳》。

通直常侍顧愷之集七卷　謹按見《隋志》。《七録》二十卷。本書有傳。

太常劉瑾集九卷　謹按見《隋志》。《七録》五卷,兩《唐志》八卷。《劉瑾集·序》《世説·品藻篇》注。:"瑾字仲章,南陽人,父暢娶王羲之女,生瑾與劉訥之,祖同名而時代相懸。"

左僕射謝混集五卷　謹按見《七録》。《隋志》三卷。本書有傳。

祕書監滕演集十卷　録一卷　謹按見《隋志》。兩《唐志》存一卷。

司徒長史王誕集二卷　謹按見《隋志》。誕卒於義熙九年,傳見《宋書》。

太尉諮議劉簡之集十卷　謹按見《七録》。簡之,即劉簡。《世説·方正篇》注引《劉氏譜》云:"簡字仲約,南陽人,大司馬參軍。"

丹陽太守袁豹集十卷　録一卷　謹按見《七録》。《隋志》八卷,兩《唐志》卷同《七録》。豹,袁質子,本書附見質傳。

廬江太守殷遵集五卷　録一卷　謹按見《七録》。

興平令荀軌集五卷　謹按見《七録》。

西中郎長史羊徽集十卷　録一卷　謹按見《七録》。《隋志》九卷,兩《唐志》一卷。

相國主簿殷闡集十卷　録一卷　謹按見《七録》。

太常傅廸集十卷　謹按見《七録》。

始安太守卞裕之集十五卷　謹按見《七録》。《隋志》十三卷,兩《唐志》十四卷。

韋公藝集六卷　謹按見《七録》。

毛伯成集一卷　謹按見《隋志》。《征西寮屬名》云《世説·言語篇》注引。:"毛玄字伯成,潁川人,仕至征西行軍參軍。"

王茂略集四卷　謹按見《隋志》。家大人曰:"前已著録《王導集》十二卷，此四卷當係别出，姑依《隋志》重列於此。下《曹毗集》同。"

曹毗集四卷　謹按見《隋志》。

中軍功曹殷曠之集五卷　謹按見《七録》。

太學博士魏説集十三卷　謹按見《七録》。《世説·排調篇》引《魏氏譜》言："説官至大鴻臚卿。"

征西主簿丘道護集五卷　録一卷　謹按見《七録》。

柴桑令劉遺民集五卷　録一卷　謹按見《七録》。《史通》曰："舊《晋書》有《劉遺民傳》。"

郭澄之集十卷　謹按見《七録》。見本書《文苑傳》。

孔瞻集九卷　謹按見《七録》。

陶潛集九卷　謹按見《隋志》。本書有傳。兩《唐志》均二十卷，"二"字疑譌。

徐廣集十五卷　録一卷　謹按見《隋志》。本書有傳。

王鑒集五卷　謹按見兩《唐志》。鑒，本書有傳，《桓石虔傳》别有王鑒，乃苻堅將也。

謝玄集十卷　謹按見兩《唐志》。本書有傳。

郭愔集五卷　謹按見兩《唐志》。

阮咸集一卷　謹按見《宋志》。本書有傳。

沙門支諦曇集六卷　謹按見《隋志》。諦卒於義熙七年五月某日，丘道護有誄。見《廣宏明集》。《高僧傳》謂卒於元嘉末，誤。

沙門支遁集十三卷　謹按見《七録》。《隋志》八卷，遁傳見《高僧傳》。作"十卷"，《唐志》同。

沙門釋惠遠集十二卷　謹按見《隋志》。《惠遠傳》見《高僧傳》。云："所著論、序、銘、讚、書，集爲十卷。"《大唐内典目録》亦作"十卷"。

姚萇沙門僧肇集一卷　謹按見《隋志》。

江州刺史王凝之妻謝道藴集二卷　謹按見《隋志》。見本書《列女傳》。

司徒王渾妻鍾夫人集五卷　謹按見《七録》。兩《唐志》存三卷。見本書《列女傳》。

武帝左九嬪集四卷　謹按見《七録》。兩《唐志》存一卷。家大人從《藝文類聚》諸書輯存一卷。見本書《后妃傳》。

太宰賈充妻李扶集一卷　謹按見《七録》。《婦人集》云:"李氏名婉,字淑文。"與此異。見本書《賈充傳》。

武平都尉陶融妻陳窈集一卷　謹按見《七録》。

都水使者妻陳玢集五卷　謹按見《七録》。兩《唐志》有《劉臻妻陳氏集》五卷,當即此集。本書《列女傳》亦有劉臻妻陳氏。

海西令劉璘妻陳珍集七卷　謹按見《七録》。

劉柔妻王邵之集十卷　謹按見《七録》。

散騎常侍傅伉妻辛蕭集一卷　謹按見《七録》。

松陽令紐滔母孫瓊集二卷　謹按見《七録》。

成公道賢妻龐馥集一卷　謹按見《七録》。

宣城太守何殷妻徐氏集一卷　謹按見《七録》。

右别集類,存三百八十三家,三百八十五部。

文章流别集四十一卷　摯虞。謹按見《隋志》。《七録》六十卷,《志》二卷,《論》二卷。

文章流别本十二卷　謝混。謹按見《隋志》。

集苑六十卷　謝混。謹按見兩《唐志》。《七録》、《隋志》脱撰人名。

善文五十卷　杜預。謹按見《隋志》。

文章志録雜文八卷　謝沈。謹按見《七録》。

名文集四十卷　謝沈。謹按見兩《唐志》。

齊都賦一卷　左思。謹按見兩《唐志》。

齊都賦音一卷　李軌。謹按見兩《唐志》。《七録》作"《齊都賦》二卷并《音》，左思撰”。家大人曰：“《音》係軌作，孝緒并屬之太冲，混誤，不可据。”

二京賦二卷　李軌、綦毋邃撰。謹按見《七録》。以《唐志》攷之，邃乃注《二京《唐志》誤作“三京”。賦》者，此“綦毋邃”三字蓋衍文。軌《賦》本一卷，此疑有邃《音》一卷在內，故作二卷，而亦著邃名于下也，但標題有脱奪耳，攷詳下條。

三都賦注三卷　綦毋邃。謹按見《七録》。家大人曰：“兩《唐志》皆作‘《三京賦注》一卷’，《通志・藝文略》則云：‘《三京賦》一卷，李軌作，注一卷，邃作。’與此皆互異，余攷軌有《二京賦》，亦載《七録》，知《唐志》、《通志》所云‘三京’實‘二京’之譌。此所云《三都賦》三卷者，則又《二京賦》一卷之譌也。軌作賦，邃爲之注，事本分明。《唐志》、《通志》雖誤作‘三京’，而《七録》此目之誤猶得藉以訂正，不得以後于阮《録》疑爲不可据信也。至《三都賦》有張載等注，《七録》亦載。事實詳覈。亦斷無叠牀架屋，再爲作注理，此可以意決者。今姑仍《七録》譌文著録，而附訂其誤如右。”意《七録》原文本作“《二京賦注》一卷”，因接寫於左思“《三都賦注》三卷”下，傳録寫刊者牽連涉誤，致亦作“《三都賦注》三卷”耳，惜不得善本核之。

晋歌章八卷　謹按見《隋志》。家大人曰：“《隋志》于《吴聲歌辭曲》下又載梁有《晋歌章》十卷，即此書。舊注：‘本作十卷。’可證。”

讌樂歌辭十卷　荀勗。謹按見《七録》。《新唐志》有勗《樂府歌詩》十卷，即此。

晋歌詩十八卷　謹按見《七録》。

太樂歌辭二卷　荀勗。謹按見《新唐志》。

太樂雜歌辭二卷　荀勗。謹按見《新唐志》。家大人曰：“此書及上一種，《隋志》皆不載，當在《晋歌詩》十八卷中，非散佚所存，即後人録出單行者也。”

晋詩二十卷　索靖。謹按見本書靖傳。

元正宴會詩集四卷　伏滔、袁豹、謝靈運等撰。謹按見兩《唐志》。

方伎雜事三百一十卷　葛洪。謹按見本書洪傳。

碑誄詩賦百卷　葛洪。謹按見本書洪傳。

移檄章表三十卷　葛洪。謹按見本書洪傳。

織綿廻文詩一卷　苻堅秦州刺史竇滔妻蘇氏作。謹按見《七録》。

木連理頌二卷　謹按見《七録》。舊題"太元十九年,羣臣上"。此書《隋志》複出,見注。

誡林三卷　綦毋邃。謹按見《七録》。《唐志》隸儒家。

相風賦七卷　傅玄等。謹按見《七録》。

迦維國賦二卷　右軍行參軍虞干紀。謹按見《七録》。

子虚上林賦注一卷　郭璞。謹按見《七録》。

五都賦五卷　并録　張衡及左思撰。謹按見《隋志》。

三都賦注三卷　張載、劉逵、衛瓘。謹按見《七録》。本書《左思傳》:"爲《三都賦》,既成,張載爲注,魏都劉逵注,吴蜀衛瓘又爲作略解。"即此。衛瓘,陳留人,字伯輿,非本書列傳之衛伯玉也。

三都賦音一卷　李軌。謹按見《隋志》。

木玄虚海賦注一卷　蕭廣濟。謹按見《七録》。

靖恭堂頌一卷　涼李嵩。謹按見《隋志》。

古今五言詩美文五卷　荀綽。謹按見《七録》。

百志詩九卷　干寶。謹按見《隋志》。《七録》、兩《唐志》均五卷。

劉聰　述懷詩百餘篇　賦頌五十餘篇　謹按見《前趙載記》。

二晋雜詩二十卷　謹按見《七録》。

古遊仙詩注一卷　應貞。謹按見《七録》。

百一詩二卷　蜀郡太守李彪。謹按見《七録》。

毛百成詩一卷　謹按見《隋志》。舊題"晋征西將軍"。按百成仕至征西行軍參軍,見《征西寮屬名》,此"將軍"當爲"參軍"之譌。

翰林論三卷 李充。謹按見《隋志》。新《唐志》著録。

傅子内外中篇百四十首 傅玄。謹按見本書玄傳。

碑論十二篇 郭象。謹按見本書象傳。

四帝誡三卷 王誕。謹按見《七録》。誕,《宋書》有傳,然實卒于義熙九年,固晋人也。《隋志》集部列誕集於東晋,蓋亦不以爲宋人。

碑文十五卷 將作大匠陳勰。謹按見《七録》。

碑文十卷 車灌。謹按見《七録》。

羊祜墮淚碑一卷 謹按見《七録》。

桓宣武碑十卷 謹按見《七録》。

設論集三卷 東晋人撰。謹按見《七録》。

夏侯湛論三十餘篇 謹按見本書湛傳。傳言:"湛著論三十餘篇,别爲一家之言。"

明真論一卷 兖州刺史宗岱。謹按見《隋志》。

連珠一卷 陸機。謹按見《七録》。

咸康詔四卷 謹按見《隋志》。

晋朝雜詔九卷 謹按見《隋志》。

晋雜詔百卷 録一卷 謹按見《七録》。

晋雜詔二十八卷 録一卷 謹按見《七録》。

晋詔六十卷 謹按見《七録》。

晋文王武帝雜詔十二卷 謹按見《七録》。

録晋詔十四卷 謹按見《隋志》。

元帝詔十二卷 謹按見《七録》。

成帝詔草十七卷 謹按見《七録》。

康帝詔草十卷 謹按見《七録》。

建元直詔三卷 謹按見《七録》。

永和副詔九卷 謹按見《七録》。

升平隆和興寧副詔十卷 謹按見《七録》。

太元咸寧寧康副詔二十二卷　謹按見《七録》。

隆安直詔五卷　謹按見《七録》。

義熙詔十卷　謹按見《隋志》。

義熙副詔　謹按見《七録》。

元興大亨副詔三卷　謹按見《七録》。

晋諸公奏十一卷　謹按見《七録》。

魏名臣奏三十卷　陳長壽。謹按見《七録》。

漢名臣奏三十卷　陳壽。謹按見《舊唐志》。《隋志》脱撰人名。《文選注》亦作"陳壽集"。

諸葛亮故事二十四篇　陳壽定。謹按見《蜀志》。本書壽傳言:"撰《蜀相諸葛亮集》,奏之。"即《故事》也。

孔羣奏二十二卷　謹按見《七録》。

金紫光禄大夫周閔奏事四卷　謹按見《七録》。

中丞劉邵奏事六卷　謹按見《七録》。

中丞司馬無忌奏事十三卷　謹按見《七録》。

中丞虞谷奏事六卷　謹按見《七録》。

劉槐奏五卷　謹按見《七録》。

中丞高崧奏事五卷　謹按見《七録》。

山公啟事三卷　謹按見《隋志》。李善《文選注》卷十五屢引賈弼之《山公表注》,所云《表》當即《啟事》,是此書有注也。

范寧啟事十卷　謹按見《七録》。《隋志》三卷,兩《唐志》卷同《七録》。

雜集一卷　殷仲堪。謹按見《隋志》。

書集八十八卷　散騎常侍王履。謹按見《隋志》。《七録》八十卷。

抱朴君書一卷　葛洪。謹按見《七録》。

盧欽小道　謹按見本書欽傳。《册府元龜》言:"欽著《詩賦論難》數十篇,名曰小道子。""子"字誤衍。

蔡司徒書三卷 蔡謨。謹按見《七録》。

左將軍王鎮惡與劉丹陽書一卷 謹按見《七録》。

策集一卷 殷仲堪。謹按見《隋志》。

任子春秋一卷 杜嵩。謹按見《隋志》。

雜論九十五卷 殷仲堪。謹按見兩《唐志》。

傅咸集奏 謹按見《御覽》引書綱目。

孫楚集奏 謹按見《御覽》引書綱目。

劉宏教 謹按見《御覽》引書綱目。

杜預集要 謹按見《御覽》引書綱目。

六夷頌 索綏。謹按見《前涼録》。

周詩 夏侯湛。謹按見本書湛傳。

古今畫讚 傅玄。謹按見原本《書鈔》百十五。將帥類。

畫讚 顧愷之。謹按《世説·巧藝篇》注言:"愷之歷畫古賢,皆爲之讚。"又《雅量篇》注引愷之《書讚》,"書"字疑"畫"之譌。

七經詩 傅咸。謹按孔穎達曰:"咸爲《七經詩》,王羲之寫之。"王應麟曰:"《藝文類聚》及《初學記》載咸《周易》、《毛詩》、《周官》、《左傳》、《孝經》、《論語》,皆四言而缺其一。"朱氏《經義攷》著録入論語類。

右總集類,存六十六家,失名二十家,九十五部。

凡集存四百四十七家,失名二十家,四百七十七部。

凡四部經傳,合存七百四十四家,失名二百八十八家,一千六百十七部。

沙門不敬王者論一卷 沙門慧遠。謹按見《隋衆經目録》。《論》凡五篇,載《弘明集》。

釋論二十卷 慧遠。謹按見《隋衆經目録》。

法性論一卷　慧遠。謹按見《隋衆經目録》。

問大乘中深義十八科三卷　慧遠。謹按見《大唐内典目録》。《法苑珠林·傳記篇》此書下注云:"并羅什法師答。"

阿毗雲心論序　慧遠。謹按見《大唐内典目録》。

妙法蓮花經序　慧遠。謹按見《大唐内典目録》。

修行方便禪經序一卷　慧遠。謹按見《隋衆經目録》。

三法度論序　慧遠。謹按見《隋衆經目録》。

明報應論一卷　慧遠。謹按見《隋衆經目録》。

辨心識論一卷　慧遠。謹按見《隋衆經目録》。

沙門袒服論一卷　慧遠。謹按見《隋衆經目録》。

大智度論要略鈔二十卷　慧遠。謹按見《大唐内典目録》。

大智度論序慧遠。謹按見《大唐内典目録》。

佛影讚　慧遠。謹按見《大唐内典目録》。

釋三報論二卷　慧遠。謹按見《隋衆經目録》。

寶藏論三卷　僧肇。謹按見《宋史·藝文志》。《宋志》尚有肇《寶藏論》一卷,殆複出。

般若無知論一卷　僧肇。謹按見《大唐内典目録》,亦載《宋志》。《文獻通攷》有肇《論》四卷,即此《論》及下三種。《傳燈録》言:"肇後爲姚興所殺。"《高僧傳》别言"義熙三年卒於長安"。蓋諱之。

涅盤無名論一卷　僧肇。謹按見《大唐内典目録》。《文選》注曾引肇《涅盤論》即此。是《論》亦載《宋志》。

不真空論一卷　僧肇。謹按見《大唐内典目録》。《宋志》有肇《論》二卷,即此《論》及下一種。

物不遷論一卷　僧肇。謹按見《大唐内典目録》。

丈六即真論一卷　僧肇。謹按見《隋衆經目録》。

維摩經注解五卷　僧肇。謹按見《隋衆經目録》。

長阿含經序一卷　僧肇。謹按見《隋衆經目録》。

實相論二卷　鳩摩羅什。謹按見本書羅什傳。《隋衆經目録》作

“一卷”。

維摩經注解三卷 鳩摩羅什。謹按見《隋衆經目録》。

答問論二卷 鳩摩羅什。謹按見《隋衆經目録》。

釋矇論一卷 支遁。謹按見《大唐内典目録》。

即色遊玄論一卷 支遁。謹按見《大唐内典目録》。《世説》注二引遁《即色論》，當即此書。

辨三乘論一卷 支遁。謹按見《大唐内典目録》。

聖不辨智論一卷 支遁。謹按見《大唐内典目録》。

本業經序一卷 支遁。謹按見《大唐内典目録》。《法苑珠林·傳記篇》作“本業四諦序”。

四本起禪序一卷 支遁。謹按見《大唐内典目録》。《法苑珠林·傳記篇》作“本起四諦序”。

道行指歸一卷 支遁。謹按見《大唐内典目録》。

答法汰難二卷 道安。謹按見《大唐内典目録》。

般若析疑略二卷 道安。謹按見《大唐内典目録》。

大十二門注解二卷 道安。謹按見《大唐内典目録》。

陰持入注解二卷 道安。謹按見《大唐内典目録》。

光讚析中解一卷 道安。謹按見《大唐内典目録》。

道行集異注一卷 道安。謹按見《大唐内典目録》。

小十二門注解一卷 道安。謹按見《大唐内典目録》。

光讚鈔解一卷 道安。謹按見《大唐衆經目録》。

般若析疑準一卷 道安。謹按見《大唐衆經目録》。

了本生死注解一卷 道安。謹按見《大唐衆經目録》。

起盡解一卷 道安。謹按見《大唐衆經目録》。

大道地解一卷 道安。謹按見《大唐衆經目録》。

賢刼諸度無極解一卷 道安。謹按見《大唐衆經目録》。

安般守意解一卷 道安。謹按見《大唐内典目録》。

密跡持心二經甄解一卷　道安。謹按見《大唐内典目録》。

人本欲生注撮解一卷　道安。謹按見《大唐内典目録》。

衆經十法連雜解一卷　道安。謹按見《大唐内典目録》。

義指注解一卷　道安。謹按見《大唐内典目録》。

九十八結連刼通解一卷　道安。謹按見《大唐内典目録》。

三十二相解一卷　道安。謹按見《大唐内典目録》。

三界混然諸僞雜録一卷　道安。謹按見《大唐内典目録》。

答法將難一卷　道安。謹按見《大唐内典目録》。

大品經序一卷　道安。謹按見《隋衆經目録》。

了本生死經注序一卷　道安。謹按見《隋眾經目録》。

增一阿含經序一卷　道安。謹按見《隋衆經目録》。

中阿含經序一卷　道安。謹按見《隋衆經目録》。

十四卷鞞婆序一卷　道安。謹按見《隋眾經目録》。

十法句義序一卷　道安。謹按見《隋衆經目録》。

賢刼經略解一卷　道安。謹按見《隋眾經目録》。

持心梵天經略解一卷　道安。謹按見《隋眾經目録》。

金剛密跡經略解一卷　道安。謹按見《隋眾經目録》。

人欲生經注解一卷　道安。謹按見《隋眾經目録》。

了本生死經注解一卷　道安。謹按見《隋衆經目録》。

十二門經注解一卷　道安。謹按見《隋眾經目録》。

十二門禪經注解一卷　道安。謹按見《隋眾經目録》。

般若經注解一卷　道安。謹按見《隋眾經目録》。

光讚般若略解二卷　道安。謹按見《隋眾經目録》。

陰持入經注解二卷　道安。謹按見《隋眾經目録》。

大道地經注解二卷　道安。謹按見《隋衆經目録》。

毗雲指歸一卷　竺僧度。謹按見《大唐内典目録》。

阿毗雲心論四卷　道慈筆受。謹按見《大唐内典目録》。

神無形論一卷 竺僧敷。謹按見《大唐内典目録》。

經論都録一卷 支敏度。謹按見《大唐内典目録》。

人物始義論一卷 康法暢。謹按見《大唐内典目録》。

立本論九卷 曇徽。謹按見《大唐内典目録》。

六識指歸十二首 曇徽。謹按見《大唐内典目録》。

譬喻經十卷 康法邃。謹按見《大唐内典目録》。

大品經序一卷 僧叡。謹按見《隋衆經目録》。

小品經序一卷 僧叡。謹按見《隋眾經目録》。

法華經後序一卷 僧叡。謹按見《隋衆經目録》。

維摩詰經序一卷 僧叡。謹按見《隋衆經目録》。

思益經序一卷 僧叡。謹按見《隋眾經目録》。

自在王經序一卷 僧叡。謹按見《隋衆經目録》。

道行經序一卷 僧叡。謹按見《隋眾經目録》。

關中出經序一卷 僧叡。謹按見《隋衆經目録》。

十部律序一卷 僧叡。謹按見《隋衆經目録》。

泥洹經注 道安。謹按見《文選》注。

維摩詰經注 竺道生。謹按見《文選》注。

十四科元贊義記一卷 竺道生。謹按見《宋史・藝文志》。

維摩經子注五卷 曇詵。謹按見《法苑珠林・傳記篇》。

窮通論一卷 曇詵。謹按見《法苑珠林・傳記篇》。

立本論九篇 法遇。謹按見《高僧傳》。

法華經義疏 道融。謹按見《高僧傳》。

十地經義疏 道融。謹按見《高僧傳》。

維摩經義疏 道融。謹按見《高僧傳》。

法華經義疏四卷 曇影。謹按見《高僧傳》。

中論注 曇影。謹按見《高僧傳》。

釋駁論一卷 道恒。謹按見《法苑珠林・傳記篇》。

耆闍崑山解 竺法護。謹按見《法苑珠林·傳記篇》。

首楞嚴經注 帛遠。謹按見《高僧傳》。

放光般若經注 法祚。謹按見《高僧傳》。

顯宗論 法祚。謹按見《高僧傳》。

切悟章 支遁。謹按見《高僧傳》。

法華經義疏四卷 竺法崇。謹按見《高僧傳》。

毗雲指歸一卷 竺僧度。謹按見《法苑珠林·傳記篇》。

勝蔓經注 竺慧超。謹按見《高僧傳》。

人物始義論 支僧敦。謹按見《高僧傳》。

十住經注解 僧衛。謹按見《高僧傳》。

右釋家,存三十七家,一百十二部。

老子化胡經二卷 道士王浮。謹按見《隋衆經目録》。舊題作"祭酒王浮",此据法琳《辨正論》改題,是書又名《明威化胡經》,亦見《辨正論》注。《晋書雜録》云見《辨正論》引。:"道士王浮每與沙門帛遠抗論,王屢屈,遂改换《西域傳》爲《化胡經》,言喜與聃化,故作佛,佛起于此。"《郡齋讀書志》作"十卷",蓋後附《議化胡經八狀》,故卷帙增多也。《日本現在書目》亦作"十卷"。

靈劍子一卷 許遜。謹按見《宋志》。

靈劍子引導子午記 許遜。謹按見宋靈佑宫《道藏目録》。

大清玉碑子一卷 葛洪與鄭惠遠答問。謹按見《宋志》。

度人經釋例一卷 許遜。謹按見靈佑宫《道藏目録》。

玄都省須知一卷 許遜。謹按見靈佑宫《道藏目録》。

許真君石函記 許遜。謹按見靈佑宫《道藏目録》。

黄庭内景經注 南嶽魏夫人。謹按見《太平廣記》。五十八。

太乙真君固命歌一卷 葛洪譯。謹按見《宋史·藝文志》。

神仙金汋經三卷 葛洪。謹按見《道藏目録》。

大丹問答一篇 葛洪。謹按見《道藏目録》原注云："石壁古文。"

金木萬靈論一篇 葛洪。謹按見《道藏目録》。此文乃删改《抱朴子内篇》中《金丹篇》爲之，當出道流所演。

抱朴子别旨一篇 葛洪。謹按見《道藏目録》。此文言導引、行氣，與《抱朴子内篇》中《釋滯篇》相類。

元始上真衆仙紀一卷 葛洪。謹按見宋靈佑宫《道藏目録》。

三皇經 道士鮑靚。謹按見《法苑珠林·破邪篇》。

右道家，存五家，十五部。

大凡四部及釋道，合存七百八十六家，失名二百八十八家，一千七百五十四部。

補晋書藝文志附録一卷

(存疑類凡一百一部,目列後)

丁國鈞編　子辰注

經部

周易音一卷　范氏。謹按見《隋志》。家大人曰:"《隋志》有《周易論》四卷,舊題'范氏',以本書《范宣傳》攷之,實宣所撰,此云范氏,疑亦宣子書。"

周易髓十卷　郭璞。謹按見《通志・藝文略》。家大人曰:"宋馮椅言,前志無此書,中興時得於民間,題晋人撰。《宋志》八卷,亦作晋人。仲漁屬之郭氏,不審何据,疑實後人鈔晋時説《易》書爲之也。今存二卷。"

毛詩義疏二十卷　舒援。謹按見《隋志》。援,爵里無攷,近馬國翰輯此書序指爲晋末人,要亦想當然語。

孔氏毛詩音　謹按見《釋文・敘録》。家大人曰:"此書同下蔡氏《音》,人名時代陸德明均未詳。《册府元龜》次于晋代,未審何据,列此俟更攷之。"

蔡氏毛詩音　謹按見《釋文・敘録》。

毛詩疑字議　蔡謨。謹按《經義攷》据《初學記》所引著録,然頗疑是當時議文,非書名。

周官音義　謹按見本書《韋逞母宋氏傳》。据傳所言,此《音義》似家世傳習之本,非宋氏所撰。朱氏《經義攷》、謝氏《小學攷》皆著録,殆誤。

穀梁注十二卷 段肅。謹按見《隋志》。舊注云:"疑漢人。"《册府元龜》學校部次在晋代。

左氏牒例二十卷 劉寔。謹按見《新唐志》。家大人曰:"寔傳載《條例》二十卷,《隋》、《唐志》均已著録,《隋》作'十一卷',《唐》作'十卷',不應又有二十卷之本。卷數雖同寔傳,頗疑複出致譌。"

春秋土地記三卷 樗里璠。謹按見《元和姓纂》。家大人曰:"此書當即京相璠等所撰,因複姓,又同名涉誤。"

孫氏孝經注一卷 謹按見《七録》。《册府元龜》學校部次在晋代。

集議孝經一卷 中書郎荀昶。謹按見《隋志》。舊題"荀勗",兩《唐志》同。家大人曰:"本書勗傳不言注《孝經》,《釋文·叙録》、《孝經正義》備列晋時注家,亦衹有昶而不及勗,反覆參攷,知'勗'實'昶'之譌也。《孝經疏》言:'穆帝永和十一年及孝武太元元年,再聚羣臣,共論經義。有荀昶者,撰集諸説,始以鄭氏爲宗。'又引司馬貞議有'昶集解《孝經》'語,今此書以'集議'命名,與邢疏所言正合,其證一。昶,元嘉初官中書郎,見《宋書·荀伯子傳》。《隋》、《唐志》亦作'中書郎荀昶',見集部。與此書所題官號合,其證二。有此二證,知《隋志》作勗者以姓同涉誤,兩《唐志》又沿其誤耳。昶,宋初人,似不當列此。然《隋志》次此書於袁宏書上,《孝經正義》又有晋荀昶語,疑昶實生於晋末,故仍更正附于録。至《崇文總目》載晋孫昶《孝經集解》一書,云:'咸平中獻自日本僧。'攷孫昶《集解》,《隋》、《唐志》及《釋文·敍録》均不載,邢疏亦未引。以書名攷之,蓋即昶是書。荀書兩《唐志》本作'孝經集解'。誤'荀'爲'孫'耳,不再列入。"

孝經注二卷 荀昶。謹按見《七録》。舊題"荀勗",其誤與上一書同。

論語注十卷　盈氏。謹按見《七録》。《册府元龜》學校部次在晋代。

小學篇一卷　王羲之。謹按見兩《唐志》。是書《七録》、《隋志》不載,當即《隋志》之王義《小學篇》,誤屬之羲之也。

方言二卷　劉昞。謹按見《魏書》昞傳。

史部

東晋新書七卷　庾銑。謹按見《七録》。《册府元龜》次在晋代。

晋書鴻烈六卷　張氏。謹按見《册府元龜》國史部。《隋志》亦著録,不言晋人。

三國陽秋　孫盛。謹按《初學記》職官部引《中興書》稱盛著是書。《御覽》職官部三十一亦引。家大人曰:"三國當指吴、蜀、魏,然本書盛傳不載,《七録》、《隋》、《唐志》亦無之,疑'三國'二字實'晋'之譌。"

三史略記八十四卷　劉昞。謹按見《魏書》昞傳。

涉史隨筆一卷　葛洪。謹按見《述古堂書目》。

陳帝紀六卷　皇甫謐。謹按見《日本現在書目》。

晋徵祥説　謹按見《御覽》引書綱目。

晋中興徵祥記　謹按見《御覽》引書綱目。

燉煌實録十卷　劉景。謹按見《隋志》。《魏書·劉景傳》作"十二卷",《唐志》同。《宋書·大且渠傳》載此書,則仍十卷。

西河記二卷　段龜龍。謹按見兩《唐志》。家大人曰:"《隋志》有喻歸《西河記》二卷,《唐志》不著録,而别出此書,本喻氏書誤屬之段氏,故卷數並同也。"《册府元龜》亦載段氏此書,疑襲《唐志》所譌。

趙義一卷　周融。謹按見《册府元龜》國史部。舊注:"一曰《石集記》，云石勒事。”當作“一曰《二石集》，記石勒事”，注文有謬誤。家大人曰：“《隋》、《唐志》、《史通》皆不載，是書亦無周融其人，参核各書，當爲田融《趙書》之譌文，多傳譌耳。”

南燕書七卷 游覽先生。謹按見《隋志》。《册府元龜》次在晋代。

燕記 崔逞。謹按見《魏書》逞傳。逞字叔祖，清河東武城人，天興初賜死，蓋當安帝隆安時。

燕書 封懿。謹按見《魏書》懿傳。懿字處德，渤海蓨人，卒於北魏太宗泰常二年，當恭帝元熙二年。是書懿爲慕容暐著作郎時所撰。

涼書十卷 僞涼大將軍從事中郎劉景。謹按見《隋志》。舊注云：“記張軌事。”《魏書》及《史通・外篇》皆作“劉昞”，僞大將軍謂李暠。

涼書十卷 沮渠國史。謹按見《隋志》。《史通・正史篇》曰：“宗欽記沮渠氏。”《魏書》欽傳：“欽在河西，作《蒙遜記》十卷。”即此書。欽於蒙遜時爲中書郎、世子洗馬，《隋志》集部作“晋宗欽”，蓋不以爲魏人。

秦書八卷 何仲熙。謹按見《隋志》。舊注云：“記苻堅事。”《册府元龜》次在晋代。

拓跋涼録十卷 謹按見《隋志》。無撰人名。《史通・正史篇》云：“失名，記禿髮氏。”《隋志》次此書於《燉煌實録》上，當亦晋末人撰。

魏國記十卷 鄧淵。謹按見《史通・正史篇》。《魏書》淵傳：“太祖定中原，擢爲著作郎，詔撰《國記》，淵撰十餘卷。”即此。

流別起居注 謹按見高似孫《史略》。

晋起居注 謹按見《史略》。

晋宗起居注 謹按見《史略》。

晋起居注鈔 謹按見《史略》。

晋朝故事三卷　謹按見《新唐志》。疑即《隋志》四十三卷之《晋故事》所佚賸。

東宫舊事三卷　應詹。謹按見《册府元龜》學校部。家大人曰:"詹有《沔南故事》三卷,見《隋志》,而不載是書,疑此爲《沔南故事》之譌,故卷數亦同也。"

魏晋故事　謹按見《通典》。所載多晋人議禮各條,疑後人所編集。

西京雜記二卷　葛洪。謹按見《隋志》。家大人曰:"是書舊無撰人名,今据兩《唐志》補。《册府元龜》國史部亦作"葛洪撰"。攷顔氏《漢書注》《匡衡傳》下。稱是記出於里巷,不言撰者何人。段成式引庾信語指爲吴均。陳、晁兩家書目采其説。國朝盧召弓刊此書,則又力辨爲劉歆所作。各執一説,主名無定,今姑据《唐志》著録。"《御覽》引書目亦作"葛洪《西京雜記》"。

晋功臣表　謹按見《水經·温水篇》注。

魏晋官名五卷　謹按見《隋志》。

魏晋官品令　謹按本書《職官志》、《禮志》均引。

諸王國雜儀注十卷　謹按見兩《唐志》。此書次在晋代,疑出晋人撰録。

益部耆舊傳并志　陳術。謹按見《册府元龜》國史部。据《華陽國志》,術乃劉蜀時人。

楚國先賢傳　鄒湛。謹按陳氏《書録解題》《襄沔記》下言湛有此書,然阮《録》以下均不載,陳氏書目亦無之。

桓玄傳二卷　謹按見《隋志》。据《宋書·荀伯子傳》,知《傳》爲伯子撰。

薛常侍家傳一卷　謹按見《隋志》。薛兼官至散騎常侍,見本書兼傳。兩《唐志》作"二卷",云"荀伯子撰",無"家"字。

列女傳序讚一卷　孫夫人。謹按見兩《唐志》。家大人曰:"此書

《新志》次在杜預《女記》上，《舊志》次在《女記》下，孫夫人疑即紐滔母孫瓊也。有《集》二卷，見《隋志》。列此俟攷。”

扶南記 竺枝。謹按見《水經·温水篇》注。

何顒傳一卷 謹按見《唐志》。

蒲元傳 謹按見《藝文類聚》。

神仙傳略一卷 葛洪。謹按《崇文總目》載此書。疑後人删取葛氏《神仙傳》爲之。

洛陽宫殿簿一卷 謹按見《隋志》。舊無撰人。家大人曰：“此書次在陸機《洛陽記》下，楊佺期《洛陽圖》上，當亦晋代所撰。兩《唐志》《洛陽宫殿簿》三卷，疑即此書。”

分吴會丹陽三郡記三卷 謹按見《舊唐志》。《新志》存二卷。

吴蜀地圖 謹按見裴秀《地域圖》序引。《玉海》地理類亦列是圖。

石虎鄴中記 謹按見《御覽》引書綱目。與陸翽書各著録，知非一書，不知何人所撰。

洛陽故宫名 謹按見《御覽》引書綱目。

晋宫閣名 謹按見《御覽》引書綱目。

晋宫閣記 謹按見《御覽》引書綱目。

汝南記 杜預。謹按《初學記》人事部引。家大人曰：“‘杜預’疑‘任預’之譌。”

關中記一卷 葛洪。謹按《崇文總目》、《中興書目》、《通攷》、《宋志》均著録。家大人曰：“疑實潘岳書誤屬之洪也，列此俟更詳之。”

佛國記一卷 沙門法顯。謹按見《隋志》。家大人曰：“法顯没於宋代，故今本題宋法顯，然是書實成於義熙十二年，《記》末晋人跋語可證，用附于録。”

游歷天竺記一卷 釋法顯。謹按見《法苑珠林·傳記篇》。舊題“東晋平陽沙門”，當亦成於晋時，或即《佛國記》之異名也。

《水經·河水篇》注亦引。

嶕阜山記　葛洪。謹按見《書録解題》。

從征記　伍緝之。謹按《漢書》注、原本《書鈔》、《初學記》、《藝文類聚》、《御覽》均引。緝之,《隋志》集部題"宋奉朝請",而《藝文類聚》八十七。引緝之《柳花賦》作晋人,殆生於末造,更歷二姓者。

隆安西庫書目二卷　謹按見《宋志》。舊注云:"不知作者。"

子部

釋滯　虞喜。謨按此書及下《通疑》一種,《隋》、《唐志》皆不載,當爲《志林》、《廣林》、《後林》中之篇目。近馬氏國翰据《通典》諸書所引各輯爲一卷。

通疑　虞喜。謹按攷具上條。

常氏老子注　謹按見《七録》。《册府元龜》學校部次在晋代。

老子注二卷　邯鄲氏。謹按見《七録》。《册府元龜》學校部次在晋代。

老子注二卷　張嗣。謹按見《七録》。《册府元龜》學校部次在晋代。

盈氏老子注二卷　謹按見《七録》。《册府元龜》學校部次在晋代。

孟氏老子注二卷　謹按見《七録》。家大人曰:"孟釐《論語注》,《隋志》但題孟氏,此孟氏疑亦即釐,下《莊子注》一書同。"《册府元龜》學校部亦次在晋代。

莊子注十八卷　録一卷　孟氏。謹按見《七録》。《册府元龜》學校部次在晋代。

雜語　孫盛。謹按見裴氏《三國志注》。亦稱《異同雜語》,《魏志·

武帝紀》注。疑即盛所著之《三國異同評》也。

纂要一卷　戴逵。謹按見《隋志》。舊題"戴安道"，逵字也，亦作"顔延之撰"，不審孰譌。

正訓十卷　陸機。謹按見《文獻通考》。家大人曰："馬端臨謂：'以前書目皆無機是書，《唐志》有辛德源《正訓》二十卷，已亡，或即其遺書也。'言頗有徵，然馬氏亦不能决定非機書，今姑附此。"

廊廟五格二卷　王彬。謹按見《隋志》。家大人曰："彬本書有傳，然詳書名，疑非晋人所撰。"

異物評二卷　張華。謹按見《宋志》。

慕容氏兵法一卷　謹按見《七録》。此書當是記僞燕事，其爲當時所撰，抑出後人追録，莫可審定。

司馬彪戰略　謹按見裴氏《三國志注》。

司馬彪戰經　謹按見《御覽》引書綱目。家大人曰："彪有《兵記》二十卷，此同上一種，疑皆其書中之篇目也。"

景初律略要二卷　謹按見《七録》。

五金龍虎歌一卷　葛洪。謹按見《崇文總目》。

五岳真形圖文一卷　葛洪。謹按見《崇文總目》。

養生要集　張湛。謹按見《隋志》。家大人曰："疑此係《魏書》列傳中之張湛，非注《列子》者。"

肘後備急百一方三卷　葛洪。謹按見《宋志》。家大人曰："應即洪傳所載之《肘後要急方》及《七録》、《隋志》之《肘後方》，兩《唐志》之《肘後救卒方》。"据《書録解題》，此本《肘後救卒方》經陶隱居增補改名。

黑髮酒方一卷　葛洪。謹按見《崇文總目》。家大人曰："此《方》及下一《方》當在洪《神仙服食諸方》書中，非佚賸，即後人傳録别行者。"

葛仙翁杏仁煎方一卷　葛洪。謹按見《崇文總目》。

集部

國子博士周祇集十一卷 謹按見《隋志》。《七録》二十卷,兩《唐志》十卷。家大人曰:"据《御覽》五百二十六。引祇《祭梁鴻文》,知字穎文。《藝文類聚》三十六。引作晋人,而卷一引祇《月賦》,卷二十一引祇《執友箴》,皆作宋人,頗疑其人卒於宋初。"

宗欽集二卷 謹按見《隋志》。

徵士周桓之集一卷 謹按見《七録》。家大人曰:"嚴可均謂'桓之'係'續之'之譌,所攷致覈。然續之卒於宋景平元年,見《宋書·隱逸傳》,《隋志》入之晋代,頗未妥。"

義熙以來至大明詔三十卷 謹按見《七録》。

晋宋雜詔四卷 謹按見《七録》。

吴晋雜事九卷 謹按見《七録》。

靖恭堂銘一卷 劉昞。謹按見《魏書》昞傳。

黜僞類

凡三十四部,目列後

經部

草書勢 王羲之。謹按文具《墨池編》。朱文長曰:"蓋袁昂輩所贗作。"

筆陣圖 王羲之。謹按文具《墨池編》。家大人曰:"即羲之題魏夫人《筆陣圖》後語也。《御覽》書類引。韋續《墨藪》作《筆勢圖》,《通志·藝文略》云一卷,此文與下三種皆僞,不可据。"

筆勢論 王羲之。謹按文具《墨池編》。亦作《筆論》,又作《筆經》。《日本現在書目》載此書,云一卷。

書論 王羲之。謹按文具《墨池編》。

書訣 王獻之。謹按文具《墨池編》。

史部

五孝傳 陶潛。謹按附見潛詩文集。

羣輔録 陶潛。謹按附見潛集。

湘州記一卷 羅含。謹按見《通典》。含書名《湘中記》,此實宋郭仲彦書也,誤不足据。

名山記一卷 王子年。謹按見《文獻通攷》。即《拾遺記》中之第十卷。

子部

養生論一卷 葛洪。謹按見《宋志》。今《道藏》尚載其文,蓋道流割裂《抱朴子》中《地真》、《極言》二篇文所贋。

枕中書 葛洪。謹按見《文獻通攷》,亦僞書也。《抱朴子·遐覽篇》有"惟余見授《五行記》"語,此書名當即緣此影撰。

保聚圖 庾衮。謹按見《郡齋讀書志》。本書《庾衮傳》有率衆保禹山禦賊及保大頭山事,後人蓋因此託僞。

六軍鑑要一卷 陶侃。謹按見《宋志》。唐以前無著録及引用者,贋鼎無疑。

小象賦一卷 張華。謹按見《宋志》。

三家星歌一卷 張華。謹按見《宋志》。

玉函寶鑑星辰圖一卷 張華。謹按見《宋志》。

周易玄義經一卷 郭璞。謹按見《宋志》。

周易括地林一卷 郭璞。謹按見《崇文總目》、《通志·藝文略》。

周易穿地林一卷 郭璞。謹按見《通志·藝文略》。

周易竅書三卷 郭璞。謹按見《通志·藝文略》。

葬經一卷 郭璞。謹按見《通志·藝文略》。《宋史》亦著録。

撥沙成明經一卷 郭璞。謹按見《通志·藝文略》。

青囊經一卷 郭璞。謹按見《通志·藝文略》。

元堂品訣三卷 郭璞。謹按見《通志·藝文略》。

八仙山水經一卷 郭璞。謹按見《通志·藝文略》。

青囊補注 郭璞。謹按見《文獻通攷》。

續葬經一卷 郭璞。謹按見《文獻通攷》。

三命通照神白經三卷 郭璞。謹按見《宋志》。

三鑑靈書三卷 張華。謹按見《宋志》。

周易玄義經一卷　郭璞。謹按見《宋志》。

師曠禽經注一卷　張華。謹按見《直齋書録解題》。

靈棋經注二卷　顔幼明。謹按見《郡齋讀書志》。今存。《宋志》作"李進注"。

元經十卷　郭璞。謹按姑蘇樂真堂所刊《陰陽五要奇書》首載此。

旋璣經一卷　趙載。謹按亦見樂真堂刊本。載爲郭璞門人,見本書璞傳。

耆婆脉訣注十二卷　羅什。謹按見《日本現在書目》醫方類載此。家大人曰:"据《高僧傳》中《羅什傳》,載什事甚詳,不言有此《注》,其爲後人影撰無疑。"

補晋書藝文志附録一卷終　受業周煒校字

晋書藝文志補遺

常熟丁國鈞撰

經部

周易音　韓伯。見趙汝楳《周易輯聞》。《周易》釋文亦引。

周易音　王廙。見《周易》釋文。

毛詩音　劉昌宗。見《顔氏家訓》、《匡謬正俗》。

毛詩音　李軌。見《釋文·敘録》。

儀禮注　劉兆。見唐釋慧苑《華嚴經音義》。《世主妙嚴品》弟一之一。

儀禮音　范宣。見《儀禮》釋文。本作"范散騎",《士喪禮》、《喪服傳》、《既夕禮》均引范散騎曰:"繎,倉亂反。"攷本書宣傳,善三禮,曾以散騎侍郎徵,則范散騎爲宣無疑,特補名列此。《儀禮》釋文又屢引范氏《音》,亦宣也。

周禮音　干寶。見賈昌朝《羣經音辨》。

穀梁音　李軌。見《春秋穀梁》音義。

穀梁音　范甯。見賈昌朝《羣經音辨》。

論語音　衛瓘。見《經典釋文》。

論語音　李充。見《經典釋文》。

論語音　繆播。見《經典釋文》。

史部

獻帝春秋十卷　袁曄。見《隋志》。攷《吴志·陸瑁傳》注:"袁迪孫曄字思光，作《獻帝春秋》。”是其人已入晋代。

禮儀志 譙周。見謝沈《後漢書》。《續漢書・禮儀志》注引。

張錡狀 蔡洪。見李善《文選》注。

顧愷之家傳 見《世説・夙慧篇》注。

張華别傳 見《御覽》卷二百三十四、五百九十七引。

何楨别傳 見《御覽》卷三百八十五引。

蔡克别傳 見《御覽》卷八百十六引。《世説・輕詆篇》注誤作“蔡充”。

王汝南别傳 見《世説・賢媛篇》注。本書《王湛傳》，爲汝南内史。

王處沖别傳 見《御覽》卷二百十五。

王湛别傳 見《御覽》卷三百六十七。

謝玄别傳 見《世説・文學篇》注。

江淳傳 見《世説・政事篇》注。

敘羊秉 夏侯湛。見《世説・言語篇》注。

神女杜蘭香傳 曹毗。見《御覽》卷一百八十六，又三百九十。

王獻之别傳 見《世説・德行篇》注。

王乂别傳 見《世説・德行篇》注。

劉惔别傳 見《世説・品藻篇》注。

左思傳 郭伯通、衛權撰。見《御覽》卷六百。

郭文傳 見《御覽》七百五十七卷。

佛所行讚經傳五卷 寶雲。見《隋眾經目録》。

迦葉集經傳一卷 竺法護。見《隋眾經目録》。

巴蜀志 袁休明。見《水經・若水篇》注。《名勝志》云晋人。

南都賦圖 戴逵。見《世説・文學篇》。

眾經四卷 釋道流、竺道祖撰。見《歷代三寶記》。

子部

辯異苑 董勛。見《御覽》卷二十二。

明慎 殷康。見《御覽》卷四百三十一。

金匱玉函經八卷 見《文獻通考》。《宋志》脱“經”字。

小品方十二卷 陳延之。見《隋志》。《外臺祕要》及《日本醫心方》屢引此書。

劉涓子鬼遺方十卷 見《隋志》。舊題“龔慶宣撰”,攷慶宣是書序,稱涓子晋末人,龔特傳録其書者,末署齊永元元年五月五日。非撰人也。《宋書·宗室傳》:“遵考父涓子,彭城内史。”

劉涓子神仙遺論十卷 見《宋志》。《書録解題》今存一卷。

子虚上林賦音解 陳武。見《爾雅》釋文。《釋天》、《釋獸篇》。武字國武,後趙時休屠胡人,事蹟具《御覽》所引《武别傳》。

羽獵長楊賦音解 陳武。見蕭該《後漢書·揚雄傳》音義。

魯靈光殿賦注 張載。見李善《文選注》。

揚都賦注 庾闡。見《水經注》。《沔水》、《濡水篇》。《吴志·孫權傳》注、《藝文類聚》、《書鈔》、《御覽》亦引。錢氏《養新録》謂:“係仲初自注。”所攷致確。

子虚上林賦注 司馬彪。見《文選注》。

陶琬之詩 見《御覽》卷三百五十八引,云:“《桓玄集》載琬之爲江州主簿。”

傅咸集教 見《御覽》卷二百五十。

傅咸奏事 見《御覽》卷三百四十五。

杜預奏事 見《御覽》卷九十四及七百五十七引。

女史箴圖一卷 顧愷之。見《七録》。舊脱撰人,據《戲鴻堂帖》、《職思堂帖》補。

維摩詰子注五卷 釋曇詵。見《歷代三寶記》。

窮通論一卷　釋曇詵。見《歷代三寶記》。

禪祕要法三卷　鳩摩羅什。見《大唐内典目録》。

禪法要三卷　鳩摩羅什。見《歷代三寶記》。《大唐内典目録》作“要解”。

禪法要解二卷　沮渠京聲。見《歷代三寶記》。

首楞嚴三昧經注　支道林。見梁僧祐《出三藏記集》。①

四阿含暮鈔序二卷　前秦鳩摩羅佛提。見《大唐内典目録》。

合首楞三昧經記一卷　支敏度。見《隋衆經目録》。

毘摩羅詰提經義疏　僧叡。見《出三藏記集》。

賢劫千佛經序一卷　曇無蘭。見《隋衆經目録》。無蘭，孝武時人。

三十七品序一卷　曇無蘭。見《隋衆經目録》。

明漸論一卷　曇無成。見《隋衆經目録》。

實相論　曇無成。見《隋衆經目録》。

菩提經注　僧馥。見《出三藏記集》。

舍利佛阿毗曇序一卷　道標。見《隋衆經目録》。

十惠經序　佛調。見《隋衆經目録》。《高僧傳》作“竺佛調”。

附録類補遺

周易音　王嗣宗。見《周易》釋文。“嗣宗”疑“正宗”之譌，即爲《易義》之王宏。

周易音　江氏。見《周易》釋文。此江氏非江淳即江熙。

周易注　劉昺。見《周易》釋文。

禮記注　司馬彪。見《太平寰宇記》五十六引。

山海經音義　見《大荒南經》注。疑即郭氏《南山經》注所引璨

---

① “記集”，原誤作“集記”，據陳垣説乙正。詳陳氏《中國佛教史籍概編》卷一《出三藏記集》條。下同。

説,當亦晋人。

涼州記 張資。見《世説·言語篇》注。當即《隋志》之張諮《涼記》。

荆州先賢傳一卷 高範。見《唐書·藝文志》。《湖北通志》列入晋代。

晋氏后妃傳 見《御覽》一百九十四。

達士傳 皇甫謐。見《御覽》四百九十六。

廬山記 張野。見《御覽》。攷《世説·文學篇》注,野曾爲《遠法師銘》,當是晋人。

崔中書黄素方 見《抱朴子·雜應篇》。

傅休弈乘輿馬賦注 見《續漢書·輿服志》注引。疑即休弈自爲,然無可證明,下五種同。

袁喬江賦注 見《御覽》八百九十九。嚴氏《全晋文·目録》以爲序文,未審何據。釋其詞語,似非序言,故仍從《御覽》作"注"。

曹毗魏都賦注 見《文選·南都賦》注。《御覽》九百七十四亦引。賦係毗作,非左太沖之《魏都》也。

郭璞江賦注 見釋元應《眾經音義》十七。《御覽》九百三十八及九百三十九亦引。

趙至自敘 見《御覽》三百六十六、三百六十八與《世説》注。見《言語篇》。所列嵇紹序,趙至文無大異同,惟改"先君"作"嵇康"耳,疑此本嵇紹文,譌爲自序,故易去紹序中"先君"二字也。

晋安帝海物異名記 見元李衎《竹譜》詳録。"帝"字衍文,實即陳汝雍《晋安海物異名記》也。《崇文總目》著録。《埤雅》引此書亦無"帝"字,可證。

補晋書藝文志刊誤

常熟丁辰述録

甲部

皇甫謐　周易解　士安解《易》,未必有專書,當入《附録》。

袁準　儀禮音一卷　《舊唐志》無,誤出當删。

阮籍　樂論　與《樂經》無涉,當删,下二《論》同。

裴秀　樂論　删。

嵇康　聲無哀樂論　删。

春秋穀梁傳鄭氏説一卷　"一卷"字當删。

氾毓　春秋三傳集解　毓無是書,當删。

李彤　字偶五卷　當入《附録》。

乙部

劉兆　漢書音義　徧檢《文選注》,惟韋賢《諷諫詩》下曾引兆"旁言曰譖"四字,此當爲兆所注《公羊》、《穀梁傳》中文,非真《漢書注》也。王謨輯"旁言曰譖"句入兆《公羊注》,甚允。注據汪師韓《文選理學權輿》列入,殊未覈當,改入《附録》。

司馬彪　漢書音義　注亦據汪氏《文選理學權輿》所列目著録,詳覈之,彪祇有《子虚》、《上林賦注》耳,已入集部,此當删。

吕忱　漢書音義　攷《水經·涞水篇》注,引《漢書》下有吕忱説,乃忱所著之《字林》。《長楊賦》注引吕忱曰:"誇,大言也。”亦本之《字林》,伯雍實無《漢書注》也。注誤據《文選理學權輿》所列目,當更入《附録》。

鄧粲　晋陽秋三十二卷　當入《附録》。

田融　趙書十卷　據《隋志》“一曰《二石集》”,知是書本有二名。兩《唐志》出融《趙石記》、《二石集》各二十卷,即此。因一書二名,遂爾誤衍,且譌多卷數也。《通志》霸史類列此書,作“二十卷”,“二”字羡文。注誤據《唐志》,謂足補《隋志》之佚,殊未覈。

田融　趙石記二十卷　即十卷本之《趙書》,不應複列,當入《附録》。

田融　二石記二十卷　亦即十卷本之《趙書》,當入《附録》。

永平故事一卷　誤列入,當删。

荀氏靈鬼志三卷　改入《附録》。

袁氏世紀　《魏志·袁涣傳》注引此,載涣不取吕布軍中物云云。《御覽》亦引之,云:“出《袁子正論》。”是《世紀》乃《正論》中之一篇。裴注引《袁氏世紀》本有“此準自序也”之語。今子部已録《正論》十九卷,則《世紀》不應别出,當删。

王範　交廣二州記一卷　是書本名《交廣二州春秋》,見裴松之《吴志》注。《孫策傳》注。《後漢·郡國志》注、《水經注》均引作《交廣春秋》。《七録》、《隋志》不著録,知亡佚已久。《唐志》之一卷當是殘帙,且譌“春秋”爲“記”,致與黄義仲書混淆,黄書列後。後人猝難審别,貽誤殊甚,注語未詳覈,當改正。

苗恭　十四州記　“黄”譌“苗”,注語當改,云見《御覽》州郡部三。或作《黄恭交廣記》,職官部五十三。或作《黄義仲交廣記》,人事部十三。或作《黄義仲交廣二州記》,職官部六十三。皆是書。義仲,恭字也。《水經·河水篇》注引作“黄義仲”,亦稱其字。《藝文類聚》地部引《苗恭十四州記》,當因苗、黄形近而譌。恭時地無攷。《玉海》附是書亦譌“苗恭”。於《晋地道記》下,蓋以爲晋人也。今據以入録，如是方翔實。《水經·河水篇》注引作《十三州記》。

晋姓氏簿據 注末當增“事亦具《齊書·文學傳》中《賈淵傳》”十二字。

丙部

綦毋邃 孟子注九卷 注末當增“《孟子正義》以邃爲梁時人，蓋誤解《隋志》注中‘梁有’二字致譌”，凡二十三字。

殷興 通語十卷 《舊唐志》作“文禮撰，殷興續”，《新志》作“文禮通語”，云“殷興續”，仍十卷。《意林》作“八卷”，無撰人。吾師黄元同先生曰：“殷禮子基作《通語》，詳裴松之《吴志》注，當得其實。《隋》、《唐志》均十卷，較《意林》多二卷者，蓋殷基《通語》本止八卷，殷興續之爲十卷。《唐志》所云殷興續，當亦得其實。其以爲文禮撰者，基自序其書，有父禮字德嗣云云，讀者誤仞爲文禮耳。禮，吴零陵太守。基，吴無難督。興，晋尚書左丞。馬竹吾輯此書序，誤以興爲基之字，又以其官職不符，遂謂吴亡入晋，未免武斷。”所攷致確。注沿馬氏之譌，當改正。

羊祜 老子注二卷 即祜之《解釋》而誤複出，故《隋志》、《釋文·敘録》均不載，當入《附録》。

葛洪 老子道德經序訣二卷 疑即《七録》之《葛仙翁老子敘次》一種。《唐志》譌“葛洪”，又譌“次”爲“訣”，故《仙翁老子敘次》，《唐志》反不載也，當入《附録》。

杜氏幽求新書二十卷 《唐志》作“《杜氏幽求子》三十卷”。《意林》標題書名同《唐志》，卷數同《隋志》。吾師黄元同先生曰：“《杜氏新書》乃篤論，非《幽求子》，《隋志》并題《新書》，《唐志》云三十卷，均誤，當以《意林》爲得實。”所攷致覈，注應依改。

阮籍 通老論 文章篇目，非書也，删。

李嵩　行事記　應移入乙部雜傳記類。

王叔和　脈訣一卷　譌書,當入《附録》。

金匱要略方三卷　與《金匱玉函經》各自爲書,注誤,當删。

丁部

光禄大夫荀崧集三卷　"一"譌"三"。

吴興孝廉紐滔集五卷　"紐"應據何氏《姓苑》《廣韻》引。改"鈕"。

征西將軍張望集十二卷　《御覽》三十載桓温參軍張望有《正月七日登高詩》,疑與此爲一人。《七録》"將軍"字殆"參軍"之譌。

車騎長史謝朗集六卷　奪"《録》一卷"三字。

太常卿王珉集十卷　奪"《録》一卷"三字。

給事中徐乾集　"禪"譌"乾"。

李軌　齊都賦音一卷　當從《七録》作"左思撰",太沖《齊都賦》有自注。《史記集解》、《文選注》屢引之,即《七録》所云《音》也。《唐志》差誤甚多,以《音》爲軌作,殆由於誤讀《隋志》注而然,不必以此致疑孝緒,此卷當並入上一卷著録。

二京賦二卷　"賦"下當補"音"字。攷《一切經音義》卷六《妙法蓮華》第二卷出蔓莚云:"《西京賦》云:'其形蔓莚。'李洪範音蔓,忘怨反。莚,餘戰反。"據此,則《二京賦》下脱"音"字甚明。注語胥誤,當删。

綦毋邃　三都賦注三卷　攷《御覽》卷二十八引邃《魏都賦》注,卷九百二十八引邃《蜀都賦》注,劉賡《稽瑞》引邃《魏都賦》注,則邃注《三都》確有明證。《唐志》、《通志》之譌正無待辨也,注語不足據,當删。

三法度論序　"論"字衍。

大十二門注解二卷　即《隋眾經目録》所載之《十二門經注解》

也，複出當删。

陰特人注解二卷 即《隋衆經目録》所列之《陰特人經注解》也，複出當删。

光讚析中解一卷 此同下一卷，即《隋衆經目録》所列之《光讚般若略解》二卷本，分而爲二，複出當删。

光讚妙解一卷 攷具上條。删。

小十二門注解一卷 即《隋衆經目録》所列之《十二門禪經注解》也，複見當删。

了本生死注解一卷 即《隋衆經目録》之《了本生死經注解》也，複見當删。

大道地解一卷 即《隋衆經目録》之《大道地經注解》也，複出删。

賢劫諸度無極解一卷 即《隋衆經目録》之《賢劫經略解》也，複出當删。

安解守意解一卷 即《隋衆經目録》之《安般原誤"般若"，當改正。經注解》也，複出删。

密跡持心二經甄解一卷 即《隋衆經目録》之《持心梵天經略解》、《金剛密跡經略解》，二種合而爲一，複出當删。

人本欲生注撮解一卷 即《隋衆經目録》之《人欲生經注解》，複出當删。

附録類刊誤

何顒傳一卷 非晋人，删。

蒲元傳 非晋人，删。

張嗣 老子注二卷 陸氏《釋文》列嗣於袁真、張憑、孫登中，其爲晋人無疑。當更入子部道家類。

郭璞 周易玄義經一卷 一書兩見，當删其一。

《補晉書藝文志》校勘札記

整理者按:湖北省圖書館所藏楊守敬遺稿中,有楊氏手批丁國鈞《補晉書藝文志》一種。據楊守敬的題記可知,楊氏嘗欲作《歷代經籍存佚考》,對《補晉書藝文志》所作的批校、增補,當爲其準備工作之一。楊氏又欲踵盧文弨之作爲《續群書拾補》,可惜未竟而卒。現在,《楊守敬全集》(湖北教育出版社出版)的整理者之一郗志群先生已將楊氏對《補晉書藝文志》的校補文字收入《續群書拾補》中。郗氏在小注中交待,楊氏的校補文字皆以批註的形式列于書眉,郗氏將其録出,分别定名爲《〈補晉書藝文志〉校勘札記》、《〈補晉書藝文志〉未收書目》。郗氏指明,《〈補晉書藝文志〉未收書目》中的文字雖多出楊氏之手,但有個別的條目並非楊氏手筆,依書前所鈐"徐恕讀過"印,疑爲武昌藏書家徐恕所增。現將《〈補晉書藝文志〉校勘札記》、《〈補晉書藝文志〉未收書目》以及郗氏所加的部分校語過録一份,附於全書之後,以備參考。需要指出的是,楊守敬批校所用底本亦爲光緒間排印的《常熟丁氏叢書》本,郗氏於《〈補晉書藝文志〉校勘札記》各條目下括弧內所注底本頁碼,對於讀者核查原書頗有助益,因此特予保留。

嘗病鄭夾漈之《通志・藝文略》、焦竑之《國史經籍志》疏舛奪漏,不注存佚。欲爲《歷代經籍存佚考》,兹事體大,汗青無日,獨學無侣,每思得一二如此學者助成之,卒不可得。讀丁君此書,知其尋檢之功不少。流覽所及,爲校正補録若干條,聞丁君將重刊此書,或不無裨益也。光緒乙未閏月守敬記。

卷一

謹按。(頁一)
全書"謹按"二字皆可删。①

① 郗志群先生曰(以下簡稱郗曰):全書"謹按"二字均用墨筆點去。

是書《新唐書·藝文志》、《舊唐書·經籍志》咸佚不載。（頁一）

《新唐志》有此書。

《經典釋文·敘録》作"十二卷"，疑有《録》二卷，並計之也。（頁二）

十卷之書未必有二卷之《録》，當有衍字。

《周易注》十卷。《釋文·敘録》則多二卷。（頁二）

《日本現在書目》亦"十二卷"。

《周易繫辭注》二卷。（頁三）

日本古鈔本並作"二"爲"三"，誤無疑。

《周易象論》三卷。（頁三）

《舊唐志》作"《通義象論》一卷"。[①]《新唐志》作"《通易象論》一卷"。

字永初，太山人。（頁三）

《史記索隱》亦云："字永初，太山人。"

《周易卦序論》一卷　司徒右長史楊乂。（頁四）

《御覽》卷三十八引是書謁作"楊乂"。

《周易略論》一卷　張璠。見《舊唐志》。（頁五）

《新唐志》亦有之。此當移上《周易注》下，凡一人所著皆當依附。此編多跳雜，後不悉出。

《周易注》　向秀。（頁五）

《釋文·敘録》作《易義》，當從之。

《周易張氏義》　張軌。（頁五）

《十六國春秋》作"十卷"。又劉昞有《周易注》，見《十六國春秋》九十三。昞字彦明，燉煌人，爲蒙遜祕書郎中。

《周易音》　袁悦之。（頁六）

---

① 郗曰：中華書局標點本《舊唐書·經籍志》改"義"爲"易"。

《册府元龜》又云:"悦之注《繫辭》。"

《古文尚書舜典注》一卷　豫章太守范寧。(頁七)

《舜典注》即十卷中之一也,當併入上條。

《尚書要略》二卷　李顒。見兩《唐志》。(頁七)

《舊唐志》闕名。

《尚書逸篇注》二卷。(頁七)

《册府元龜》引孫奭説作"三卷"。

《尚書義問》三卷。**見《七録》**。(頁七)

又《册府元龜》。

《毛詩注》二十卷　謝沈。**《毛詩釋義》十卷**　謝沈。**《毛詩義疏》十卷**　謝沈。(頁八)

本傳云:"著《毛詩外傳》行于世。"未知于三書何屬,抑别有一書與?

《毛詩異同評》十卷　長沙太守孫毓。(頁八)

《毛詩指説》:"北海人,長沙太守。"

《釋文·敘録》言"爲《詩音》者九人"。(頁九)

九人中阮分著四人,餘鄭玄、蔡氏、孔氏、王肅、李軌五人,除康成、王肅非晋人外,餘當並著。[1]

《周官論評》。(頁十)

《釋文·敘録》作《周禮論》。

《喪服經傳注》　袁準。(頁十)

《通典》引作《喪服傳》。[2]

《禮音》三卷　劉昌宗。(頁十四)

《隋志》脱"周"字耳。蓋昌宗别有《儀禮》、《禮記音》,則此爲

---

① 郗志群先生疑"阮"當作"除"。

② 郗曰:此處《通典》當爲《通志》。

《周禮》。

《儀禮音》一卷 袁準。(頁十四)

《舊唐志》載此于馬融《喪服紀》下,蓋只注《喪服紀》也。

《七録》有《射貞禮記音》一卷。(頁十五)

《七録》又有"《射慈禮記音》一卷",當補入。《舊唐志》作"二卷"。《釋文·敘録》:"射慈字孝宗,吴中書侍郎。"

《禮記音義隱》一卷 謝氏。(頁十五)

《困學紀聞》引,"謝氏"作"射氏"。

《春秋條例》二十卷。《隋志》著録十一卷。(頁十六)

《玉海》卷四十引作"二十卷"。

《問穀梁義》四卷 薄叔元。(頁十九)

《穀梁疏》引范寧《答薄氏穀梁駁》,當在此書中。

《春秋三傳集解》 氾毓。(頁二十)

本傳云:"合三傳爲之解注,撰《春秋釋疑》。"即一書也,此當删。

《集議孝經》一卷 東陽太守袁宏。(頁二十一)

邢昺《孝經序》引作"袁宏《孝經説》"。

《論語注》六卷。(頁二十三)

新、舊《唐志》作"十卷"。

《論語集義》十卷。(頁二十三)

《釋文》作《論語注》。

《論語讚》九卷 虞喜。(頁二十三)

《隋志》云:"《論語注》九卷,鄭玄注,晋散騎常侍虞喜讚。"是喜就鄭本爲《讚》也。當云:虞喜讚鄭注《論語》九卷。

《論語注》十卷 益州刺史袁喬。(頁二十五)

《釋文》亦有之。

張憑。(頁二十五)

《釋文·敘録》云:"字長宗,吴人,東晋司徒左長史。"

《論語釋疑》十卷。(頁二十五)

《史記索隱》作《論語義》。

《論語駁序》二卷。(頁二十五)

《通典》作“三卷”。[①]

《論語音》二卷。(頁二十六)

《釋文》作“一卷”。

《爾雅注》五卷。**《新志》存一卷**。(頁二十六)“五”字誤。《新唐志》一卷亦誤。此直當以今本定之,不必存疑。

《吴章》二卷。(頁二十八)

《舊唐志》“一卷”。

《字林》七卷。(頁二十九)

《舊唐志》作“十卷”。

李壽。(頁二十九)

“燾”。

《月儀書》　索靖。(頁三十)

此書今尚存,在《鬱岡齋集帖》中。

卷二

《魏氏春秋》。(頁四)

《水經・洛水》注引作《魏春秋》,無“氏”字。

《晋陽秋》三十二卷。(頁四)

《舊唐志》:“二十二卷。”此當入“附録”。

《拾遺記》。(頁七)

當入“小説”。

---

① 郗曰:查《十通索引》無此書。

《拾遺録》。(頁七)

當即上一書。此又從蕭録節抄者也。

《漢春秋》十卷。《後漢春秋》六卷。《後魏春秋》九卷。(頁七)

案:《漢春秋》、《後漢春秋》、《後魏春秋》皆即《隋志》之《漢魏春秋》九卷也。唐時或有分抄分卷之本,故致複誤。

《三國異同評》 孫盛。(頁九)

《舊唐志》:"《魏陽秋異同》八卷,孫壽撰。"當即此書。"壽"爲"盛"之誤耳。

《隋志》此書當即《趙石記》,而遺去《二石集》。**《唐志》兩録之,足補《隋志》之佚**。(頁十)

《唐志》正因二名互稱誤衍,此反據以疑《隋志》,非也。

《西河記》二卷 侍御史喻歸。(頁十一)

《元和姓纂》作"喻歸撰,三卷"。

《秦書》三卷。見《隋志》。(頁十三)

《隋志》不著録。

《永平故事》一卷。見《隋志》。(頁十六)

《隋志》無此書,《新唐志》"二卷",置於應劭之前,似以爲"漢永平"者。

《晋建武故事》一卷。見《隋志》。(頁十六)

章宗源考:《初學記》、《藝文類聚》、《御覽》所引三事皆在咸和,知本作《建武以來故事》也。

《晋建武以來故事》三卷。《新唐志》亦著録,而省"以來"二字。(頁十六)

《隋志》有前一書,而無此書,《舊唐志》有此書而無前書,似本一書,《隋志》有脱誤耳。《新唐》兩書並載,蓋兼采二書致誤也。《新唐志》有"《建武故事》三卷",又有"《晋建武以來故事》三卷",此失檢。

《晉東宫舊事》 張敞。(頁十七)

"宫"。是書有注,《御覽》一百八十四曾引之,未審出敞手,抑後人所爲?

《晉故事》三十卷。(頁十七)

據《唐六典》,晉賈充等撰。

《晉要事》三卷。(頁十八)

《唐志》不著録,而别有"《晉故事》三卷",疑即"要事"之誤。《新唐志》"晉"下有"氏"字。

《晉新定儀注》十四卷。(頁十八)

章宗源曰:本《志》儀注類有"傅瑗《晉新定儀注》四十卷"。

干實。(頁十八)

"寶"。

《晉永嘉流士》十三卷。(頁十八)

《世説》屢引《永嘉流人名》,當即此書。

《晉過江士人目》一卷。(頁十八)

當即《世説》注之《江左名士傳》也。

《晉百官名志》。(頁十九)

疑即下一書。

《晉武帝太始官名》。(頁十九)

疑即上《晉武帝百官名》。

《漢晉律序注》一卷。(頁二十三)

《一切經音義》十一引作《晉律解》。

《晉雜議》十卷。(頁二十三)

前荀顗等撰已疑即一書,此不必複載。章宗源但載此"刑法類",是也。

楊方。(頁二十五)

章宗源考定爲"張方"。

江敞。(頁二十五)

章宗源考定爲“江徵”。

《高士傳》二卷 虞盤佐。**《釋文·敘録》:“盤佐字弘猷,東晋處士。”**(頁二十五)

《御覽》人事部引宋少文、何點二事,則盤佐非東晋人。

《至人高士傳》。(頁二十六)

《水經·洛水》注引無“至人”二字。

《陶侃故事》。(頁三十)

此即故事類三卷之書也,①當删。

《王弼傳》。(頁三十)

凡别傳之屬不見於《隋》、《唐志》者幾二百篇,當時非必有所遺,當以無關緊要棄之。今固不能割,竊謂當入《附録》。

《佛圖澄别傳》。**見《御覽》引書綱目**。(頁三十一)

《御覽》綱目所列之書,其中皆有引用,當檢出列卷數。

《夏統别傳》、《夏仲御别傳》、《夏仲舒别傳》。**以《晋書》考之即夏統事也**。(頁三十二)

既考爲夏統,即不當出三條。

《廬山記略》一卷。**見《唐志》**。(頁四十四)

兩《唐志》皆不載,此誤。

《衆經目》一卷 竺法護。(頁四十七)

見《歷代三寶記》。

---

① 郗曰:本書舊事類有《大司馬陶公故事》三卷,楊校當指此書,但“故事類”應作“舊事類”。

卷三

《袁子正書》二十五卷。(頁一)

嚴鐵橋謂《正書》即《正論》,[①]是也。《羣書治要》尚存十七篇。

《古今通論》二卷。兩《唐志》作"三卷"。前亡後存,卷數增多。非唐人得其遺篇别爲分第,則後人有附益也。(頁二)

數目字傳刻易誤,如此等但著其異,不必置辭。

《蔡氏清化經》十卷。(頁二)

《七録》、《隋志》作"化清"。《舊唐志》作"清化",當以《七録》爲正。

程韶。(頁五)

《七録》作"闕韶"。

《老子道德經序訣》二卷　葛洪。(頁五)

案:《七録》:"《老子序次》一卷,葛仙公撰。"仙公即葛洪之從祖,《唐志》屬之"葛洪",又誤"次"爲"訣"耳。

《養生論》三卷　嵇康。(頁八)

《養生論》,今本《集》及《文選》所收不全,别見日本《醫心方》引。

《通老論》　阮籍。(頁八)

阮籍有《通易論》、《遠莊論》,並見本《集》。此《通老論》亦《文集》中之一篇也,不當録入。

《抱朴子外篇》三十卷。今行世本仍五十卷,《道藏》舊笈也。(頁九)

《道藏》往往以殘闕之書分卷以充原數,此《抱朴子外篇》亦其

---

① 郗曰:查嚴可均(字鐵橋)《全上古三代秦漢三國六朝文》卷五十四《袁子正論》按:"《政論》即《正論》。"非"《正書》即《正論》"語。

一也。嚴可均輯《外篇》佚文多至五十八條，足知非完帙。

《博物志》十卷　張華。（頁九）

今本以士禮居本爲最善，然亦宋人輯本，故多遺漏，非常景删本也。

《張公雜記》一卷　張華。**《雜記》十一卷**　張華。（頁十）

此亦必是一書，傳本卷數詳略不同，故《隋志》兩載之。

《廣志》二卷。**見《隋志》**。（頁十）

此當入地理類，《隋志》入子部，誤也。

《脈訣》。（頁十八）

《脈訣》僞書，宋人已刊其誤矣。

《傷寒卒病論》十卷　王叔和。見《新唐志》。《通考》作“張仲景《傷寒論》十卷，王叔和撰次”。（頁十八）

此本仲景書，王叔和編次也。當以《通考》爲正。

《金匱要略方》三卷。（頁十八）

《金匱要略方》三卷，通行本也。《金匱玉函方》八卷，何義門得宋本，陳世傑刊之，流傳不廣。《四庫》未著録，然實二書也。

《金匱藥方》一百卷。**其餘各種著録於《七録》諸志者，皆百卷中之單行者也**。（頁十九）

語甚是。余意凡如此者皆彙集一條下，而考其分合，則無冗複之弊也。

《肘後急要方》四卷　葛洪。（頁十九）

按：《隋志》：“《肘後方》六卷，葛洪撰。梁二卷。”本傳作“《肘後急要方》四卷”，[①]此互誤也。按《肘後方自序》作“三卷”，《御覽》引《晋中興書》亦作“三卷”。

---

① 郗曰：《晋書・葛洪傳》作《肘後要急方》。

《范東陽方》一百五十卷,《録》一卷。(頁十九)

《御覽》引《晋書》作"一百七卷"。

支法存。(頁二十)

法存事迹見劉敬叔《異苑》。

卷四

《王沈集》五卷。(頁一)

嚴氏輯存文十四首。

《伏滔集》十一卷。(頁二十二)

《七録》五卷,《録》一卷。

袁山松。(頁二十四)

《志》作"崧"。

《王茂略集》四卷。前已著録《王導集》十二卷,此四卷當係别出。(頁二十七)

二集既重出,當附考于前集下,不當複載于此。

陳長壽。(頁三十四)

即陳壽,衍"長"字。

《隋志》脱撰人名。(頁三十四)

《隋志》漢、魏兩書連書之,非脱撰人名也。

《阿毗曇心論序》。(頁三十六)

《隋衆經目録》無"論"字,《三寶記》亦無"論"字。

《三法度論序》。(頁三十六)

宋本原書無"論"字。《歷代三寶記》無"論"字。

《大智度論要略鈔》二十卷　慧遠。(頁三十七)

此即《大智論》之略本也,不當入。慧遠别有《般若經問論集》

二十篇，亦此例，見《出三藏集記》。[①]

《大智度論序》。（頁三十七）

《歷代三寶記》作“一卷”，無“論”字。

《寶藏論》三卷。（頁三十七）

明南、北《藏》本並“一卷”，此作“三卷”，誤也。

《般若無知論》。（頁三十七）

《隋衆經目録》有之。

《涅槃無名論》。（頁三十七）

《隋衆經目録》有之。

《物不遷論》。（頁三十七）

《隋衆經目録》有之。

《實相論》二卷。（頁三十七）

《三寶記》作“一卷”。

《辨三乘論》。（頁三十八）

《隋衆經目録》有之。

《四本起禪序》。（頁三十八）

《隋衆經目録》作《本起四禪序》，是也。《三寶記》作“四諦”。[②]

《答法汰難》二卷。（頁三十八）

《三寶記》：“一卷”。[③]

《大十二門注解》二卷。（頁三十八）

與下複，當删。

《陰持入注解》二卷。（頁三十八）

與下複，當删。

---

① 郗曰：《出三藏集記》，應作《出三藏記集》，梁僧祐撰。

② 郗曰：《歷代三寶記》無此序，楊誤。

③ 郗曰：《歷代三寶記》卷八載，仍作“二卷”。且後《答法將難》條楊引《三寶記》亦作“二卷”，故知此處作“一卷”誤。

《光讚析中解》一卷。(頁三十八)

《三寶記》"析"作"折"。

《小十二門注解》一卷。(頁三十八)

與下複。

《了本生死注解》一卷。(頁三十八)

此當刪,見下。

《大道地解》一卷。(頁三十八)

又見下,當刪。

《安般守意解》一卷。(頁三十九)

《三寶記》。又見下。

《人本欲生注撮解》一卷。(頁三十九)

《三寶記》。見下。

《九十八結連劫通解》一卷。(頁三十九)

《三寶記》作"連約"。

《答法將難》一卷。(頁三十九)

《三寶記》:"《答法汰難》二卷。"《隋衆經目録》亦有之。[①]

《了本生死經注序》一卷。(頁三十九)

《三寶記》、《内典録》並作"注解",是也。

《賢劫經略解》一卷。(頁三十九)

《大唐内典目録》作《賢劫諸度無極解》。

《持心梵天經略解》一卷。(頁三十九)

此卷與下一卷,《大唐内典目録》合而爲一,名《密迹持心二經甄解》。

《般若經注解》一卷。(頁四十)

---

① 郗曰:查《衆經目録》無此經。唐道宣《大唐内典録》卷三、《出三藏記集》卷五載之。

宋本、明南、北監本並作“安般”。

《光讚般若略解》二卷。(頁四十)

此恐即《大唐内典目録》之《光讚析中解》及《光讚抄解》,合爲一書也。

《經論都録》一卷。(見四十)

又有《别録》一卷,見《開元釋教録》。

《立本論》九卷。(頁四十)

《三寶記》作“九篇一卷”,當從之。

《關中出經序》一卷。(頁四十一)

《出三藏記集》“出”下有“禪”字。

《維摩詰經注》 竺道生。(頁四十一)

《隋衆經目録》作“《維摩經注解》二卷”。《高僧傳・目録》入道生于宋代。

《首楞嚴經注》。(頁四十一)

《隋衆經目録》作“注解一卷”。

《放光般若經注》 法祚。(頁四十一)

《隋衆經目録》作“注解一卷,帛法祖”。

《顯宗論》 法祚。(頁四十一)

《隋衆經目録》作“帛法祖”。

《毗雲指歸》一卷 竺僧度。(頁四十二)

已見上。

《人物始義論》。(頁四十二)

《三寶記》作“一卷”。

附録

《左氏牒例》二十卷 劉寔。(頁二)

“牒”爲“條”字誤無疑,此不當複載於此。

《孫氏孝經注》一卷。(頁二)

已考,見卷一,此不當複載。

誤“荀”爲“孫”。(頁三)

“荀”、“孫”二字古通用。

《孝經注》二卷　荀昶。**舊題“荀勗”**。(頁三)

此亦改作“荀昶”,嫌武斷。

《論語注》十卷　盈氏。(頁三)

已見第一卷,此不當複。

《佛國記》一卷。**《游歷天竺記》一卷**。(頁七)

當併爲一條入正書。

《從征記》　伍緝之。(頁八)

疑伍端休《江陵記》即此人。

盈氏《老子注》二卷。(頁八)

既以盈氏《論語注》入正書,則此不當入《附録》。

《肘後備急百一方》三卷。(頁十)

當删此,附前《急要方》下。

《葛仙翁杏仁煎方》一卷　葛洪。(頁十)

亦見《宋志》,作“葛仙公”。按:葛仙公,葛玄之號也,洪之從祖,三國時吴人,見《葛洪傳》,非葛洪也。又有葛璝,亦號仙翁,晋人,然非撰此書人。

《湘州記》一卷　羅含。**含書名《湘中記》,此實宋郭仲彦書也**。①(頁十一)

“州”、“中”二字不知誰誤。亦如虞仲雍有《湘中記》,亦稱《湘州記》。非郭仲産書也,此不當入録。

---

①　郗曰:原書“彦”字被點去,旁批“産”字,是。

《補晋書藝文志》未收書目

《禹貢地域圖》十八篇　裴秀。見本傳。

《論語贊》　謝道韞。見《藝文類聚》五十五。

《阿育太子懷目因緣記》一卷　前秦建元年沙門曇摩難與竺法念譯。

《天台山銘序》　支遁。見《文選·天台山賦》注，當在《支遁集》中。

《宋武北征記》一卷。《隋志》稱戴氏撰，即戴祚也。《水經注》言延之從劉武西征，是也。

《述征記》二卷　郭緣生。見《隋志》。

《續述征記》　郭緣生。見《水經注》。

《衆經》一卷　聶道真。見《三寶記》。

《金韜玉鑑經》三卷　吕廣。見《宋志》。

《河南藥方》十六卷　阮文叔。見《隋志》。《唐志》作"阮炳"。《册府元龜》："阮炳字文叔，爲河南尹，精意醫術，撰《藥方》一部。"①按《玉函方序》有"阮河南"云云，知爲晋人。

《黄素藥方》二十五卷　謝泰。《七録》無撰人。《新唐志》作"謝泰"。

《范堅集》。本書堅傳言：與子啟"並有文筆行世"。《七録》列啟《集》而不及堅，蓋佚已久，今據《傳》補。

《申無生論》一卷　曇無成。《隋衆經目録》。

《漸悟論》一卷　釋惠觀。《隋衆經目録》。

《勝鬘經序》一卷　釋惠觀。《隋衆經目録》。

---

①　郗曰：見《册府元龜》卷八百五十八醫術一，原文"文叔"作"叔文"。

《妙法蓮華經宗要序》一卷　釋惠觀。《隋衆經目録》。《高僧傳目録》入惠觀于宋,蓋卒于宋元嘉也。

《毛詩草木鳥獸蟲魚疏》。《釋文・敘録》稱:"吴太子中庶子烏程令"陸璣撰。隋、唐《志》並作"機"。《書録解題》稱:"其書引郭璞注《爾雅》。"則亦未必吴人。

《孝經注》一卷　孔光。《七録》置于車胤、荀昶間,似爲晋人。《釋文》則置于荀昶、何承天之間,又似爲宋人,《敘録》云:"字文泰,東莞人。"

《論語論釋》　姜處道。《七録》:"一卷,未詳何時人。"

皇甫謐《南都賦注》。汪師韓《文選理學權輿》列崇賢注所引書目有此注及下一種。然檢之均未得。《續漢書・郡国志》注屢引《南都賦注》,未審即出士安否?

殷仲文《吴都賦注》。《文選理學權輿》引此目。

左思《齊都賦注》。見《史記・集解》、《文選》、《御覽》。

孫綽《望海賦注》。見《御覽》卷九百十八。

補晉書藝文志

〔清〕文廷式 撰

朱新林 整理

底本：清宣統元年(1909)湖南長沙鉛印本
校本：1955年中華書局影印《二十五史補編》本

補晋書藝文志

萍鄉文廷式道希籑

經部十一類

一曰易，二曰書，三曰詩，四曰禮，五曰樂，六曰春秋，七曰論語，八曰孝經，九曰羣經，十曰小學，十一曰經緯。

易類

薛貞　歸藏注十三卷　太尉參軍。

《隋書·經籍志》云："《歸藏》，漢初已亡，晋《中經簿》有之，唯載卜筮，不似聖人之旨。以本卦尚存，故取貫《周易》之首，以備《殷易》之缺。"①明人《世善堂書目》尚著録。《左傳》襄九年正義曰："世有《歸藏易》者，僞妄之書，非《殷易》也。"

韓伯　周易繫辭注三卷　字康伯，潁川人，東晋太常卿。

今存。陳蘭甫《東塾讀書記》曰："康伯《繫辭注》：'道者何，无之稱也。'又云：'常无欲以觀其妙，殆可以語至而言極也。'又云：'聖人雖體道以爲用，未能全无以爲體。'如是類者，是談玄，非注經矣。"

黄穎　周易注十卷　儒林從事。

《經典釋文·序録》云："穎，南海人。"朱彝尊《經義攷》云："黄氏《易》'賁于邱園'，'賁'作'奔'，'豚魚'作'遯魚'。"余案《釋

---

① "周易"原作"周旨"，據中華書局點標本(以下簡稱中華本)《隋書》改。

文》引黄氏説共九條。《釋文》:"經論,黄穎云:'經論,匡濟也。'""以從,黄'子用反'。""翰,黄云:'馬舉頭高印也。'"①"戔戔,黄云:'猥積貌。'""辨,黄云:'眯賨也。'"②"《繫辭》'爲罟',黄本作'爲网罟。'"

干寶　周易注十卷　散騎常侍。

《晋書》本傳:"寶用京氏占候之法以爲象,而援文、武、周公遭遇之期運,一一比附之。"張惠言《易義别録》云:"今令升之注僅存者三十卦,而又不完。然言文、武革紂,周公攝成王者,十有八焉。"馬國翰集此書三卷。朱彝尊《經義攷》曰:"干寶《注》十卷,今止存一卷。《鹽邑志林》載之。"按明姚士粦集本三卷,近人丁杰集本二卷。

王廙　周易注十卷　驃騎參軍。

《釋文・序録》作"十二卷"。

馬國翰《玉函山房輯佚書》從《正義》、《釋文》、《集解》、《世説注》、《太平御覽》等書集得二十四條。

劉邠　易注　本名炎,避晋太子諱改。

見裴松之《三國志・管輅傳》注引《輅别傳》。

張璠　周易注十卷　著作郎,安定人。

《釋文・序録》作"《集解》十二卷",集二十二家。案《文選》卷三十八李善注引張璠《易注・序》云:"蜜蜂以兼采爲味。"《釋文》引《序》云:"依向秀本。"二十二家者,鍾會、向秀、庾運、應貞、荀煇、張輝、王宏、阮咸、阮渾、楊乂、王濟、衛瓘、欒肇、鄒湛、杜育、楊瓚、張軌、宣舒、邢融、裴藻、許適、楊藻者也。《七録》云:"集二十八家。"《釋文》《子夏易傳》引張璠云:"或馯臂子弓所作。"《唐志》:"張璠《集解》十卷,又《略論》一卷。"

向秀　易義

---

① "馬"原誤作"爲","高"字下原脱"印"字,據上海古籍出版社影印本(以下簡稱上古本)《經典釋文》補正。

② "眯",上古本《經典釋文》作"然"。

《釋文·序録》列張璠所集各家,今並著其目於後。《史記·屈原傳》裴駰集解、《易正義》、《經典釋文》並引之。馬國翰有集本,不盡足據。《世説·文學門》注:"《秀别傳》曰:'注《周易》,大義可觀,而與漢世諸儒互有彼此,未若隱《莊》之絶倫也。'"

應貞　明易論　字吉甫,汝南人,散騎常侍。

貞,《儒林》有傳。

庾運　易義　字元度,新野人,仕至尚書。一云《易注》。

張輝　易義　字義元,梁國人,侍中,平陵亭侯。

王宏　易義　字正宗,弼之兄,本司農,贈太常。

《釋文》離卦曰:"昃,王嗣宗本作'仄'。"[①]"出,王嗣宗勑類反。""離王公,梁武力智反,王嗣同。"嗣宗,未知即正宗否。

阮咸　易義

王濟　易義

《魏志·鍾會傳》注引何劭《王弼傳》曰:"太原王濟嘗云:'見弼《易注》,所悟者多。'"據此,則濟蓋輔嗣之學也。

衛瓘　易義

杜育　易義　字方叔,襄城人,國子祭酒。

《荀晞傳》有右將軍杜育,[②]即此人。

楊瓚　易義　不知何許人,司徒右長史。

張軌　易義　涼武公。

崔鴻《前涼録》:"軌與京兆杜預,此下當有'善'字。以所注《易》遺之。"《御覽》一百二十四。《釋文》:"得其資斧,《子夏傳》及衆家並作'齊斧'。張軌云:'齊斧,蓋黄鉞斧也。'"

---

① "昃"原誤作"吴",據上古本《經典釋文》改正。

② "荀"原誤作"荷",據中華本《晋书》改正。

宣舒　通知來藏往論　字幼驥,陳郡人,宜城令。

邢融　易義

許適　易義

裴藻　易義

楊藻　易義

以上並張璠所集。《經典釋文·序録》云:"邢融、裴藻、許適、楊藻四人,不詳何人,並爲《易義》。"

袁宏　周易略譜一卷

見《新唐志》。

欒肇　周易象論三卷　尚書郎。

鄒湛　周易統略五卷　少府卿。《釋文序録》云:"字潤甫,南陽人,國子祭酒。"

《唐志》、鄭樵《通志·藝文略》並作"周易統略論"。《釋文》:"箕子之明夷,劉向云:'今《易》箕子作荄滋。'鄒湛云:'訓箕爲荄,詁子爲滋。漫衍無經,不可致詁,以譏荀爽。'"又"茹,牽引也。鄒湛同"。

阮渾　周易論二卷　馮翊太守,字長成,籍之子。《釋文·序録》云:"爲《易義》。"

《日本國見在書目》尚有此書。

宋岱　周易論一卷　荆州刺史。

干寶　周易宗塗四卷　周易爻義一卷　周易玄品二卷見《册府元龜》。

王氏　周易問難二卷

徐伯珍　周易問答一卷　揚州從事。

顧夷等　周易難王輔嗣義一卷　揚州刺史。

《宋書·隱逸·關康之傳》:"顧悦之難王弼易義四十餘條。"《册府元龜》亦載之。悦之即夷字也。《文苑·顧愷之傳》:"父悦之,尚書左丞。"非此一人。

楊乂　周易卦序論一卷　司徒右長史。(《釋文》作左長史。)字玄舒,汝南人。

《御覽》三十八引作"楊義"。

《初學記》卷五引此書:"險而止山也,險而動泉也,動静皆蒙險,故曰山。"馬國翰曰:"《御覽》三十八所引同,依文義當有'水蒙'二字。"

荀煇　周易注十卷　太子中庶子,字景文,潁川潁陰人。

《賈充傳》録武帝詔有騎都尉荀煇,即此人。《七録》題"魏散騎常侍"。《魏志·荀彧傳》注引《荀氏家傳》曰:"閎從孫惲按荀彧子已名惲,此當是煇字之誤。字景文,太子中庶子,亦知名。與賈充共定音律,又作《易集解》。"

易髓八卷

《宋志》云:"晋人撰,不知姓名。"按《通志·藝文略》有郭璞《周易髓》十卷,疑即此書。

劉兆　周易訓注　字延世,濟南東平人。

本傳云:"撰《周易訓注》,以正動二體互通其文。"

李充　周易旨六篇

本傳。國朝謝啓昆《小學攷》作"周易音",恐誤。

李顒　周易卦象數旨六卷　樂安亭侯。

袁準　易傳

《魏志·袁渙傳》注引《袁氏世紀》曰:"準爲《易》、《周官》、《詩》傳。"①

郭琦　京氏易注

本傳云:"作《天文志》、《五行傳》,注《穀梁》、《京氏易》百卷。"

翟子元　易義

見《釋文·序録》,云:"不詳何人。"

孫盛　易象妙於見形論

見《劉惔傳》。《世説·文學門》注引之。《魏志·鍾會傳》注

① "官"字上原脱"易周"二字,據中華本《三國志》補。

引孫盛曰:"《易》之爲書,窮神知化,非天下之至精,其孰能與於此? 世之注解,殆皆妄也。况王弼以附會之辨而欲籠統玄旨者乎? 故其叙浮義則麗辭溢目,造陰陽則妙賾無間。至於六爻變化,羣象所效,日時歲月,五氣相推,弼皆擯落,多所不關。雖有可觀者焉,恐將泥夫大道。"此亦盛説《易》之大旨,故附箸之。

蜀才　易注十卷

《釋文·序録》云:"《七録》云不知何人,《七志》云是王弼後人。案《蜀李書》云姓范,名長生,一名賢,隱居青城山,自號'蜀才',李雄以爲丞相。"張惠言曰:"蜀才之《易》,大約用鄭、虞之義爲多,卦變全取虞氏。"張澍《蜀典》、馬國翰《玉函山房》皆有集本。

裴秀　易論

裴松之《魏志·裴潛傳》注引《文章叙録》云:"秀著《易論》及《樂論》。"《世説·德行門》注引《晋諸公贊》:"裴楷特精《易》義。"

袁悦之　周易繫辭注　字元禮,驃騎諮議參軍。

見《釋文·序録》。

袁悦之　易音

國朝謝啓昆《小學攷》曰:"《晋書·李悦之傳》:'悦之字元禮,陳郡陽夏人。始爲謝玄參軍,後爲會稽王道子所親愛,俄而見誅。'《册府元龜》曰:'悦之注《繫辭》,又爲《易音》。'"余案《晋書》袁悦之附《王湛傳》,作"李",誤也。

謝萬等　周易繫辭注二卷　西中郎將。《釋文序録》作"謝万",字万石,陳郡人,東晋豫州刺史。

宋王應麟《漢制攷》卷三引《崇文總目》云:"《歸藏》,《隋志》有十三篇,今但存《初經》、《齊母》、《本蓍》三篇。"

宣聘　通易象論一卷

見《通志》。

九家集注周易十卷 《釋文·序録》云:"不知何人所集,稱荀爽者,以爲主故也。其《序》有荀爽、京房、馬融、鄭玄、宋衷、虞翻、陸績、姚信、翟子玄。子玄,不詳何人,爲《易義》。注内又有張氏、朱氏,並不詳何人。"①

徐邈 周易音一卷 太子前率。字仙民,東莞人。

馬國翰《玉函山房》有集本。②

李軌弘範 周易音一卷 尚書郎 。《釋文》云:"江夏人,東晋祠部郎中、都亭侯。"

《釋文》引此書七條。

范氏 擬周易説八卷

《隋志》引《七録》列干寶前,蓋晋人也。《隋志》又有范氏《周易論》四卷、范氏《周易音》一卷,疑同出一人。

桓玄 周易繫辭注二卷

《釋文》:"八卦相盪,桓玄:盪,動也。""議之,陸、姚、荀柔之作'儀之'。""曰人,王肅、桓玄、明僧紹作'仁'。"

汲冢書易經二篇 易繇陰陽卦二篇 卦下易經一篇 公孫段二篇公孫段與邵陟論《易》。

《武帝紀》:"咸寧五年,汲郡人不準掘魏襄王冢,得竹簡小篆古書十餘萬言,藏于秘府。"按《束皙傳》云:"皙得觀竹書,隨疑分釋,皆有義證,故並著其目。"又《王接傳》云:"時秘書丞衛恒攷正汲冢書,未訖而遭難。著作郎束皙述而成之,事多證異議。時東萊太守陳留王庭堅難之,亦有證據。皙又釋難,而庭堅已亡,接遂詳其得失,摯虞、謝衡咸以爲當。"今各家難釋俱不傳,特附著於此。杜元凱《春秋後序》云:"《汲冢周易》上、下篇與今正同,别有《陰陽説》而無《彖》、《象》、《文

① "衷"原誤作"褒",據上古本《經典釋文》改正。

② 原闕"馬國翰玉函山房有集本"以下至"得竹簡小篆古書",據《二十五史補編》本補。

言》、《繫辭》,疑于時仲尼造之於魯,尚未播之於遠國也。"

汲冢師春一卷　《新唐書·劉知幾傳》:"子貺嘗以《師春》一篇録卜筮事,與《左氏》合,知案《春秋》經傳而爲也。"

杜元凱《春秋後序》云:"又别有一卷,純集疏《左氏傳》卜筮事,上下次第及其文義,皆與《左傳》同,名曰《師春》。"師春似是抄集者人名也。《宋志》著録,入春秋類。

書類

謝沈　尚書注十五卷　録一卷　祠部郎。

李顒　集解尚書十一卷　字長林,江夏人,東晋本郡太守。案長林,李充子,充傳云"郡舉孝廉"。

《舊唐志》作"集注"。《釋文》作"李顒《注》"。《書·太誓》正義曰:"李顒《集注尚書》於僞《泰誓》篇每引'孔安國曰'。計安國必不爲彼僞書作傳,不知顒何由爲此言。"陳壽祺《左海文集》曰:"《世語注》卷一引《續晋陽秋》曰:'孔安國字安國,會稽山陰人,車騎愉第六子也。'《宋書·禮志》、《晋書·禮志》、《通典·吉禮》、《凶禮》皆載孔安國論議,李長林宜與同時,故得引其説。穎達誤以爲漢之孔臨淮也。"

范甯　古文尚書注十卷　古文尚書舜典一卷　豫章太守。

《釋文》作"集解"。國朝馬國翰《玉函山房集佚書》此書得十二節。今案《玉篇》原本"工"字下引《書》"垂汝共工",范甯曰:"主百工匠之官謂司空也。""飫"字下引《尚書·序》"櫜飫",范甯《集解》曰:"櫜,勞也。飫,賜也。勞,賜也。[①] 賜下士,故曰櫜饒也。"皆馬所未見。惠琳《大藏音義》卷六:"《尚書》惟刑之恤,范甯《集解》:'恤,憂也。'"卷十八。

① 原闕"勞賜也"以下至"有盗發冢而得竹策之",據《二十五史補編》本補。

徐邈 古文尚書音一卷

馬國翰從《釋文》、《集韻》、《六經正誤》等書輯録一卷，其音有《胤征》、《太甲》、《説命》諸篇，蓋至范、徐信僞古文而其書遂盛傳南北矣。

李軌 尚書音

《隋志》："《尚書音》五卷，鄭玄、李軌、徐邈等撰。"

孔晁 尚書義問三卷 五經博士。

《隋志》："《尚書義問》三卷，鄭玄、王肅及孔晁撰。"

李顒 尚書新釋二卷 尚書要略二卷

《尚書·序》："仲丁遷於囂。"正義曰："李顒云：'囂在陳留浚儀縣。'"

伊説 尚書義疏四卷 樂安王友。

《舊唐志》作"尚書釋義"。

徐邈 尚書逸篇注三卷

見《新唐志》。

李充 尚書注

本傳。

汲冢書雜書十九篇

事詳《束晳傳》。《尚書·盤庚上》正義："《汲冢古文》云：盤庚自奄遷于殷，殷在鄴南三十里。束晳云：《尚書·序》：'盤庚五遷，將治亳殷。'舊説以爲居亳，亳殷在河南。孔子壁中《尚書》云：'將治宅殷。'是與古文不同也。"

續咸 汲冢古文釋十卷

本傳。《史記正義》云："晋咸寧五年，汲郡汲縣發魏襄王冢，得古書册七十五卷。"趙明誠《金石録》卷二十云："《晋太公碑》，其略云：大晋受命，四海一統。太康二年，縣之西偏，有盜發冢而得竹策之書。書藏之年，當秦坑儒之前八十六歲。今以《晋書·武帝紀》考之，云：'咸甯五年，汲郡人不準掘魏襄王冢,得竹簡小篆古書十餘萬言,藏于秘府。'與《碑》年月不同。荀勗校《穆天子傳》,亦云太康二年,與《碑》合,可正晋史之誤。其曰'小篆書',亦謬也。既在秦坑儒八十六歲之前,是時安得有小篆乎?"《春秋後序》曰:"太康元年,吴寇始平,余還襄陽,乃修成《春秋釋例》及《經傳集解》。始訖,會汲郡汲縣有發其界内舊冢者,得古文,皆簡編科斗文字。發冢者不以爲意,往往散亂。科斗書久廢,推尋不能盡通。始者藏在秘府,余晚得見之,大凡七十五卷。"據此,則杜元凱親見之書,實科斗非小篆也。

梅賾奏上　古文尚書孔安國傳十四卷

按《隋志》曰:"晋世秘府所存,有《古文尚書》經文。"此必據晋《中經簿》。又曰:"東晋豫章内史梅賾,始得安國之傳奏之。"此《隋志》明言非晋秘府古文矣。其自漢至晋,中間授受之迹,絶無可記,何待吴才老、朱晦庵而後知其僞哉。今特箸之《晋·藝文志》,使讀書者知僞經敗壞經學之罪焉。

詩類

江熙　毛詩注二十卷 字太和,濟陽人,兖州别駕。

唐成伯瑜《毛詩指説》云:"江熙、謝沈各注二十卷。"

謝沈　毛詩注二十卷　毛詩釋義十卷　毛詩義疏十卷 《鵲巢》疏:"鳲鳩,謝氏云布穀類也。"

三書並見《隋志》。疑《義疏》即《釋義》,複出也。

孫毓　毛詩異同評十卷 《隋志》云:"長沙太守。"《釋文·序録》云:"字休朗,北海平昌人,豫州刺史。"《毛詩指説》云:"北海人,爲長沙太守。"

馬國翰《玉函山房》有輯本。《釋文·序録》云:"晋豫州刺史孫毓爲《詩評》,評毛、鄭、王肅三家同異,朋於王。"成伯瑜《毛詩指説》云:"晋孫毓爲《詩評》十卷,評毛、鄭、王三家異同。"《汝墳》疏云:"君子,樂詳、馬昭、孔晁、孫毓等皆云大夫。"此當是參此書及《聖證論》而言。然樂詳,未詳何人。

陳統　難孫氏毛詩評四卷 字元方,徐州從事。

《隋書·音樂志下》云:"據毛萇、侯芭、孫毓故事,皆有鍾聲,而王肅之意,乃言不可。又陳統云:'婦人無外事,而陰教尚柔,柔以静爲體,不宜用於鍾。'"

陳統　毛詩表隱二卷 《鹿鳴之什》釋文:"不數,陳氏云:'數,細也。'"

郭璞　毛詩拾遺一卷

《北堂書鈔》一百二十九、《藝文類聚》六十、《太平御覽》三百四十七、《初學記》二十八並引之。馬國翰輯此書得七節。

郭璞　毛詩略四卷

楊乂　毛詩辯異三卷 《舊唐志》無"異"字。**毛詩異義二卷　毛詩雜義五卷** 給事郎。

殷仲堪　毛詩雜義四卷 江州刺史。

張氏　毛詩義疏五卷 《隋書》列殷後,不著時代,姑附於此。

虞喜　釋毛詩

本傳。

袁喬　詩注

本傳。

周續之　詩序義

見《釋文·序録》。

周續之　毛詩注 字道祖。

馬國翰《集佚書》曰:"續之注《毛詩》,《隋》、《唐志》不著録,《釋文·序録》謂爲《詩序義》。《顔氏家訓》引其'叢木'音云:'周續之《毛詩注》,訓及《傳》、《箋》之字,不止解説《詩序》也。'《正義》於鄭氏《箋》下云:'周續之與雷次宗同受慧遠法師《詩》義,而續之題已如此。'此又解全《詩》之證,故據《家訓》題'毛詩注'。《北堂書鈔》、《匡謬正俗》並引之。"按《毛詩指説》云:"周續之及雷次宗並作《詩序義》。"《書鈔》九十五引周續之解《毛詩》。

干寶　毛詩音隱一卷

《隋志》作“干氏”,今據《經典釋文·序録》作“干寶”。《詩·泮水》“薄采其茆”釋文:“干寶云:‘今之鳧葵,堪爲菹,江東有之。’”

江惇　毛詩音　字思俊,河内人,東晋徵士。《晋書》“思俊”作“思悛”。

見《釋文·序録》。按《孫碁傳》:“濟陽江惇,少有高操,聞碁學行,自東陽往候之。”是惇之學出於碁也。

李軌　詩音

見《釋文·序録》。

徐邈　毛詩音二卷

《隋志》又云:“梁有《毛詩音》十六卷,徐邈等撰。”

劉昌宗　詩音

見顔師古《匡謬正俗》卷一。《邶詩》釋文云:“煇,劉昌宗音運。”

徐廣　毛詩背隱義二卷　“背”疑“音”字之譌。

蔡氏　詩音

孔氏　詩音

《釋文·序録》列二家徐邈後、阮侃前,注云:“不詳何人。”按《孝友·許孜傳》云:“師事豫章太守會稽孔沖,受《詩》、《書》、《禮》、《易》及《孝經》、《論語》。”此孔氏疑即沖也。

阮侃　詩音　字德恕,陳留人,河内太守。

見《釋文·序録》。

袁準　詩傳

見《魏志·袁涣傳》注引《袁氏世紀》。案《詩·大雅·生民》疏引袁準説,未知出此書否。

衛協　毛詩北風圖　毛詩黍離圖

見唐裴孝源《貞觀公私畫史》。

晋明帝　毛詩圖　唐張彦遠《歷代名畫記》卷五云:“彦遠曾見晋明帝《毛詩圖》,

舊目云羊欣題字,驗其迹,乃子敬也。《豳詩·七月圖》,《毛詩圖》二。"

禮類

干寶　周官禮注十二卷

劉昭《續漢志注》屢引之。《隋書·牛弘傳》《明堂議》引《周官·考工記》鄭注,又云:"馬融、王肅、干寶所注與鄭亦異。"

《記》,《周書·斛斯徵傳》亦引之。

袁準　周官傳

見《魏志·袁涣傳》注引《袁氏世紀》。

伊説　周官禮注十二卷

《舊唐志》:十卷。

王懋約　周官甯朔新書八卷　燕王師。

《舊唐志》云:"司馬伷序。"

陳邵　周官禮異同評十二卷　司空長史。《隋志》作"劭",誤。

《舊唐志》云:"陳邵駮,傅玄評。"又案本傳云:"郡舉孝廉,不就。徵爲陳留内史,累遷燕王師。"不言曾爲司空長史也。《新唐志》:"傅玄《周官論評》十三卷,陳邵駮。"即此書。《釋文·序録》引陳邵《周禮論序》。

孫略　周官禮駁難三卷

《通典》九十八《生不及祖父母不税服議》:"孫略議曰:'《記》云不及祖,謂不及並代而不相服。略昔親行其事,時人咸不見許。'"即此人。九十一亦引孫略《大功降服議》。

虞喜　周官駁難三卷

《隋志》云:"孫琦、干寶駁,散騎常侍虞喜撰。"

劉昌宗　周禮音三卷

《釋文·序録》云:"一卷。"馬國翰從《釋文》、《集韻》輯録二卷。

宋氏　周官音義

見《列女·韋逞母宋氏傳》。《類聚》六十九引《秦記》亦載其事。《初學記》卷十八裴景仁《前秦記》:"苻堅幸太學,問博士經典。博士盧壺對曰:'《周官禮》注未有其師,韋逞母宋氏傳其父業,得《周官音義》,自非此母,無以授後生。'"《書抄》一百三十二亦引之。

李軌　周禮音一卷

見《釋文·序録》。馬國翰有集本。

徐邈　周禮音一卷

見《釋文·序録》。馬國翰有集本一卷。

周禮聶氏音

馬國翰曰:"聶氏,不詳何人。《隋》、《唐志》不著録,惟《釋文》引之。地官師市引聶氏及沈,春官太卜引沈,依聶氏。其人當在沈重前。《晋書》有國子祭酒聶熊,注《穀梁春秋》,或是其人。"今亦姑采之。

劉兆　儀禮注

唐釋慧苑《華嚴經音義》卷一引劉兆注《儀禮》曰:"備,畢盡也。"卷二引曰:"畢,畢盡也。"

袁準　喪服經傳一卷

本傳云:"注《喪服經》。"《唐志》作"儀禮注"。《通典》九十一引晋袁準《喪服傳》。馬國翰《玉函山房》集録一卷。

孔倫　集注喪服經傳一卷　東晋廬陵太守。《釋文》云:"字敬序,會稽人,集衆家注。"

《通典》八十八引《儀禮》"夫至尊也",孔倫曰:"以父服服之,故曰至尊。"卷九十"女子子爲祖父母周",[1]孔倫曰:"婦人歸

① "周"原誤作"同",據中華本《通典》改正。

宗,故不敢降其祖。"《孔嚴傳》(附《孔愉傳》):"父倫,黄門郎。"當别是一人。

陳銓　喪服經傳注一卷

《通典》八十八引《儀禮》"妾爲君,君至尊也",陳銓曰:"降於女君,故不敢稱夫。稱爲君者,同於人臣也。"卷八十九"妻至親也",陳銓曰:"以其至親,故服同於母。"卷九十"妾不得體君,得爲其父母遂",[①]陳銓曰:"以父卑賤不得體君,又嫌君之尊不得服其父母,故傳明之卑賤不得體君。""舊君者,仕焉而已者也",陳銓曰:"仕焉,凡仕者。[②] 而已者,致仕也。""大夫不敢降其祖",陳銓曰:"不敢降其曾祖爲衆者,如衆人也。"卷九十一亦引五條。卷九十"爲伯父母、叔父母周,[③]與尊者一體也",陳銓曰:"尊者,父也。所謂昆弟一體也。""爲昆弟之子周",[④]陳銓曰:"男女同耳。""大夫之庶子爲嫡昆弟周",[⑤]陳銓曰:"大夫爲衆子大功,嫡子周。"[⑥]"爲人後者爲其父母,報",陳銓曰:"大宗爲尊者之正宗,故後之也。""未嘗同居,則不爲異居",陳銓曰:"異居者,昔嘗同,今不同也。夫有大功之親,同財者也。子有大功,不可以隨母。彼有大功,不可以專財也。""女子子爲祖父母周",陳銓曰:"言雖已嫁,猶不敢降也。"駁鄭玄曰:"'經似在室',失其旨也。在室之女則與男同,已見章首,何爲重出。言不敢降者,明其已嫁,傳義詳之。"

---

① "父"字上原脱"其"字,據中華本《通典》補。

② "焉"下原脱"凡仕者",據中華本《通典》補。

③ "周"原誤作"同",據中華本《通典》改正。

④ "周"原誤作"同",據中華本《通典》改正。

⑤ "周"原誤作"同",據中華本《通典》改正。

⑥ "周"原誤作"同",據中華本《通典》改正。

環濟　喪服要略一卷　太學博士。

衛瓘　喪服儀一卷　太保。

《通典》一百三有尚書令衛瓘表太子洗馬郄詵母亡不致喪歸事。[①]

杜預　喪服要集二卷　征南將軍。

《通典》八十四:"晋杜元凱云:'父在爲母,冠縗裳絰帶皆疏縗。(疏,麤也。)三年者始死之制,如不杖周。'"[②]又云:"諸侯建大旂,扛七仞,斿至地。"《釋文》《禮運》音義:"越席,杜元凱云結草。"《北堂書抄》九十二:"杜預《喪服要記》云:'始死,葬銘,凡卿、大夫、士,各以其官,婦人則書姓行。'"《初學記》十四:"杜預《要集》云:'凡挽,天子六紼,諸侯四,大夫三,士二。'"

劉逵　喪服要記二卷　侍中。

陸德明《儀禮》釋文引之。

蔡謨　喪服譜一卷　開府儀同三司。

馬國翰據《晋書・禮志》、《通典》録謨説《喪服》得十四節,中有答問之文,疑不盡出此書。《通典》一百二《改葬服議》于濟答王濛,引蔡謨云:"《傳》云不以兄弟之服服至尊者,乃始喪正服耳。且斬縗之末,便自縞冠麻衣,乃輕於緦麻,然猶以服至尊矣。"又引蔡謨答或問。一百三又引蔡謨論,卷六十范朗問蔡謨,九十八引蔡謨説。

賀循　喪服譜一卷

賀循　喪服要記十卷

《隋志》又云:"梁有賀循《喪服要》六卷。"蓋據《七録》所載,即此書也。《通典》一百二《改葬服議》賀循答傅純云:"鄭玄云

---

① "詵"原誤作"説",據中華本《通典》改正。

② "制"原誤作"死","周"原誤作"同",據中華本《通典》改正。

三月者，以親覩尸柩，故三月以序其餘哀。[①] 但遲速不可限，故不在三月章也。王氏虞畢而除，且無正文。鄭得從重，故《要記》從之。”八十一：[②]“江霦按賀公記，天子諸侯，五屬之內，雖不服，職爲臣，皆斬縗，[③]爲夫人則齊縗周。”[④]八十一引賀循《喪服要記》。《通典》九十七：“晋虞喜按賀循《喪服記》云：‘父死未殯而祖父死，服祖以周。[⑤] 既殯而祖父死，則三年。’”[⑥]

謝徽　注喪服要記

見《通典》七十四。徽，不詳何人。按謝混子三，曜、宏、徽，皆歷顯位，未知係謝徽否。

葛洪　喪服變除一卷　散騎常侍。

馬國翰曰：“今佚。陸德明《儀禮》釋文引一事，杜佑《通典》引二節而已。”案《通典》卷八十七。

孔衍　凶禮一卷　廣陵相。

《通典》一百三引孔衍《禁招魂葬議》，卷九十八引孔衍《乖離論》，卷四十八引孔衍《室廟藏主室論》。

崔遊　喪服圖一卷

見本傳及《唐志》。

劉德明　喪服要問六卷

伊氏　喪服雜記二十卷

按伊氏疑即注《周官禮》之伊説。

劉智　喪服釋疑二十卷

智，《晋書》附《劉寔傳》。此書《通典》屢引之。《隋志》有孔智

---

① 哀，中華本《通典》據北宋本、明本等改作“懷”。

② “一”原誤作“二”，據中華《通典》改正。

③ 中華本《通典》據北宋本、傅校本、明刻本諸本於“皆”字下補“服”字。

④ “人”，原誤作“子”，“周”原誤作“同”，據中華本《通典》改正。

⑤ “周”原誤作“同”，據中華本《通典》改正。

⑥ “三”字上原脱“則”字，據中華本《通典》補。

《喪服釋疑》二十卷，王謨《漢魏遺書鈔》云："當是劉智之誤。"馬國翰有集本，得十七條。

周續之　喪服注

見《釋文·序録》。

王堪　冠禮儀

《通典》五十六引之，又五十八引"東晋王堪六禮辭，並爲贊頌"云云，[①]又八十一有王堪議愍懷太子薨上所宜服事，則堪西晋人，後東渡也。《趙王倫傳》云："以王堪、劉謨爲左右司馬。"

杜龔　喪紀禮式

《華陽國志》云："漢嘉太守蜀郡杜龔敬修亦著《喪紀禮式》，後生有取焉。"

譙周　縗服圖

《通典》八十一引此書曰："童子不降成人，小功親以上皆服本親之縗。[②]童子不杖不廬，不絻不麻。[③]當室著絻麻，[④]十四以下不堪麻，則不。"卷一百一引譙周曰："爲師，如本有服降而無服者。其爲師少長所成就者，雖服除，心喪皆三年。"八十九引譙周曰："據繼母嫁猶服周，[⑤]以親母可知，故無經也。"九十一引譙周曰："凡外親正服皆緦，加者不過小功。今異父兄弟，父没母嫁，所生者皆相報服。"八十三引譙周説國君爲卿大夫服。八十四引譙周説始死變服。八十一庾蔚之引譙周云："十四以下不堪麻，則不。"[⑥]又引譙周説"天子、諸侯爲外

---

① "頌"原誤作"儀"，據中華本《通典》改正。

② "縗"原誤作"喪"，據中華本《通典》改正。

③ "絻"原誤作"免"，據中華本《通典》改正。

④ "絻"原誤作"免"，據中華本《通典》改正。

⑤ "母"字上原脱"繼"字，據中華本《通典》補。

⑥ "則不"字下原有"記"字，原文"記"字下爲庾蔚之引《記》語，當屬下讀，非譙周語，據中華本《通典》删。

祖母父小功”云云。

李軌　儀音一卷

賀循　喪服圖

蔡謨．喪服圖

以上二種，並見《通志・圖譜略》。

劉昌宗　儀禮音一卷

《釋文》《爾雅・釋宫》音義：“闈，劉昌宗《儀禮》音揮。”“塾，音熟，劉《儀禮》又音育。”《詩・召南》音義：“羹之，劉昌宗《音儀禮》音衡。”《邶詩》釋文：“煇，劉昌宗音運。”亦當出此書。

王懋約　禮記甯朔新書二十卷

《舊唐志》云：“司馬伷序。”

淳于纂　禮注記

《通典》九十八引淳于纂問淳于睿“生不及祖父母，不税服”義，即此人。

曹述初　禮記注

《通典》卷七十二、七十三兩引曹述初《集解》，九十九又引曹述初問范甯説，一百一引曹述初問徐邈答。

劉世明　禮記注　《通典》一百三引晋陳氏問劉世明云云。

以上三書並見宋衛湜《禮記集説》。又案《禮記・中庸》“子路問强”節正義引鄭冲説，未知冲亦注《禮記》否，姑附記於此。

謝楨　禮記音一卷

《釋文・序録》列孫毓前，云不詳何人。《隋志》有射貞《禮記音》一卷，即此。

繆炳　禮記音一

曹躭　禮記音二卷　字愛道，譙國人，東晋安北諮議參軍。

《舊唐志》云：“《禮記音》二卷，鄭玄注，曹躭解。”《通典》一百二：永和十二年，修復峻平四陵，有博士曹躭、胡訥議。卷一百四有博士曹躭、蔡司空謚議。

五十八:永和十年,臺符問"六禮版文",博士曹躭議。卷一百:納后值忌月,亦引博士曹躭議。卷九十:穆帝崩,前尚書郎曹躭等奔赴,皆服齊縗云云。卷一百四十七:晉穆帝升平元年,博士荀訥、曹躭議"公主有骨肉之親,宜闕樂"云云。

尹毅　禮記音二卷　國子助教。天水人。

李軌　禮記音二卷

范宣　禮記音二卷　字宣子,濟陽人,東晉員外郎,不就。本傳作"陳留人,詔徵太學博士、散騎郎,並不就"。

國朝朱彝尊《經義攷》曰:"按《釋文》詮《爾雅注》'蝗'字引范宣《禮記音》,音横。"①

徐邈　禮記音三卷　《通典》一百三引杜挹問徐邈云云,九十八引徐邈答王詢。

劉昌宗　禮記音五卷

《禮器》釋文:"絲纊,劉昌宗'古曠反'。"

孫毓　禮記音一卷

蔡謨　禮記音二卷

董景道　禮通論

本傳云:"非駁諸儒,廣演鄭旨。"

周續之　禮論

見《宋書·隱逸》本傳。

王長文　約禮十篇

本傳不載,見《華陽國志》,云"除煩舉要"。

范宣　禮易論難　《通典》九十七引范宣答雷孝清問"爲祖母持重,既葬而母亡服"制。

本傳。　《通典》一百二《改葬服議》于濟答王濛引范宣曰:"斬縗,既葬則布同於齊縗,既練則同大功,大祥之後,略加緦麻,禮之次序也。"當出此書。一百三又引范宣《禮二墓論》。

吴商　禮難十二卷　雜議十二卷　禮記雜義故事十三卷　喪

---

① "詮",原誤作"銓",據文淵閣《四庫全書》本《經義考》改。

雜事二十卷益壽令。據《續漢志》卷八注,商又曾爲太學博士。

《新唐志》:"吴商《雜禮義》十一卷。"《通典》六十九、八十八引國子博士吴商答劉寶議。九十七"父母亡在祖後,不爲祖母三年"引吴商駁義。又八十八、九十四並引吴商答成洽論。

范甯　禮雜問十卷

《舊唐志》:"《禮問》九卷,范甯撰。又《禮論答問》九卷,范甯撰。"馬國翰據《通典》輯録九節。《通典》一百一徐邈荅范甯問,馬氏不録。

盧諶　雜祭法六卷　司空中郎。《通志·藝文略》二:"盧諶《雜制注》六卷。"

《初學記》、《太平御覽》諸多引之,並稱"盧諶《祭法》"。

荀氏　四時列饌傳　《通典》一百六引段凝問荀訥答。《通典》六十高崧問范汪。

《初學記》二十六引之。《類聚》八十七引《荀氏春秋·祠制》曰:"常設用胡桃。"《書鈔》一百四十六:"《荀氏春秋》:'祠祭用葅。'"又云:"孟冬,祭用鹹俎。"陳□□本皆誤。

荀氏　祠制

《通典》四十八:"晋安昌公荀氏進封大國,祭六代。荀氏《祠制》云:'今祭六代,未立廟,暫以廳事爲祭室。須立廟,[1]如制備。'"

范汪　祭典三卷　安北將軍。

《通典》九十五引之。卷四十八引作"范汪《祀禮》"。

范汪　祠制

《初學記》卷四、卷二十六、八百五十二、八百五十八,《北堂書鈔》一百四十六,《御覽》九百六十九,引作"祠志",疑《祭典》中之一篇也。

① "須"原誤作"頒",據中華本《通典》改正。

杜預　宗譜

賀循　宗義

二書並見《通典》七十三所引。

孫毓　五禮駁

《通典》卷五十六引之。卷六十七"晋制,皇帝會公卿,座位定,太子後至,孫毓以爲羣臣不應起"云云,疑亦出此書。《通典》一百四引孫毓《七廟諱字議》,餘各卷頗有引毓説者。

譙周　祭志

《唐書·元行沖傳》、《彭景直傳》並引之。《通典》一百三:"蜀譙周論:'或曰:有人死而亡其屍者,爲招魂葬,何如?曰:夫葬所以藏屍柩也。若魂氣則無不之,焉得而藏諸?'"

干寶　七廟議一卷　後養議五卷

按《後養議》,略見《禮志》。

庾亮　雜鄉射等議三卷　太尉。

徐廣　禮論答問八卷　又　十三卷　又　禮答問十一卷　又　答問四卷

並見《隋志》。案《通典》多引廣説,蓋皆出此四部。

裴頠　冠儀

《後魏書·禮志》:"高祖曰:'昔裴頠作《冠儀》,不知有四。'"

范隆　三禮吉凶宗紀　字玄嵩,雁門人。

見《儒林傳》,云"甚有條義"。

賀循　葬禮　《御覽》七百三。

馬國翰曰:"《通典》、《太平御覽》引賀循《要記》外,又引賀循《葬禮》,蓋本二書。《要記》擬《儀禮·喪服》傳,《葬禮》擬《儀禮·士喪禮》也。兹輯録一卷。"廷式案《北堂書鈔》九十二引循《喪服要記》云:"將祖納輲車。"然則《葬禮》亦《要記》之一篇耳。今姑仍馬氏之説,録存其目。《北堂書鈔》一百三十五又引賀循《葬禮》云："葬物令用瓦唾壺一枚。"

樂類

孔衍　琴操三卷

《文獻通考》引《崇文總目》云："述詩曲之所從，凡五十九章。"《宋志》："孔衍《琴操引》三卷。"《初學記》十六引之。

戴氏　琴譜四卷

案《隋志》所稱戴氏，蓋戴安道也，姑録以俟攷。

晋歌章十卷

晋歌詩十八卷

《文心雕龍・樂府篇》云："逮於晋世，則傅玄曉音，創定雅歌，以詠祖宗。張華新篇，亦充庭萬。"

楊泓　舞序

唐吴兢《樂府古題要解》上："按晋楊泓《舞序》云：'自到江南，見有白符舞，或言白鳧鳩舞，察其詞旨，乃吴人患孫澔虐政，思從晋也。'"

荀勗　大樂雜歌辭三卷　大樂歌辭二卷　又　樂府歌辭十卷

《隋志》總集類："荀勗《晋讌樂歌辭》十卷。"

唐杜牧《三朝行禮樂制議》曰："荀氏云：'魏世行禮、食舉，再取周詩《鹿鳴》。又以宴嘉賓，無取於朝。考之舊聞，未知所應。'荀勗乃除《鹿鳴》舊歌，更作行禮詩四篇，先陳三朝二祭之義。食舉歌詩十二篇，元肇羣后奉璧，趨步拜起，莫非行禮，豈容別設一樂謂之行禮邪？荀譏《鹿鳴》之失，似悟昔謬，還製四篇，復襲前軌。"

裴秀　樂論

見《魏志・裴潛傳》注。

阮籍　樂論

《書抄》一百七、一百九並引之。

漢魏吴晋鼓吹曲四卷

見《唐志》。

謝混　歌記

《書抄》一百六:“謝娓 當作“混”。《歌記》云:‘余少好瑟,長而愛歌。’”

歌録十卷

《隋志》入總集類。《唐志》:“《歌録集》八卷。”王謨《漢魏遺書抄》云:“《隋》、《唐志》、《御覽》俱無此書目,不知作者姓名。諸類書亦未見稱引,僅從《文選注》抄出十四條。案《録》中有石崇《楚妃歎歌辭》,則晋人書也。”廷式案《燕歌行》注引《歌録》曰:“燕,地名,猶楚苑之類,此不言古辭,起自此也。他皆類此。”據此,則爲晋人書無疑。

春秋類

孫毓　春秋左氏傳義注十八卷

《釋文·序録》作“二十八卷”,《隋志》蓋脱“二”字。

杜預　春秋左氏經傳集解三十卷

今存。《後魏書·賈思伯傳》:“國子博士遼西衛冀隆爲服氏之學,上書難杜氏《春秋》六十三事。”此與劉氏《規杜》,惜皆不傳。預書崇惡黨簒,得罪名教。《釋例》所説,抑又甚焉。近世焦里堂摭其《集解》謬言,顯加排斥。余引申其義,以考《釋例》,實典午之姦黨,非邱明之素臣也。承學之士,其鑒之哉!

杜預　春秋釋例十五卷

今存。

春秋杜氏服氏注春秋左傳十卷

《隋志》有此書,注云:“殘缺。”

杜預　古今書春秋名會圖别集疏一卷

見《釋例》卷五,蓋即本傳所云《春秋盟會圖》也。

杜預　春秋公子譜

據《通志》卷七十二,鄭樵曾見此書。

杜預　春秋長曆

見《律曆志》及《春秋左氏傳》疏。案此即《釋例》之一篇,今姑從本傳録之。

方範　春秋左氏經例十二卷

劉寔　春秋左氏條例二十卷　《隋志》作"十二卷"。兩《唐志》此書皆複出。

殷興　春秋左氏釋滯十卷　尚書左丞。

范堅　春秋釋難三卷　護軍。

堅附《范汪傳》。

王述之　春秋左氏經傳通解四卷

孫毓　春秋左氏傳賈服異同略五卷

馬國翰曰:"毓二書皆佚,今輯録八節,大旨申賈而駁服。蓋服注受於鄭康成,而王肅説多主賈逵,孫朋於王,猶評《詩》之見也。"昭二十六年《傳》"規求無過"正義曰:"俗本作'規',服、王、孫皆注云:'貪也。'"哀十年正義:"孫毓以爲季子食邑於州來,世稱延州來。季子猶趙氏,世稱知伯。"昭十七年傳"火出而章,必火入而伏"正義:"服虔注重火别句,孫毓云:'賈氏舊文無"重火"字。'"二十一年傳"而不能送亡君請待之"正義曰:"服虔以君上屬,孫毓以君下屬。"

干寶　春秋左氏函傳義十五卷

《舊唐志》作"《春秋左氏義函傳》十六卷"。馬國翰集此書得三節。隱十有一年正義。

杜預　春秋左氏傳評二卷

王述之　春秋旨通十卷

劉寔等　集解春秋序一卷

《春秋左氏傳》杜預《序》正義曰:"晋太尉劉寔與杜同時人,爲此《序》作注,不言《釋例序》。"又曰:"劉寔分變例、新意以爲二事。"

干寶　春秋序論二卷

杜預　春秋左氏傳音三卷

曹躭　春秋左氏傳音四卷

荀訥等　春秋左氏傳音四卷　尚書左民郎,字世言,新蔡人。

李軌　春秋左氏傳音三卷

徐邈　春秋左氏傳音三卷

馬國翰曰:"《隋志》三卷,《唐志》一卷,今從《釋文》、《集韵》輯爲一卷。《釋文》所引宣、成、襄、昭四公較多,隱、莊、僖、文、定五公間引一二,桓、閔、哀三公全佚,則唐時已非完本矣。"案《左氏傳·序》正義云:"徐邈以晋世言五經音訓,爲此《序》作音。"昭二十年"齊侯疥"正義曰:"徐仙民音作疥。"

裴秀客京相璠等　春秋土地名三卷　《水經·穀水》注:"京相璠與裴司空彦季脩《晋輿地圖》,作《春秋地名》。"

馬國翰有輯本。《初學記》卷八引作"春秋地名"。

樗里璠　春秋土地記三卷　濟南人。

見《元和姓纂》卷二,疑即京相璠之誤也。

劉兆　春秋全綜

本傳云:"爲《春秋左氏》解,名曰《全綜》。"

黄容　左傳抄

《華陽國志·常寬傳》云:"時蜀郡太守巴西黄容,亦好著作。著《家訓》、《梁州巴紀姓族》、《左傳抄》,凡數十篇。"

王愆期　春秋公羊經傳注十三卷　字門子,河東人。散騎常侍,辰陽伯。①

《新唐志》:王愆期《注公羊》十二卷,又《難答論》一卷。《晋

---

① "陽"原誤作"陵",據文淵閣《四庫全書》本《經典釋文》改。

書·王接傳》云："注《公羊春秋》多有新意，喪亂盡失。子愆期流寓江南，緣父本意，更注《公羊》。"案《詩·鴻雁》疏引此書。又《書·太誓》正義曰："《春秋》之王，自是當時之王，非改正之王。晉世有王愆期者，知其不可，注《公羊》，以爲《春秋》制文，王指孔子，非周昌也。《文王世子》稱武王對文王云：'西方有九國焉，君王其終撫諸。'呼文王爲王，是後人追爲之辭，其言未必可信，亦非實也。"《通典》八十九引征西大將軍庾亮府評議司馬王愆期議。

高龍　春秋公羊傳注十二卷　字文，范陽人，東晉河南太守。

《舊唐志》作"高襲"。

孔衍　春秋公羊傳集解十四卷　字舒元，魯人。

《春秋左傳·序》正義："案孔舒元《公羊傳》本云：'十有四年春，西狩獲麟。何以書？記異也。今麟非常之獸，其爲非常之獸，奈何？有王者則至，無王者則不至，然則孰爲而至？爲孔子之作《春秋》。'"據此，則舒元集解本與何邵公不同，惜《釋文》不廣引之也。

春秋公羊論二卷　車騎將軍。庾翼問、王愆期答。

《唐志》"難答論"即此書。

劉實　春秋公羊達義三卷

《隋志》以此書附注《左氏傳》各書中，蓋實固左氏學，此書亦以《公羊》通《左氏》也。《舊唐志》作"公羊違義"，似較切。今既不得見原書，姑列於此。

周續之　注公羊傳

見《南史》。

李軌　春秋公羊音一卷

江惇　春秋公羊音一卷　徵士。

《隋志》作"汪淳"，誤。

張靖　穀梁傳注十卷　堂邑太守。

《舊唐志》作“十一卷”,《新唐志》作“集解”。

徐乾　春秋穀梁傳注十三卷　給事郎。《釋文・序録》云:“字文祚,東莞人,東晉給事郎。”

馬國翰曰:“范注引六節,楊疏引一節,研究書法日與不日之例,全書之旨,概可知矣。”《通典》四十九引太常博士徐乾議。莊二十四年“赤歸於曹郭公”,范注、楊疏並引之,而義似異。俟攷。

孔衍　春秋穀梁傳訓注十四卷

《釋文・序録》作“集解”,今從《舊唐志》。《隋志》:“《春秋穀梁傳》五卷,孔君楷訓,殘缺。梁十四卷。”疑衍一字君楷。

程闡　春秋穀梁經傳集注十六卷

胡訥　穀梁傳集解十卷

楊士勛《穀梁疏》作“胡訥之”。

徐邈　春秋穀梁傳注十二卷　春秋穀梁傳義十卷

《晉書・范甯傳》云:“既而徐邈復爲之注,世亦稱之。”是邈書成在甯後也。馬國翰曰:“《注疏》引九十一節,《北堂書鈔》引二節,《初學記》引一節,並據輯録。《注》、《義》二書不能區分矣。”《書鈔》九十九引徐邈《穀梁子》云:“滄海横流,則舟航濟其用。震風陵雨,而棟宇竟其功。”孔廣陶校云:“蓋序文也。”案《書鈔》九十五引徐邈《穀梁・序》云:“夫子感隱、桓之事作《春秋》,振王道於無王,故始自隱公,所感而興。”隱九年疏云:“徐邈引尹更始云:‘所者,俠之氏。’”尹氏之説僅見,可貴也。”

范甯　春秋穀梁傳集解十二卷

今存。《隋志》又有孔君楷《春秋穀梁傳訓》十四卷,列段肅後、范甯前,必魏晉人也。俟攷。

沈仲義　穀梁經傳集解十卷

蕭邕　穀梁傳義三卷　《新唐書》作“穀梁問傳義”。

柳興宗《穀梁大義述》云:“沈、蕭,未詳時代,兩《唐志》列之劉兆下、徐乾上,當是晋人。”

郭琦　穀梁傳注

見《隱逸傳》。

聶熊　注穀梁春秋

見《石季龍載記》。　慕容儁秘書監清河聶熊,見《儁載記》。

徐邈　答春秋穀梁義三卷

薄叔玄　問穀梁義四卷

《穀梁疏》屢引范答薄氏之駁,馬國翰曾集之。

范甯　春秋穀梁傳例一卷

楊士勛《穀梁疏》曰:“范氏别爲《略例》百餘條。”按范注每稱《傳例》,疏亦屢引《略例》,是唐時尚存。

張靖　穀梁廢疾箋三卷

范甯　穀梁音一卷

徐邈　春秋穀梁音一卷

見《舊唐志》。

劉兆　春秋公羊穀梁傳十二卷　博士。《公羊》釋文僖公五年:“卒帖,一本作貼,服也。劉兆同。”

馬國翰集本得十條。案《唐志》有劉兆《三家集解》十一卷。今案《華嚴經音義》卷上引劉兆《注公羊傳》曰:“幸,遇也。”《玉篇》原本“放”字下引劉兆《公羊注》:“放,猶代也。”“編”字下引《公羊傳春秋編年》劉兆曰:“編,比連也。”《玉篇》原本“軋”字下引《穀梁傳》“取邾田,自漷水,軋辭也”,劉兆曰:“軋,委曲隨漷水,爲侵邾田多也。”“歉”字下引《穀梁傳》“四穀不升謂之歉”,劉兆曰:“歉,虚也。”“嗛”字下引《穀梁傳》“一穀不升謂之嗛”,劉兆曰:“嗛,不足也。”“紿”字下引《穀梁傳》“惡公子之紿”,劉兆曰:“紿,相負欺也。”“綨”字下引《穀梁傳》"兩足不能相過,齊謂之踙,衛謂之縶",劉兆曰:"天性然者也。綦,連絣也。踙,聚合不解放也。縶,如見絆也。"此注引《傳》未備,今仍之。"纍"字下《穀梁傳》"慶宣,纍也",劉兆曰:"纍,黨屬也。"又曰"箕鄭,纍也",劉兆曰:"纍,連及也。"皆注《公羊》、《穀梁》,無注《左氏》者,蓋《春秋全綜》一書已久佚矣。

劉兆　春秋調人

見《本傳》。又《御覽》六百十引王隱《晋書》曰:"比以《春秋》一經,三家殊途,互爲讐敵,乃思三家之異,合而通之。《周禮》有和怨調人之官,遂作《春秋調人》,七萬餘言。"

范隆著　春秋三傳

本傳。

氾毓　春秋釋疑

本傳云:"合三傳爲之解注,撰《春秋釋疑》。"《公羊》成二年疏云:"《公羊説》、《解疑論》皆譏丑父。"①案所引《解疑論》,未詳何書。

江熙　公羊穀梁二傳評三卷

馬國翰曰:"熙字太和,官至兖州别駕,見《册府元龜》。《隋志》不著名,《唐志》題"江熙"。《玉海》云:'《公穀二傳評》今佚。'范甯注引十九節,據輯一卷。"

潘叔度　春秋經合三傳十卷　春秋成奪十卷

按《隋志》列韓益後、胡訥前,當是晋人。

胡訥　春秋三傳評十卷

胡訥　春秋集三師難三卷　春秋集三傳經解十卷

虞溥　春秋經傳注

本傳。

---

① "丑"原誤作"尹",據阮刻《十三經注疏》本《春秋公羊傳注疏》改正。

王長文　春秋三傳十二篇

本傳不載。《華陽國志》云："長文以爲《春秋》三傳之經不同，每生訟議，乃據經摭傳，著《春秋三傳》十二篇。"

郭瑀　春秋墨説

孔晁　春秋外傳國語注二十卷

《禮・玉藻》正義："《魯語》云：'大采朝日，少采夕月。'孔晁云：'大采謂究冕，少采謂黼衣。'"又"《楚語》云：'天子舉以太牢，祀以會。'孔晁云：'四方來會，助祭也。'"馬國翰據《左傳正義》、宋庠《國語補音》，集此書得三十九節，爲一卷。此二條是其所遺。哀十三年正義："傅玄云：'《國語》非邱明所作。'"僖十五年《左傳》"晋作爰田"正義曰："服虔、孔晁皆云：'爰，易也。賞衆以田，易其疆畔。'"

汲冢書國語三篇　言楚、晋事。**師春一篇**書《左傳》諸卜筮。師春，似是造書者姓名也。事詳《束皙傳》。《史通・六家篇》曰："《汲冢瑣語》記太丁時事，目爲《夏殷春秋》。"又曰："《瑣語》又有《晋春秋》，記獻公十七年事。"

孝經類

荀勗　集議孝經一卷　中書郎。**注孝經二卷**

謝萬　集解孝經一卷

《唐志》作"謝萬注"。邢昺《正義》引此書四條。

袁敬仲　集議孝經一卷　東陽太守。

《釋文・序録》作"袁宏《注孝經》"。"五刑之屬三千"正義引袁宏説。

楊泓　孝經注一卷　給事中，天水人。

虞槃佐　孝經注一卷

孫氏　孝經注一卷

疑是孫熙。

殷叔道　孝經注一卷　晋陵太守。

車胤　孝經注一卷

孔光　孝經注一卷

《釋文・序録》列荀昶後，或是宋人，今從《隋志》。

晋孝經一卷 穆帝時。

孝經講議一卷

《隋志》云："武帝時《送總明觀孝經講議》各"各"字衍。一卷。"按《志》列穆帝《孝經》後，當是孝武帝，誤脱"孝"字。《車胤傳》"孝武帝嘗講《孝經》"可證。《世説・言語門》亦載其事。《世説・言語門》注："《續晋陽秋》曰：'甯康三年九月九日，帝講《孝經》，僕射謝安侍坐，吏部尚書陸納、①兼侍中卞眈讀，黄門侍郎謝石、吏部袁宏兼執經，中陽書郎車胤、丹尹王混摘句。"

殷仲文　孝經注一卷

邢昺《正義》引此書三節，馬國翰《玉函山房》集録。

虞喜　略注孝經

本傳。

郭瑀　孝經錯緯

論語類

譙周　論語注十卷 《釋文》《學而篇》、《續漢志・禮儀志》注並引之。

虞喜　讚鄭玄論語注九卷 散騎常侍。

《唐志》、《通志》作"十卷"。皇侃《義疏》尚引之。

虞喜　新書對張論十卷

衞瓘　集注論語八卷 太保。

馬國翰有集本，得十五節，爲一卷。

崔豹　論語集義十卷 字正熊，燕國人，尚書左中郎將。

《舊唐志》作"論語大義解"，《釋文・序録》作"崔豹注"。

---

① "納"原誤作"訥"，據徐震堮《世説新語校箋》改正。

李充　論語注十卷　著作郎。皇侃《義疏・序》題"中書郎"。

《釋文・序録》作"集注"。馬國翰集爲五十一節,爲二卷。

孫綽　集解論語十卷　廷尉,太原人。

《釋文・序録》作"集注十二卷"。馬國翰輯此書,於《釋文》得一節,於皇侃《疏》得三十一節。

盈氏　注論語十卷

《釋文・序録》云:"盈氏,不詳何人。"

孟陋　論語注十卷　《通典》一百二有孟陋難孫放事。

《隋》、《唐志》皆作"孟釐",《釋文・序録》作"孟整,一云孟陋"。案《晋書・孟陋傳》云"注《論語》",今從之。

江熙　集解論語十卷　兖州别駕,字太和。

《釋文・序録》作"十二卷"。皇侃列熙所集,凡十三家。

梁覬　論語注十卷　國子博士,天水人。

皇《疏》"子禽問於子貢"章引梁冀説二節。馬國翰曰:"冀、覬音同,通用。"

袁喬　論語注十卷　益州刺史。

本傳:"喬甚有文才,注《論語》及《詩》,皆行於世。"

尹毅　論語注十卷

張憑　論語注十卷　司徒左長史,字長宗,吴人。

《通典》一百三引"東晋徐靈期問張憑"云云,又引張憑《新蔡王招魂葬議》。

楊惠明　論語注十卷

司馬氏　論語標指一卷

郭象　論語體略二卷　太傅主簿。**論語隱一卷**

皇侃《義疏》引象説九條。

繆播　論語旨序三卷　衛尉。皇侃《義疏・序》云:"蘭陵人,字宣則,中書令。"

皇侃《義疏》引此書,凡十四節,馬國翰録爲一卷。

張憑　論語釋一卷

“君子不可小知”章,皇侃《疏》引之。

欒肇　論語釋疑十卷　論語駁序二卷　字永初,高平人,廣陵太守。

《舊唐志》“論語釋疑”作“論語釋”。《論語駁序》,《通志》及《遂初堂書目》皆作“論語駁”,馬國翰輯肇説得一十六節。

應琛　論語藏集解一卷

曹毗　論語釋一卷

李充　論語釋一卷　論語注十卷

馬國翰云:“皇侃《疏》引充注五十節,邢昺《正義》、《釋文》所引,皆本皇《疏》。《史記集解》引一節,今輯爲二卷。”

庾亮　論語君子無所争一卷

庾翼　論語釋一卷

“子畏於匡”章,皇《疏》引之。

王濛　論語義一卷

蔡系　論語釋一卷

范甯　論語注

馬國翰曰:“此《注》《隋》、《唐志》皆不載,《釋文》引止二則。考江熙《集解論語》十三家有范甯,熙書亦佚,皇侃作《義疏》時及見之,故亟引范説。又裴駰《史記集解》亦間稱引,兹並采録,得四十八節,爲一卷。”

宋纖　論語注

本傳。

袁宏　論語注　字叔度,江夏太守,陳國人。

見皇侃《論語義疏·序》。馬國翰以爲“宏”字乃“喬”字之誤,未有的證,姑兩存之。

蔡謨　論語注

江淳　論語注　著作郎。字思俊,濟陽人。

周瓌　論語注 字道夷,陳留人,散騎常侍。

王珉　論語注 字季謨,中書郎。

自袁宏以下數家,並見皇侃《義疏·序》。《隋志》有王氏《修鄭錯》一卷,或即王珉書也。

論語繆協注

皇甫《疏》屢引之。

殷仲堪　論語注

皇侃《義疏》引殷仲堪説,馬國翰輯得九節,疑仲堪亦嘗注《論語》也,姑録以俟考。

王凝之妻謝氏　論語贊

《類聚》五十五:"晋王凝之妻謝氏《論語贊》曰:'衛靈問陳於孔子,孔子對曰:"俎豆之事,則嘗聞之。軍旅之事,未之學也。"庶則大矣,比德中庸,斯言之善,莫不歸宗。粗者乖本,妙極令終。嗟我懷矣,興言攸同。孔子曰:"民之於仁也,甚於水火,水火吾見蹈而死者矣,未見蹈仁而死者矣。"'"按此所引似未備,疑道韞本每章贊之。"民之於仁"一章,則《類聚》本録其贊,而後佚之也。

五經類

譙周　五經然否論五卷 散騎常侍。

《通典》六十七、八十八並引之。五十六引此書論天子加冠服。

束晳　五經通論

本傳。馬國翰集得《通典》九節,《春秋正義》二節。按《隋書·牛宏傳》:"今《明堂》、《月令》者,鄭玄云是吕不韋著《春秋》十二紀之首章,蔡邕、王肅云周公所作,束晳以爲夏時之書。"《通典》五十五引博士束晳云:"漢武帝晚得太子,始立高禖之祠。”卷一百四引束皙《不得避諱議》,皆其所遺也。又《文選注》云云,疑亦出此書。《文選》五十三注:“《史記》曰:‘扁鵲療簡子,東過齊,見桓侯。’束皙曰:‘齊桓在簡子前且二百歲,小白後無齊桓侯。田和子有桓公午,去簡子首末相距二百八年,《史記》自爲舛錯。’”

戴逵　五經大義三卷

《通典》卷九十引戴逵論婦人從夫服舊君,九十一引戴逵答范甯論殤服。《公羊》莊十年疏戴氏云:“荆楚一物,義能相發,吴揚異訓,故不得州名也,與何氏異。”疑戴氏是戴逵也。

楊方　五經鉤沈十卷　字公回,會稽人,高凉太守。《隋志》作“拘沈”,誤。《御覽》七百二十六引此書不誤,五十七引二則。

方,《晋書》附《賀循傳》。《玉海》二十四引《崇文總目》作“楊芳”。《舊唐志》作“鉤深”。《初學記》二十九引作“五經鉤淵”。《玉海》又引《書目》載方《自序》云:“晋太甯元年撰,鉤經傳之沈義,著論難以起滯。”馬國翰《集佚書》得五節。《宋·藝文志》箸録五卷。《北堂書鈔》七十七引《晋中興書》云:“賀循時爲會稽,鈐下有楊方者,少好學,公事之暇,輒讀五經。”

徐苗　五經同異評

本傳。

徐邈　五經音十卷

《初學記》卷十一引《晋中興書》云:“邈字景山,以東州儒,素性好學,尤善經傳。烈宗始覽典籍,招延禮學之士,後將軍謝安舉邈應選,補中書舍人,專在西省,撰正五經音訓,學者宗之。”《顔氏家訓·音辭篇》:“夫體物自有精麤,精麤謂之好惡。人心自有去取,去取謂之好惡。上呼號,下烏故反。此音見於葛洪、徐邈。”錢大昕《養新録》云:“徐仙民《音》有不載於《釋文》者,如顔之推所舉《毛詩》反驟爲在遘,《左傳》切椽爲徒緣是也。”

聖證論十二卷 魏王肅撰。晋馬昭駁,孔晁答,張融評。

《唐志》十一卷。 馬國翰《集佚書》得四十餘節,爲一卷。《通典》七十一引之。《御览》三十七引《聖證論》曰:“孔鼂云:‘能吐生百穀謂之土。’”《甫田之什》釋文:“慰,怨也。《韓詩》作‘以愠我心’。愠,恚也,本或作慰,安也,是馬融義。馬昭、張融論之詳矣。”

小學類

郭璞 爾雅注五卷 爾雅圖十卷 爾雅圖讚二卷

注存圖佚。 馬國翰《集佚書》得《讚》五十三首。《一切經音義》卷九引《爾雅讚》曰:“虵之殊狀,其名爲虺,其尾似頭,其頭似尾,虎豹可踐此難忘履。”

郭璞 爾雅音義二卷

《通志》云:“《爾雅音略》三卷。”馬國翰有集本。

李軌 小爾雅略解一卷

《通志·藝文略》一:“《小爾雅》一卷,楚孔鮒撰,李軌注。”

郭璞 揚雄方言注十三卷

今存。

郭璞 注三蒼三卷 秦相李斯作《蒼頡篇》,漢揚雄作《訓纂篇》,後漢郎中賈魴作《滂喜篇》,故曰《三蒼》。

《舊唐志》:“《三蒼》三卷,李軌等撰,郭璞注。”岑建功等《校勘記》曰:“軌是斯字之誤。”《文選》卷十一注引郭璞《三蒼解詁》曰:①“板,牆上下板。築,杵頭鐵沓也。”《一切經音義》卷二十曰:“《三蒼》‘筩’,郭璞曰:‘竹管也。’”各書所引《三蒼解詁》甚多,不悉録。《一切經音義》卷十云:“郭璞注《三蒼》:‘淋漉,水下也。’”卷十三:

① “十一”原誤作“二十七”,見《文選》卷十一《蕪城賦》注,據中華書局影印本《文選》李善注改正。

“《三蒼》郭璞注云:‘瞖,目翳病也。’”《文選》卷十二注:“郭璞《三蒼解詁》曰‘獱似青狐,①居水中,食魚。’”《左傳》昭二十八年正義引郭璞《三蒼解詁》:“鄅音庶,於庶反。”

曹侯彦　古今字苑十卷

曹侯彦疑即議肉刑之曹彦,侯字誤衍。侯攷。

陸機　吴章二卷

《新唐志》:“《吴章篇》一卷。”不著撰人。

王義　小學篇一卷　下邳内史。

新、舊《唐志》並誤作“王羲之”。《顔氏家訓·書證篇》曰:“太公《六韜》有天陳、地陳、人陳、雲鳥之陳。《論語》曰:‘衛靈公問陳於孔子。’《左傳》:‘爲魚麗之陳。’俗本多作阜傍車乘之車,《蒼》、《雅》及近世字書皆無。惟王義《小學章》獨阜傍作車,縱復俗行,不宜追改《六韜》、《論語》也。”《後魏書·任城王》:“澄子順,②字子和。年九歲,師事樂安陳豐,初書王羲之《小學篇》數千言,晝書夜誦。”

王義　文字要記三卷

《唐志》作“文字要説”。

楊方　小學九卷

《舊唐志》:“楊方《小學集》十卷。”《通志》作“小學篇”。

束皙　發蒙記一卷　著作郎。

《初學記》二十五引此書曰:“伯益作舟。”《史記·殷本紀》正義引此書:“鼈三足曰熊。”《匈奴傳》索隱引:“駃騠刳其母腹而生。”《太平御覽》兵部引:“師子五色,而食虎於巨木之岫,一噬則百人仆,唯畏句戟。”又《初學記》獸部引:“西域有火鼠之布,東海有不灰之木。”又元耶律鑄雙《溪醉隱集·花史序釋》自注引束皙《發蒙記》曰:“甘棗令人不惑。”是此書至元尚

① “獱”原誤作“獺”,據中華書局影印本《文選》李善注改正。見卷十二《江賦》注。

② “順”原誤作“訓”,據武英殿本《魏書》改正。

存。《御覽》三百八十四引此書曰："醜男醊莀，醜女離春。"八百四十九引此書曰："廉頗年老，日噉肉百斤。"一百八十四引之曰："治户傷孕婦。"

李彤　字指二卷 朝議大夫。

《大藏音義》卷三十一："《字指》云：'芭蕉生交阯，葉如席，煑字疑有誤。可紡績爲布，汁可漚麻。'"

李彤　單行字四卷 《文選·羽獵賦》注引李彤《單行字》："嶜崟，①高大貌。青熒，光明貌。"

李彤　字偶五卷

謝啓昆曰："按《字偶》者，猶後人所謂雙字、駢字也。"郭忠恕《汗簡》引李彤書，或稱《集字》，或稱《字略》，當並出《字指》，異名。玆不别録其目。

李彤　四部

《太平御覽》九百一十五："李彤《四部》曰：'弔鳥山，俗傳曰鳳死於上。歲七月至九月，羣鳥常來集其上。'"《史記·司馬相如傳》索隱引李彤曰："鵕鸃，神鳥，飛光竟天。"蓋亦《四部》之文。

吕忱　字林七卷 慛令。

《舊唐志》十卷，《宋志》五卷。案《魏書·江式傳》云："晋世義陽王典祠令任城吕忱表上《字林》六卷，尋其况趣，附託許慎《説文》，而按偶章句，隱别古籀奇惑之字。文得正隸，不差篆意也。"張懷瓘《書斷》下曰："吕忱字伯雍，博識文字，譔《字林》五篇，萬二千八百餘字。《字林》則《説文》之流。小篆之工，亦叔重之亞也。"封演《聞見記》曰："晋有吕忱，更按羣典搜求異字，譔《字林》七卷，亦五百四十部，凡一萬二千八百二十四字，諸部皆依《説文》。《説文》所無者，皆吕忱所益。"近人有此書集本，未備也。

---

① "崟"原误作"岑"，據中華書局影印本《文選》李善注改正。

殷仲堪　常用字訓一卷

葛洪　要用字苑一卷　《梁書・文學・劉杳傳》:"有人餉任昉桰酒而作榪字,昉問杳:'此字是否?'杳對曰:'葛洪《字苑》作木旁若。'"

見《舊唐志》。馬國翰集此書得三十四條,《序録》云:"《隋志》不載,然顔之推《家訓》亟引之,則其書盛行於北,《隋志》承梁《七録》,偶未載也。"今按《梁書・劉杳傳》,杳嘗引是書,則南朝亦應有之。又卷十四又引氍毹,《字苑》作氍毹,同强朱、雙朱反。又橙,《字苑》作棖,丈庚反。卷十《字苑》作"凹,陷也;凸,起也"。《元和姓纂》卷四引作"葛洪《要字》"。《顔氏家訓・書證篇》曰:"光景之景,至葛洪《字苑》旁始加彡,音於景反。"[①]又《音辭篇》曰:"焉,皆音於愆反。自葛洪《要用字苑》分訓,若訓何,音於愆反。送句助詞,音矣愆反。"蓋此書乃變古入俗之書矣。

吕静　韵集六卷　安復令。

《後魏書・江式傳》:"式上表曰:吕忱弟静别放故左校令李登《聲類》之法,作《韵集》五卷。宫、商、角、徵、羽各爲一篇,而文字與兄便是魯、衛,[②]音讀楚、夏,時有不同。"《初學記》二十五引吕静《韵集》曰:"鐙,無足曰鐙,有足曰錠。"《史記・趙佗傳》集解:"徐廣曰:'吕静曰:"犂,結也,音力奚反。"'"《一切經音義》卷十八引《韵集》云:"昁、暘,未也。今中國言昁,江南言暘。"卷十四:"《韵集》曰:'倚,倕也。今言倕、息、郤、倕,並是也。'"馬國翰集此書得七十餘條。《隋書・文學・潘徽傳》:"李登《聲類》、吕静《韵集》始判清、濁,纔分宫、羽,而全無引據,過傷淺局,詩賦所須,卒難爲用。"《一切經音義》卷二:"吕静《韵集》云:'萉麻其生似樹者也。'"又《韵集》云:"蘲瞢,失卧極也。"卷一:"《韵集》云:'咀嚏,語不正也。'"卷九:"《韵集》云:'趀,越也,亦

---

① "反"原誤作"表",據《顔氏家訓集解》改正。

② "衛"原誤作"魏",據武英殿本《魏書》改正。

懸擲也。'"卷十:"《韵集》云:'掩罥於道曰弶,今田獵家施弶以張鳥獸,其形似弓者也。'"又曰:"拾,《韵集》作刽,人也。"《類聚》七十一:"《韵集》曰:'鷁首,天子船也。船,舩也。艘,海大船也。'"九十:"《韵集》曰:'鶴,善鳴鳥也。'"《臣工之什》釋文:"編小,《字林》、《聲類》、《韵集》並布千反。"①

王延　文字音四卷　蕩昌長。《惠帝紀》有王延,又《世説·規箴門》注引《王氏譜》:"緒,太原人,祖延。"

釋希麟《續一切經音義》卷十引《文字音義》云:"蒼頡出,見禿人伏於禾下,因以制字。"疑出此書。

王延　纂文三卷

王延　翻真語一卷

徐邈　集古文

見郭忠恕《汗簡》,鄭珍箋正曰:"魏晉有三徐邈,此必仙民也。"《釋文·莊子·寓言篇》引《字略》云:"卮,酒器也。"

汲冢書名三篇　似《禮記》,又似《爾雅》、《論語》。

事詳《束晳傳》。謝啓昆《小學攷》云:"《楚晉事名》三篇。"見《束晳傳》,乃誤讀斷句,今不從。《釋文·易》:"大壯,《廣雅》云:'健也。'馬云:'傷也。'郭璞云:'今淮南人呼壯爲傷。'"未知璞曾注《易》否。

慕容皝　太上章

《慕容皝載記》曰:"親造《太上章》,以代《急就》。"慧琳《大藏音義》卷九:"須寵天,《三蒼》音帝,郭訓《古文奇字》以爲古文逝字。"據《唐志》,郭訓《古文奇字》二卷,訓何時人,俟攷。

庾儼默　演説文一卷

郭忠恕《汗簡》引庾儼《演説文》,庾演字書共二十五則,②當即此書。

---

① "集"上原脱"韵"字,據上海古籍出版社影宋本《經典釋文》補。

② 據文淵閣《四庫全書》本《汗簡》,"演"當作"儼"。

補晋書藝文志

萍鄉文廷式道希纂

史部十三類

一曰正史,二曰編年,三曰雜史,四曰霸史,五曰起居注,六曰故事,七曰職官,八曰儀注,九曰刑法,十曰雜傳,十一曰地志,十二曰譜録,十三曰目録。

正史類

譙周　古史攷二十五卷　義陽亭侯。

按《司馬彪傳》:"彪復以周爲未盡善也,條《古史攷》中凡百二十二事爲不當。"《史通·模擬篇》曰:"譙周撰《古史考》,思欲擯抑馬《記》,師放孔《經》。其書李斯之棄市也,乃云'秦殺其大夫李斯'。"

劉寶　漢書注

劉寶　漢書駁議二卷　《漢書·叙例》云:"字道真,高平人,晋中書郎,河内太守,御史中丞,太子中庶子,吏部郎,安北將軍。侍皇太子講《漢書》,[1]别有《駁義》。"

《史記·高祖本紀》"心善家令言"索隱引晋劉寶云:"善其發悟己心,因得尊崇父號也。"按此是注語,非《駁義》。《通典》引劉寶與愍懷太子論《漢書》。

薛瑩　後漢記一百卷　散騎常侍。

---

① "漢書"原誤作"議",據中華本《漢書》改正。

近人黟縣汪文臺輯七家《後漢書》，薛瑩《書》二卷。

司馬彪　續漢書八十三卷　秘書監。

今存《志》三十卷，近人黟縣汪文臺有輯本。

華嶠　後漢書九十七卷　少府卿。

宋高似孫《史略》云："華嶠《後漢書》九十七篇，唐得三十一卷。叔駿才學深博，博聞多識，屬書典實，有良史之志。"《史通·書志篇》云："華嶠曰典。"《史通·叙例篇》云："華嶠《後漢》，多同班氏。如劉平、江華等傳，其序先言孝道，次述毛義養親。此則《前漢·王貢傳》體，其篇以四皓爲始也。嶠言辭簡質，叙致温雅，味其宗旨，亦孟堅之亞歟。"

謝沈　後漢書一百二十二卷　後漢書外傳十卷　祠部郎。

本傳："沈著《後漢書》百卷及《漢書外傳》。"近人黟縣汪文臺有輯本。

華譚　漢書

《北堂書鈔》六十二引華譚《漢書》"賈逵字景伯"云云，汪文臺輯入華嶠《書》，當是伯施字誤。然書脱簡絶，聞疑載疑，故過而存之。

張瑩　後漢南記五十八卷　江州從事。

汪文臺有集本。

袁山松　後漢書一百卷　秘書監。《史通·書志·天文篇》云："唯有袁山松，凡所記録，①多合事宜。"

汪文臺有輯本。

王沈　魏書四十八卷　司空。

高似孫《史略》云："沈仕魏，正光中，遷散騎常侍，與荀顗、阮籍同撰《魏書》，多爲時諱，未若陳壽之實。"王隱《晋書》曰："王沈爲秘書監，著《魏書》，多爲時諱，而善序事。"《御覽》二百三十三。

---

①　"凡所"原作"筆"，此爲節引，據上海古籍出版社點校本（以下簡稱上古點校本）《史通通釋》改正。

環濟　吴紀九卷

《唐志》十卷,入編年類。

陳壽　三國志六十五卷　敘録一卷　今存。

張勃　吴録三十卷　《史記·伍子胥傳》索隱云:"勃,晋人,吴鴻臚儼之子。"

按《史通·書志篇》:"張勃曰録。"章宗源辨之已詳。余攷《世說·夙惠門》注、《文選》卷十三注引《吴録》"長沙桓王諱策"云云,似是本紀。又《尚書·顧命》正義曰:"《吴録》稱:吴人嚴白虎聚衆反,遣弟興詣孫策,策引白削斫虎,[1]興體動曰:'我見刀爲然。'"此亦當是策紀文。又《世說·品藻門》注引《吴録》:"顧劭安龐士元言,更親之。"《規箴門》注引《吴録》"陸凱字敬風,吴人,丞相遜族子,忠鯁有大節"云云,此即顧邵、陸凱傳文。有紀、有傳、有志,入之正史。

王崇　蜀書

《華陽國志》:"王崇字幼遠,廣漢郪人,著《蜀書》及詩賦之屬數十篇,其書與陳壽頗不同。官至上庸蜀郡太守。"

常寬　蜀後志

寬字泰恭,蜀郡江原人,見《華陽國志》。《隋志》地理類有常寬《蜀志》,疑即此書,姑兩存之。

周處　吴書

本傳:"處撰集《吴書》。"

王濤　三國志序評三卷　著作佐郎。

《唐志》入雜史類。

徐衆　三國評三卷

裴松之《三國志注》屢引之。按《隋志》有徐爰《三國志評》三卷,章宗源考證曰:"爰疑衆字之譌。"

---

① "虎"原誤作"席",據阮刻《十三經注疏》本《尚書正義》改正。

何琦　論三國志九卷

按《何琦傳》云："著《三國評論》。"又云："公車再徵琦散騎常侍。"故《隋志》稱何常侍矣。

束皙　晉書

《初學記》職官部引張隱《文士傳》云："束皙元康四年除著作佐郎，著作西觀，撰《晉書》，草創三帝紀及十志。"

謝沉　晉書三十餘卷

本傳。《書鈔》五十七引《晉中興書》云："沈作《晉書》三十卷。"

郄紹　晉中興書

見《南史·徐廣傳》。

虞預　晉書四十四卷　散騎常侍。

《舊唐志》、高似孫《史略》俱作"五十八卷"。

朱鳳　晉書十四卷　中書郎。

《隋志》云："未成，訖元帝。"《晉中興書》曰："華譚爲秘書監，時晉陵朱鳳、吴郡吴震等以單寒有史才，白首衡門。譚薦二人，擢補著作郎，并皆稱職。"《御覽》二百三十四。

王隱　晉書九十三卷　著作郎。《史通·書志篇》云："王隱後來加以瑞異。"

《史通·正史篇》云："八十九卷，咸康六年奏上。"

徐廣　史記音義十二卷　《通典》二十二引徐廣《史記注》。

《索隱·後序》曰："廣作《音義》一十卷，惟記諸家本異同，於義少有解釋。"

蔡謨　漢書集解

本傳："謨總應劭以來注班固《漢書》者，爲之集解。"顔師古《漢書·叙例》云："蔡謨全取臣瓚一部散入《漢書》，自此以來始有注本。"又云："謨亦有兩三處錯意，然於學者竟無宏益。"按《韋賢傳》注："蔡謨曰：'滿籯者，言其多耳，非器名也。若論陳留之俗,則我陳留人也,不聞有此器。'"《貨殖傳》注:"蔡謨曰:'《計然》者,范蠡所著書篇名,非人也。謂之《計然》者,所計而然也。羣書所稱勾踐之賢佐,種、蠡爲首,[①]豈聞復有姓計名然者乎?若有此人,越但有半策便以致霸,是功重於范蠡,蠡之師也,焉有如此而越國不記其事,書籍不見其名,史遷不述其傳乎?'"此條亦謨所錯意也。

臣瓚　漢書注二十四卷

《漢書·敍例》云:"有臣瓚者,莫知氏族,考其時代,亦在晋初。又總集諸家音義,稍以己之所見,續厠其末,舉駁前説,喜引《竹書》,自謂甄明,非無差爽,凡二十四卷,分爲兩帙。今之《集解音義》則是其書。"《左傳》定九年正義曰:"有臣瓚者,不知其姓,或云姓傅,作《漢書音義》。"《文選·洛神賦》注引《漢書音義》:"應卲曰:'瀨,水流沙上也。'傅瓚曰:'瀨,湍也。'"

《史記索隱》曰:"按即傅瓚,劉孝標以爲于瓚,非也。據何法盛《晋書》,于瓚以穆帝時爲大將軍,誅死,不言注《漢書》。又注引《禄秩令》及《茂陵書》,二書亡於西晋,非于所見。必知是傅瓚者,按《穆天子傳·目録》云傅瓚爲校書郎,與荀勗同校定《穆天子傳》,即當西晋之朝,尚見《茂陵》等書。又稱臣者,以其職典秘書故也。"酈道元《注水經》以爲薛瓚。廷式案《御覽》二百四十九引《後秦記》曰:"姚襄使薛瓚使桓温,温以胡戲瓚。瓚曰:'在北曰狐,居南曰狢,何所問也。'"據此,則薛瓚不先於于瓚,酈氏所題亦非。宋祁《筆記》曰:"景祐余靖校本云:'臣瓚,不知何姓。'按裴駰《史記序》云莫知姓氏,韋稜《續訓》又言未詳,而劉孝標《類苑》以爲于瓚,酈道元《注水經》以爲薛瓚。姚察《訓纂》云:'按《庾翼集》,于瓚爲翼主簿,

---

① "首"原作"大",據中華本《漢書》改正。

兵曹參軍，後爲建威將軍。'《晋中興書》云：'翼病卒，而大將于瓚等作亂，翼長史江霦誅之。'瓚乃翼將，不載有注解《漢書》。然瓚所采衆家音義服、孟外，並因晋亂，不傳江左。而《高紀》中'瓚案《茂陵書》'，《文紀》中'案《漢禄秩令》'，此二書亦復亡失，不得過江，明此瓚是晋中朝人，未喪亂之前，故得見耳。又案《穆天子傳・目録》'秘書郎中傅瓚'，今《漢書音義》臣瓚所案，多引《汲書》，此瓚疑是傅瓚。瓚時典校書，故稱臣。"《藝文類聚》七十四引："《庾翼集》：參軍于瓚陳節戲事曰：'夫嬉戲都名動相剥，非爲治之本。自今樗蒲擲馬，諸不急戲，宜一斷之。'"

晋灼　漢書集注十三卷　《漢書・叙例》云："河南人，晋尚書郎。"

《漢書・叙例》作"十四卷"，《史通》亦云十四卷。

晋灼　漢書音義十七卷　《文選》卷十八注引晋灼《子虚賦》注。

《新唐志》。《一切經音義》卷十三："《漢書》晋灼音義曰：'傲，遇也，謂顧求親遇也。'"

司馬彪　漢書注

《文選・諷諫詩》注引司馬彪《漢書注》云："岌岌，危也。"

齊恭　漢書注

《元和姓纂》云："晋有齊恭，注《漢書》。"

郭璞　漢書注

《漢書・叙例》云："璞止注《相如傳序》及游獵詩賦。"

綦毋邃　史記注

《史記・趙世家》集解"烏觳陵苕"兩引"綦毋邃曰"，疑邃曾注《史記》，姑存其目。或當出邃《列女傳注》。

編年類

袁宏　後漢紀三十卷

今存。

張璠　後漢紀三十卷

裴松之《魏紀》《三少帝》。注:"張璠,晋之令史,撰《後漢紀》,雖似未成,辭藻可觀。"汪文臺集七家《後漢書》云:"按袁宏《漢紀叙》云:'經營八年,疲不能定,始見張璠所撰書,其言漢末之事差詳,故復採而益之。'蓋是編晋時已難購,吴正儀亦以爲逸書無攷。余秘書歷敘羣史,獨闕是編,豈未之見耶?"

袁曄　獻帝春秋十卷

《吴志·陸瑁傳》"廣陵袁迪",裴注云:"迪孫曄,字思先,作《獻帝春秋》。"

孫盛　魏氏春秋二十卷

《舊唐志》作"衞武春秋","魏"字誤。《初學記》卷十二引何法盛《晋中興書》曰:"孫盛自安國,爲秘書監,加給事中。按'自'當作'字'。篤向好學,自少及長,常手不釋卷。既居史官,乃著《三國陽秋》。"

陰澹　魏紀十二卷　左將軍。

《魏志·陳思王植傳》注引之。《晋書·藝術傳》:"索紞所占,莫不驗,太守陰澹從求占書。"餘事章氏已録,今不複出。

孔衍　漢魏春秋九卷

《隋志》題"孔舒元",舒元,衍字,《七録》避梁諱也。

孔衍　漢春秋十卷　後漢春秋六卷　後魏春秋九卷

見《新唐志》。疑《後魏春秋》即《隋志》《漢魏春秋》矣。《後漢書》、《三國》注所引並題"漢魏春秋"。

習鑿齒　漢晋陽秋四十七卷　滎陽太守。訖愍帝。

本傳、《舊唐志》並云五十四卷。

干寶　晋紀二十三卷　訖愍帝。

《史通·正史篇》云二十二卷,蓋史議别爲一卷矣。《文選》四十九李善注引何法盛《晋書》曰:"干寶撰《晋紀》,起宣帝,迄愍，五十三年，評論切中，咸稱善之。”高似孫《史略》：“干寶《晉書》一十二卷，殘缺。《隋志》又六十卷，劉協注。”《史通·序例篇》云：“令升先覺，遠述邱明，重立凡例，勒成《晉紀》。鄧、孫以下，遂躡其蹤。史例中興，於斯爲盛。”《史通·模擬篇》云：“干寶撰《晉紀》，至天子之葬，必云‘葬我某皇帝’。”又《煩省篇》云：“令升《史議》，歷詆諸家，而獨歸美《左傳》，云：‘邱明能以三十卷之約，括囊二百四十年之事，靡有孑遺。斯蓋立言之高標，著作之良模也。’”

曹嘉之　晉紀十卷　前軍諮議。

章宗源《攷證》從《世説注》、《文選注》、《初學記》、《藝文類聚》、《太平御覽》録得十一事。

鄧粲　晉紀十一卷　荆州别駕。訖明帝。

本傳：“著《元明紀》十篇。”《舊唐志》又有鄧粲《晉陽秋》二十卷，恐誤，今不録。《文心雕龍·史傳篇》：“鄧璨《晉紀》，始立條例。又擺落漢、魏，[①]憲章殷、周，雖湘川曲學，[②]亦有心典、謨。”

孫盛　晉陽秋三十二卷　訖哀帝。

《唐志》二十二卷。　《史通·採撰篇》曰：“安國之述《陽秋》也，梁、益舊事，訪諸故老。”

陸機　晉紀四卷

《史通·正史篇》云：“《晉史》，洛京時著作郎陸機始撰三祖紀，佐著作束晳又撰十志。會中朝喪亂，其書不存。”又《曲筆篇》云：“陸機《晉史》虚張拒葛之鋒。”

紀年十二卷　《汲冢書》并《竹書同異》一卷。

事具《荀勗傳》及《隋志》。杜元凱《春秋後序》言其篇第尤詳。《同異》一卷，蓋勗等所撰也。

---

① “擺落”原作“撮略”，據范文瀾《文心雕龍注》改正。

② “川”原誤作“州”，據范文瀾《文心雕龍注》改正。

徐廣　晋紀四十六卷

《宋書》廣傳:"義熙十二年,《晋紀》成,凡四十二卷。"《隋》、《唐志》四十五卷,今據《晋書》本傳。

周祇　崇安紀二卷

《舊唐志》。錢辛楣《廿二史攷異》曰:"崇安本是隆安,晋安帝年號也,避明皇諱改。"

竹書三卷

《宋史·藝文志》編年類:"《竹書》三卷,荀勗、和嶠編。"

晋録五卷

見《唐志》。章宗源《隋書經籍志攷證》曰:"《北堂書鈔》設官部、《藝文類聚》菓部、《白帖》卷十六并引《晋録》六事,無撰名。"

胡冲　吴曆六卷 從《通志》。

見《唐志》雜史類。案《吴志》王蕃等傳評已引胡冲説,裴松之《吴志》注屢引之。《通鑑考異》:"諸葛恪以張約、朱恩等密書示滕胤事,[1]從《吴曆》。"是此書温公著書時猶存。[2]

雜史類

司馬彪　九州春秋十卷 記漢末事。

《史通·六家篇》曰:"當漢氏失馭,英雄角力。司馬彪録其行事,因爲《九州春秋》,州爲一篇,合爲九卷。尋其體統,亦近代之《國語》也。"《唐志》九卷,《宋志》霸史類九卷,别史類十卷。《書録解題》卷五云:"《九州春秋》九卷,司馬彪撰。漢末州郡之亂,司、冀、徐、兖、青、荆、揚、梁、幽,凡盗賊僭叛皆紀

---

① "胤"原誤作"允",據本傳及《二十五史補編》本改正。

② "温公著書時"原作"者書",據《二十五史補編》本改正。

之。"《世善堂書目》尚箸録,是此書明時尚存。

楊方　吴越春秋削繁五卷

《舊唐志》作"削煩"。本傳云:"方更撰《吴越春秋》。"

樂資　春秋後傳三十一卷 著作郎。

《史通·六家篇》:"晋著作郎魯國樂資,追採《左傳》、《太史公書》二史,撰爲《春秋後傳》。其書始以周貞王續前傳魯哀公後,至赧王入秦,又以秦文王之繼周,終於二世之滅,合成三十卷。"《初學記》卷五引樂資《春秋傳》記鄭容見華山使事。

樂資　山陽公載記十卷

《新唐志》入編年類。《舊唐志》作"山陽義紀","義"字誤。

杜龔　蜀後志

《華陽國志·常寬傳》云:"杜龔亦著《蜀後志》,及志趙廞、李特叛亂之事。"

孔衍　漢尚書十卷　後漢尚書六卷　魏尚書十卷

《舊唐志》"尚書"皆作"春秋"。《史通·六家篇》曰:"晋廣陵相魯國孔衍,以爲國史所以表言行,昭法式,至於人理常事,不足備列。乃删漢、魏諸史,[①]取其美詞典言,足爲龜鏡者,定以篇第,纂成一家。由是有《漢尚書》、《後漢尚書》、《魏尚書》,凡爲二十六卷。"

郭頒　魏晋世語十卷 襄陽令。

《三國志》卷一注引作"郭班"。

傅暢　晋諸公讚二十一卷 祕書監。

本傳:"暢作《晋諸公叙讚》。"《水經·穀水》注引都水使者陳

① "史"原誤作"事",據上古點校本《史通通釋》改正。

狼鑿運渠事,題傳暢《晉書》。[①]

王蔑　史漢要集二卷　祠部郎。抄《史記》,入《春秋》者不録。

荀綽　晉後略記五卷　下邳太守。

本傳:"綽撰《晉後書》十五篇。"《宋志》史鈔類有荀綽《晉略》九卷。

皇甫謐　帝王世紀十卷　起三皇,盡漢魏。

孔穎達《尚書·堯典》正義曰:"《晉書·皇甫謐傳》云:'廷式案此當是王隱《晉書》。姑子外弟梁柳得《古文尚書》,故作《帝王世紀》,往往載孔傳五十八篇之書。'"《日本見在書目》有皇甫謐《陳帝紀》六卷,必有誤,今不録。近時有宋翔鳳輯本十卷。《史通·採撰篇》云:"玄晏《帝王紀》,多採六經圖讖。"《宋志》九卷,入編年類。

皇甫謐　年曆六卷

見《唐志》。《玉海》:"《書目》曰:'晉正始初,安定皇甫謐以《漢紀》殘缺,博案經傳,旁觀百家,著《帝王世紀》並《年曆》,合十二篇。起太昊帝,訖漢獻帝。'"《北堂書鈔》一百五十:"皇甫謐《年曆》曰:'月,羣陰之宗,光内日影,以宵曜,名曰夜光。'"

木概　戰國策春秋三十卷

《元和姓纂》:"晉有木概,著《戰國策春秋》三十卷。見《七録》。"

陳壽　古國志五十篇

見本傳。《華陽國志》云:"壽又著《古國志》五十篇,品藻典雅,中書監荀勗、令張華深愛之,以班固、史遷不足方也。"

環濟　帝王要略十二卷　紀帝王及天官、地理、喪服。

案《禮記》、《左傳正義》及各類書引此,皆作"環濟《要略》",無

---

① "傅"原誤作"傳",據《二十五史補編》本改正。

"帝王"二字。

孟儀　周載三十卷 臨賀太守。略前代,下至秦。

陸游《南唐書》曰:"後主嘗得《周載》,江東初無此書,人無知者,以訪徐鍇,一一條對,無所遺忘。"案《太平御覽》尚引此書,《崇文書目》始佚之。

葛洪　史記抄十四卷

見《唐志》。高似孫《史略》作"十五卷"。

漢書抄三十卷

《西京雜記·序》曰:"洪家世有劉子駿《漢書》一百卷,無首尾題目,但以甲、乙、丙、丁紀其卷數。"《抱朴子·論仙篇》引《漢禁中起居注》云"少君將去,武帝夢與共登嵩高山"云云,其辭甚怪。據此,則《西京雜記》未可爲吴均作也。

後漢書抄三十卷

見《唐志》。

吴志抄一卷

見高似孫《史略》。

孔衍　春秋時國語十卷　春秋後國語十卷

並見《新唐志》。《史通·六家篇》曰:"孔衍以《戰國策》所書未爲盡善,乃引太史公所記,參其異同,删彼二家,聚爲一録,號爲《春秋後語》。除二周及宋、衛、中山,其所留者,七國而已。始自秦孝公,終於楚、漢之際 ,比於《春秋》,亦盡二百三十餘年行事。始衍撰《春秋時國語》,復撰《春秋後語》,勒成二書,各爲十卷。今行於世者,惟《後語》存焉。案其書序云:'雖左氏莫能加。'世人皆尤其不量力,不度德。尋衍之此義,自比於邱明者,當謂《國語》,非《春秋傳》也。必方以類聚,豈多嗤乎。"慧琳《一切經音義》傳九十五:"《春秋後語》:'杜郵在咸陽西十里,白起死於此。'"《御覽》三百二十五引《春秋後齊語》,又《韓語》。三百五引

《春秋後秦語》。

孔晁　周書注八卷

見《舊唐志》。今存。

魏世籍

章宗源《考證》曰："《文選·陸士衡答賈長淵詩》注、《太平御覽》皇王部引《魏世籍》，無撰人名。"廷式案《魏志·三少帝紀》注引《魏世譜》記"晋受禪，封齊王爲邵陵縣公。年四十三，泰始十年薨"，則晋人書也。

晋世譜

章宗源《考證》曰："《世説》注《言語篇》、《政事篇》引《晋世譜》，無撰名。"

孫盛　蜀世譜

章宗源《攷證》曰："《蜀志》注《二主妃子傳》、《費詩》、《張嶷》、《吕凱傳》並引盛《蜀世譜》。"《後漢書·蠻夷傳》注引不韋縣一事，與《吕凱傳》注同。

孫盛　魏世籍

《魏志》卷四注引孫盛《魏世籍》曰："高平陵在洛水南大石山，去洛城九十里。"案此與《魏世譜》疑即一書，今無以定，姑並列之。

孫盛　魏陽秋異同八卷

見《唐志》，作"孫壽"。章宗源曰："按《魏志·武紀》注太祖私入中常侍張讓宅一事，題孫盛《異同雜語》。《北堂書鈔》武功部亦作'孫盛'。《夏侯玄傳》注、《吕虔傳》注、《蜀志·姜維傳》注、《世説·識鑒篇》注、《假譎篇》注，並題孫盛《雜語》。"省"異同"二字，然《世説注》入張讓宅事與《武紀》注同，自是一書。又《武紀》注引"甯我負人，無人負我"語，作"孫盛《雜記》"，"記"字訛。《史通·題目篇》云："孫盛有《魏氏春秋》。"《摹儗篇》曰："孫盛魏、晋二《陽秋》，每書年首，必云

‘某年春帝正月’。”“又《魏志·武紀》注引孫盛《異同評》,又引孫盛《評》。《太平寰宇記》河北道亦引孫盛《雜語》,《御覽》兵部又稱《三國異同》。《唐志》‘孫壽’當是‘孫盛’之訛。《通志略》入編年類。”[①]廷式按《蜀志·諸葛瞻傳》注引作“異同記”。

孫盛　雜記

案《魏志·武紀》注、《蜀志·姜維傳》注皆引此書,恐非“雜語”之譌。《續談助》録殷芸《小説》引宣帝問真長事,及宋岱爲青州刺史事,並題孫盛《雜記》。《北堂書鈔》卷二十引《新語》“甯我負人,無人負我”,《魏志·武紀》注引《雜記》文同,當是一書二名。

王隱　删補蜀記七卷

見《唐志》。章宗源曰:“《魏志》注《龐德傳》,《蜀志》注《後主傳》、《諸葛亮傳》、《關羽傳》、《許靖傳》、《秦宓傳》、《譙周傳》、《黄權傳》、《姜維傳》、《楊戲傳》,並引王隱《晋記》。郭沖五事,即此書所載。”廷式案《通鑑》“安樂思公劉禪卒”,《考異》云:“《晋春秋》云:‘禪謚惠公。’今從王隱《蜀記》。”是此書宋時尚存。

王嘉　拾遺録三卷　拾遺記十卷 蕭綺序。

本傳:“撰《拾遺録》十卷。”《玉海》引《書目》:“晋王嘉著《拾遺記》十卷,事多詭譎,今行於世。梁蕭綺《序》云:‘本十九卷。’書後殘缺,綺因删集爲十卷。”《續談助》卷一云:“虞羲造《王子年拾遺録》。”《郡齋讀書志》曰:“晋王嘉,字子年,嘗著書百二十篇,載伏羲以來異事,前世奇詭之説,書逸不完,梁蕭綺拾綴殘闕,輯而叙之。”

---

① “又魏志武紀”至“入編年類”亦爲章宗源考證語。

譙周　蜀王本紀

《北堂書抄》卷一百四引之。

薛瑩　條列吴事

《初學記》十一、《北堂書鈔》五十七並引之。《吴志·孫綝傳》注引《吴録》曰:"晋武帝問薛瑩吴之名臣,瑩對稱桓彝有忠貞之節。"陳壽《吴志》王蕃等傳論曰:"薛瑩稱王蕃器量綽異,宏博多通;樓玄清白節操,①才理條暢,②賀邵厲志高絜,機理清要;韋曜篤學好古,博見羣籍,有記述之才。"

王倫　周紀

見《世説·排調門》注引《王氏家譜》。

汲冢書梁邱藏一篇　先敘魏之世,次言邱藏金玉事。**生封一篇**帝王所封。

事詳《束晳傳》。

霸史類

《史通·因習篇》云:"阮氏《七録》以田、范、裵、段諸記,③劉、石、苻、④姚等書,别刱一名,題爲'僞史'。《隋書·經籍志》流别羣書,還依阮《録》。"

田融　趙書十卷　僞燕太傅長史。一曰《二石集》,記石勒事。

《新唐志》田融《趙石記》二十卷,又《二石記》二十卷,蓋誤複也,今從《隋志》。《史通·雜説》注曰:"田融《趙史》謂勒爲前石,虎爲後石。"《高僧傳》卷九引田融《趙記》曰:⑤"佛圖澄未亡數年,自營塚壙。"《水經·濁漳水》注:"祭陌,慕容儁投石

---

① "玄"原誤作"立",據中華本《三國志》及《二十五史補編》本改正。

② "暢"原誤作"貫",據中華本《三國志》改正。

③ "段"原誤作"殷",據上古點校本《史通通釋》改正。

④ "苻"原作"符",《史通通釋》云:"一本作"符",今據以正。"

⑤ "九"原作"十",據中華本《高僧傳》改正。下同。

虎尸處。田融以爲紫陌也。"《河水》注："張甲河左瀆，又北逕建始縣故城。田融云：'趙武帝十二年立建興郡，治廣宗，置建始、興德五縣隸焉。'又云：'棘津在東郡河内之間。'田融以爲即石濟南津也。"

王度　二石傳二卷　北中郎參軍。《高僧傳》卷九《佛圖澄傳》有石虎中書著作郎王度。①

《唐志》："《二石書》十卷。"《史通·正史篇》云："燕太傅長史田融、宋尚書庫部郎郭仲産、北中郎參軍王度追撰二石事，集爲《鄴都記》、《趙記》等書。""宋"字蓋"晋"字之誤。

王度　二石僞治時事二卷

《唐志》："王度、隨翽《二石僞事》六卷。"　"隨翽"疑"陸翽"之訛。

上黨國記

《石勒載記》曰："命記室佐明楷、程機撰《上黨國記》。"《史通·正史篇》曰："後趙石勒命其臣徐光、宗歷、傅暢、鄭愔等撰《上黨國記》、《起居注》、《趙書》。其後又令王蘭、陳宴、程陰、徐機等相次撰述。至石虎，並令刊削，使勒功業不傳。"

大單于志

《石勒載記》："命石泰、石同、石謙、孔隆撰《大單于志》。"

常璩　漢之書十卷　字道將，散騎常侍，蜀郡人。

顔之推《家訓·書證篇》："《蜀李書》，一名《漢之書》。"《史通·正史篇》曰："蜀初號曰成，後改稱漢。李勢散騎侍常璩撰《漢書》十卷，後入晋秘閣，改爲《蜀李書》。"

常璩　華陽國志十二卷

今存。

杜輔　燕紀

① "九"原誤作"十"，據中華本《高僧傳》改正。

《史通·正史篇》曰:"前燕有《起居注》,杜輔全録以爲《燕紀》。"

董統　燕書三十卷

《史通·正史篇》曰:"後燕建興元年,董統受詔草創後書,著本紀並佐命功臣、王公列傳,合三十卷。慕容垂稱其叙事富贍,足成一家之言。但褒述過美,有慙董史之直。"《史通·直書篇》曰:"董統《燕史》,持諂媚以偷榮。"

申秀　燕書

范亨　燕書二十卷　僞燕尚書。記慕容儁事。

《史通·正史篇》曰:"其後申秀、范亨各取前後二燕合成一史。"按申秀書今無可考,范亨書則《水經注》、《初學記》、《太平御覽》、《通鑑考異》皆引之。《宋史·藝文志》著録。

張詮　南燕録五卷　僞燕尚書郎 。記慕容德事。

《唐志》十卷。《舊唐志》入編年類。《通志》作"張銓",誤。《初學記》十一引稱"張詮《南燕書》"。

王景暉　南燕録六卷　僞燕中書郎。記慕容德事。

《史通·正史篇》曰:"南燕有趙郡王景暉,嘗事德、超,[①]撰《二燕起居注》。超亡,事於馮氏,官至中書令,[②]乃撰《南燕録》六卷。"《舊唐志》入編年類,作"王景暄",誤。

索綏　涼國春秋五十卷

《史通·正史篇》曰:"前涼張駿十五年,命其西曹邊瀏集内外事以付秀才索綏,作《涼國春秋》五十卷。"崔鴻《前涼録》:"張駿十五年,命西曹掾集閣内外事付索綏,以著《涼春秋》。"《御覽》一百二十四。

① "超"原誤作"起",據上古點校本《史通通釋》改正。

② "令"原誤作"今",據上古點校本《史通通釋》改正。

索暉　涼書

《史通・正史篇》云:"建康太守索暉、從事中郎劉昞各著《涼書》。"

劉慶　涼記十二卷

《史通・正史篇》曰:"張重華護軍叅軍劉慶在東苑專修國史二十餘年,著《涼記》十二卷。"又《史官篇》曰:"前涼張駿時,劉慶遷儒林郎、中常侍,在東苑撰其國書。"

張諮　涼記八卷 僞燕右僕射。記張軌事。

《世説・言語門》注引作"張資《涼州記》",《舊唐志》作"張證"。《新唐志》十卷,誤。

喻歸　西河記三卷 侍御史,南昌人。記張重華事。

此依《元和姓纂》著録。《隋書・經籍志》作"二卷"。《通鑒考異》云:"喻歸,一作俞歸。"按《晉書・張重華傳》亦作"俞歸",《廣韻》作"諭歸"。《吹劍録外集》云:"喻歸撰《西河》十卷。"似誤。武威張澍集此書得五條。

董誼　秦書

《史通・正史篇》曰:"前秦史官,初有趙淵、車敬、梁熙、韋譚相繼著述。苻堅嘗取而觀之,見苟太后幸李威事,怒而焚之滅其本。從著作郎董誼追録舊語,十不存一。"《十六國春秋・前秦録》:"永興十七年八月,堅收起居注及著作所録而觀之,見苟太后李威之事,慙怒,乃焚其書。著作郎董朏音斐。雖更書時事,然十不留一。"此《御覽》一百二十二所引。此作"董朏",與《史通》異。

馬僧虔　秦史

衛隆景　秦史

《史通・正史篇》云:"後秦扶風馬僧虔、河東衛隆景並著《秦史》。及姚氏之滅,殘缺者多。"

段龜龍　涼記十卷僞凉著作佐郎。記吕光事。

《史通·正史篇》曰:"段龜龍記吕氏。"張澍《二酉山房》有集本。

公師彧　高祖本紀　功臣傳前趙領左國史。

《史通·正史篇》曰:"前趙劉聰時,領左國史公師彧撰《高祖本紀》及功臣傳二十人,甚得良史之體。凌修譖其訕謗先帝,聰怒而誅之。"《史通·史官篇》曰:"僞漢嘉平初,公師彧以太中大夫領左國史,撰其國君臣紀傳。"

和苞　漢趙記十卷

《唐志》作"十四卷"。《史通·正史篇》曰:"劉曜時,平輿子和苞撰《漢趙記》十篇,事止當年,不終曜滅。"又《忤時篇》曰:"劉、石僭號,方策委於和、張。"《宋史·藝文志》著録一卷。

田融　苻朝雜記一卷

見《新唐志》。高似孫《史略》無"雜"字。

郭詔　南涼國紀

《史通·史官篇》曰:"南涼主烏孤初定霸基,欲造國紀,以其枲軍郭韶爲國紀祭酒,撰録時事。"

起居注類

李軌　泰始起居注二十卷

《蜀志·諸葛亮傳》注引《晋泰始起居注》"諸葛京隨才署吏。"①《類聚》八十八:"《太始起居注》曰:'二年六月,嘉柰一蔕十五實,生於酒泉郡。'"

李軌　咸甯起居注十卷

《舊唐志》二十二卷。《晋書·禮志》下引之。

① "吏"字下原有"詔"字,據中華本《三國志》删。

李軌 泰康起居注二十一卷

《書抄》一百四十七:“《晋泰康起居注》云:‘尚書令荀勗久疾羸毁,賜蜜五升。’”《御覽》七百五十九:“《晋泰康起居注》曰:‘齊王出蕃,詔賜榼、樽、螺、杯、盤各有差。’”

《舊唐志》二十二卷。《齊書·州郡志》引《晋太康二年起居注》。《御覽》三百五十三:“《晋太康起居注》詔曰:‘諸王中尉及諸軍皆典兵以備不虞,乃有著中戰衣、木履持長矛者,此爲兒戲而無相憚懾也。’”

永平元康永甯起居注六卷

《隋志》有《元康起居注》一卷,《唐志》有《永平起居注》一卷。

惠帝起居注二卷

章宗源《攷證》曰:“《宋書·蔡廓傳》:‘式乾殿集諸皇子,悉在三司上。’《魏志·張燕傳》注:‘門下令史張林,飛燕之曾孫。[①]與趙王倫爲亂,位至尚書令,封郡公。尋爲倫所殺。’並題陸機《晋惠帝起居注》。”“又各書共引《惠帝起居注》十三事,不著撰名。”按《御覽》六百九十七:“《惠帝起居注》曰:帝還洛陽,至陵下謁,無履,左右履著下拜。”六百九十九:“《惠帝起居注》曰:‘有雲母幌。’”二事章氏未舉。《書抄》一百三十六:“《晋惠帝起居注》曰:‘愍懷太子賜典兵中郎□倚複紵韈一緉。’”《御覽》七百七:“《惠帝起居注》曰:‘帝至朝歌,無被,中黄門以兩幅布被給帝。’”

晋武帝起居注

章宗源曰:“《北堂書鈔》設官部:‘司馬璞貞固和詳,有識見才幹,以爲冗從僕射。’《太平御覽》皇親部:‘詔曰:今出掖庭才人、妓女、保林以下二百七十餘人。’職官部:‘豫州刺史胡威,忠素質直,思謀深沈。《御覽》二百四十引作‘深奥’。[②] 其以威爲監

① “飛”下原脱“燕之曾孫”四字,據中華本《三國志》補。

② “《御覽》二百四十引作深奥”原作正文,據章宗源《隋書經籍志考證》,此當爲文廷式所作小注。

軍,刺史如故。'又:'東安王世子瑾貞固和詳,有識見才幹,以爲冗從僕射。'此事與《書抄》當是一事,《書抄》作名璞,須考。並引《晉武帝起居注》。"

永嘉建興起居注十三卷

建武大興永昌起居注二十卷

《唐志》二十二卷。章宗源《考證》曰:"《太平御覽》七百九服用部:'《晉建武起居注》曰:"立敬后廟,薦席不用緑緣。"'職官部:'《晉大興起居注》曰:"元年,置通直散騎侍郎四人。"'又二百三十四:'元帝依故事,召陳郡王隱待詔著作,單衣介幘,朔望朝著作之省。'"按《北堂書抄》卷一百三十引《晉永昌起居注》云:"元帝使當朝司空王導拒王敦,詔曰:'吾征東時,節給司空。'"《御覽》八百六十一亦引之。

李軌　咸和起居注十六卷

《唐志》十八卷。《類聚》八十六:"《晉咸和起居注》曰:'六年,甯州上言:甘露降城北園柰、桃樹等。'"《御覽》七百六十三:"《晉咸和起居注》曰:'有司奏:魏氏故事,正旦賀,公卿上殿,虎賁六人隨上,以斧柄挂衣裾上,今宜依舊爲儀。詔曰:此非前代善制,其除之。'"九百二十五:"《咸和起居注》曰:'二年正月,饗萬國,有五鷗集太極殿前。'"

咸康起居注二十二卷　《類聚》八十九引《咸康起居注》。

建元起居注四卷

《通典》卷一百:"范汪與王彪之書云:'尋《起居注》,九月是康皇帝忌月。'"此所引是《建元起居注》也。《史通·辨職篇》:"按《晉起居注》載康帝詔,盛稱箸述任重,理藉親賢,遂以武陵王領秘書監。[①] 尋武陵才非河

① "領"字上原有"晞"字,據上古點校本《史通通釋》删。

獻，①識異淮南，而輙以彼藩翰，董斯邦籍，求諸稱職，無聞焉爾。"

永和起居注二十四卷

《御覽》八百十。

晋孝武起居注

《太平御覽》一百四十九引二條。

升平起居注十卷

隆和興甯起居注五卷

咸安起居注三卷

泰和起居注六卷

《初學記》卷四："《晋起居注》曰：'海西泰和六年三月庚午朔，詔曰：三月臨流杯池，依東堂小會。'"

甯康起居注六卷

泰元起居注五十四卷

《世説·賞譽門》注引之。《御覽》二百三十四："《晋太元二百三十三誤作'太康'。起居注》曰：'秘書丞桓石綏啓校定四部書，詔郎中四人，各掌一部。'"又七百七十五引《太元起居注》劉毅奏羊琇事，疑是"太康"之誤。

隆安起居注十卷

《初學記》卷四："《晋起居注》曰：'安帝崇安四年十二月辛丑，臘祠用樂。'""崇安"即"隆安"也。

元興起居注九卷

義熙起居注三十四卷

《類聚》八十六："《義熙起居注》曰：'吴令顧修期言，縣西鄉有柿樹，殊本合條，依舊集駕。詔停。'"《御覽》九百七十一亦引之。《書抄》一百一："《義熙起居注》云：'何無忌在秘閣，求賜秘書，詔

---

① "尋"原誤作"守"，據上古點校本《史通通釋》改正。

與一千卷。'"一百二十九:"《義熙起居注》云:'義熙元年,百官更服,侍官不備采衣袴褶。'"一百三十六:"《義熙起居注》曰:'兼黄門郎徐應禎,出爲散騎,著屐出省閤,有司奏,乃免官。'"一百三十八:"《義熙起居注》云:'盧循新作八槽艦九枚,起四層,高十餘丈。'"《御覽》六百九十:"《義熙起居注》曰:'安帝自荆州至新亭,詔曰:諸侍官戎行之時,不備朱服,悉令袴褶從也。'"

元熙起居注二卷

崇甯起居注十卷

見《唐志》。沈炳震曰:"晋無崇甯年號,似有誤。余謂此'隆安'之譌。《初學記》、《御覽》諸書引,'隆安'作'崇安',以避明皇諱,遂譌作'崇甯'矣。"

李軌　晋愍帝起居注三十卷

見《舊唐志》。

李軌　晋永平起居注八卷

見《舊唐志》。

大將軍起居注

見《石勒載記》。

南燕起居注一卷

《史通·外篇》曰:"南燕有趙郡王景暉,嘗事德、超,撰二燕《起居注》。"

前燕起居注

《史通·外篇》曰:"前燕有《起居注》,杜輔全録以爲《燕紀》。"

桓玄自撰起居注

見本傳。

郭璞　注周王游行記六卷

故事類

晋朝雜事二卷

《梁書·庾詵傳》云:"詵撰《晋朝雜事》五卷。"今案《隋》、《唐志》録此書,無撰人名氏,又卷數不符,恐非一書,故仍入録。章宗源《攷證》歷引諸書所引《晋朝雜事》十一事,亦無題庾詵名者。

晋要事三卷

章宗源《攷證》:"《初學記》中宫部,《北堂書鈔》設官部、儀飾部,《太平御覽》服章部並引《晋氏要事》。"按《書鈔》一百三十六亦引之。

晋故事四十三卷

章宗源《攷證》:"《初學記》寶器部、《太平御覽》珍寶部並引《晋故事》。"

建武以來故事三卷

《隋志》:"《晋建武故事》一卷。"章宗源《考證》:"《初學記》武部:'王敦死,秘不發喪,賊於水南北渡,攻官壘栅,皆重鎧浴鐵,都督應詹等出精鋭拒之。'《御覽》兵部同。《類聚》菓部:'咸和六年,平西將軍庾亮送橘,十二實並同一蔕。'《御覽》菓部同。獸部:'咸和六年,計頁合集於朝堂,有野麕走至堂前,逐獲之。'《御覽》獸部同。《御覽》卷九百八獸部:'咸和七年,左右啓以米飴熊,上曰:此無益而費穀,且惡獸不宜畜。遣使打殺,以肉賜左右直人。'並引《晋建武故事》。按王敦死在太甯二年,餘三事皆在咸和,而入《建武故事》,未審其義。"廷式按《隋志》省"以來"二字,故有此誤。《唐志》既列此書,又有《建武故事》三卷,蓋重出也。《唐書·藝文志》又有應詹《江南故事》三卷。

孔愉　咸和咸康故事四卷

《唐志》作“建武咸和咸康故事”。

永平故事三卷

見《唐志》。

泰始太康故事八卷

見《唐志》。

晉氏故事三卷

見《唐志》。《通典》八十一亦引《魏晉故事》博士卞摧、應琳等議。

晉諸雜故事二十二卷

見《唐志》。

荀顗等　晉雜議十卷

見《唐志》。《文心雕龍·議對篇》曰:“晉代能議,則傅咸爲宗。然長虞識治,而屬辭枝繁。及陸機斷議,亦有鋒穎,而諛辭弗剪,頗累文骨。”

干寶　雜議五卷

孔朝 《新唐志》作“孔晁”。**等　晉明堂郊社議三卷**

蔡謨　晉七廟議三卷

並見《舊唐志》儀注類。

車灌　修復山陵故事五卷

晉八王故事十卷

《唐志》十二卷,題“盧綝撰”。

盧綝　晉四王起事四卷 廷尉。

《舊唐志》作“四王起居”,誤。《水經注》卷九引作“盧林”。按《盧志傳》有兄子綝,當是其人,《隋志》不誤。

交州雜事十卷 記士燮及陶璜事。

《舊唐志》作“交州雜故事”。《類聚》器物部、《初學記》政理部、《御覽》器物部並引此書太康四年刺史陶璜表送林邑王范熊所獻事。

張靖　謚法二卷

《通典》一百四云："晋張靖撰《謚法》兩卷。"

晋謚議八卷

晋簡文謚議四卷

並見《舊唐志》儀注類。

荀顗　演劉熙謚法三卷

見《舊唐志》七經雜解類。《通典》云："漢劉熙《謚法》一卷。"

范汪　尚書大事二十卷

《唐志》二十一卷。章宗源《考證》曰："《北堂書抄》儀飾部：'納后禮文云："既皓且白，既潔且清，美人玩好，以飾姿容。"'《太平御覽》禮儀部：'尚書符太常曰："釋奠祀先聖於辟雍，未有言太學者，今廢辟雍而立二學，中興以來相違。"太常王彪之答："釋奠於太學，行饗於辟雍。"宰相從太常。'"

張敞　東宫舊事十一卷

《隋志》無撰人名，今從《唐志》。按《宋書・張茂度傳》："茂度，吴郡吴人，父敞，尚書、吴國内史。"即此人。《北堂書抄》六十六引陸道瞻《吴地志》云："張敞字宏源，爲東宫中舍人，八年不轉。會稽王嬖人茹千秋曰：'中舍人名望久滿，此侍公坐，當進拙言。'敞正色不答。"蓋久任東宫官屬，故得爲此書矣。《顔氏家訓・書證篇》："或問：'《舊事》何以呼鴟尾爲祠尾。'答曰：'張敞者，吴人，不堪稽古，隨宜記注，逐鄉俗訛謬，造作書字耳。吴人呼祠祀爲鴟祀，故以祠代鴟。呼紺爲禁，故以糸旁作禁代紺字。呼盞爲竹簡反，故以木旁作展代盞字。呼鑊字爲霍字，故以金旁作霍代鑊字。又金旁作患爲鐶字，木旁作鬼爲槐字，火旁作庶爲炙字，既下作毛爲髻字，金花則金旁作華，窗扇則木旁作扇，諸如此類，專輒不少。'又問:‘《東宫舊事》“六色蜀緩”是何等物?當作何音?’答曰:‘莙,牛藻也。又寸斷五絲,横著線股間,繩之以象莙草,用以飾物,即名爲莙。於時當紺六色罽,作此莙以飾緄帶,張敞因造絲旁畏耳,宜作隈。’”

秦漢以來舊事十卷

《唐志》八卷。

華林故事名一卷

見《唐志》。

鄴城故事

章宗源《攷證》:“《太平御覽》兵部載石季龍凌霄觀、涼馬臺、紫陌浮橋三事。《寰宇記》河北道:‘西門豹爲令,造十二渠。今名安澤陂。’《御覽》地部同。並引《鄴城故事》。”

王愆期　救襄陽上都督府事一卷

見《舊唐志》。

桓玄僞事三卷

《舊唐志》云:“應德詹撰。”《御覽》卷二百五引二條。

大司馬陶公故事三卷

《北堂書鈔》、《藝文類聚》引作“陶侃故事”。《御覽》三百三十六:“《陶公故事》曰:‘臣侃言:郭默狂狡,肆行凶虐,負阻城險,用稽天誅,臣土山陵其城,樓櫓攻具備設。’”《類聚》七十三:“《陶侃故事》:‘侃上成帝螺杯一枚。’”《御覽》三百四十一:“《陶公故事》曰:‘臣侃奉獻金鐕白旄四枚。’”三百五十七:“《陶公故事》曰:‘臣侃奉獻金華大羌楯五十幡,青綾金華楯五十幡。’”

李嵩行事記

《通典》九十五引此書,記“娶同堂姊之女爲妻,姊亡服”事。又卷六十載“李嵩爲息邃婚張康女,未成禮而康有姊喪”事,亦當出此書。

郄太尉爲尚書令故事三卷

咸甯三年武皇帝故事

《晋書·禮志》引云:"王公大臣薨,三朝發哀,踰月不舉樂,其一朝發哀,三日不舉樂。"按此等皆當時案牘,未成典籍,故余既著録而删之。後見章氏《攷證》已列其目,故仍附於此書。

徐江州本事

徐甯附《桓彝傳》,仕至江州刺史。《世説·賞譽門》注引此。

石崇本事

《類聚》七十:"《石崇本事》曰:'崇有珊瑚如意,長三尺二寸。'"《書抄》一百三十五引《石崇故事》同,《御覽》七百三十又引作"石季倫本事"。

職官類

傅暢　晋公卿禮秩故事九卷

本傳:"暢爲《公卿故事》九卷。"

晋新定儀注十四卷

此與傅瑗《晋新定儀注》,疑是一書。

徐宣瑜　晋官品一卷　《通典》九十八有引"晋博士徐宣瑜議君亡宜從《公羊》"云云,八十四兩引徐宣瑜議,與杜凱同議,西晋人也。

章氏《考證》:"《文選·竟陵王行狀》注:'相國丞相緑綟綬。'《白帖》卷七十:'五中郎將,冠如將軍。'並引《魏晋官品》。"

尚書逸令

《御覽》五百四十二引此書"卞壺等奏"。

荀綽　百官表注十六卷

劉昭《續漢·百官志》注引九條,《輿服志》注引四條。《北堂書抄》引此書尤夥。

干寶　司徒儀一卷

《舊唐志》作“《司徒儀注》五卷”。《齊書・百官志》云:“晋世王導爲司徒,右長史干寶撰立《官府職儀》已具。”《藝文類聚》、《北堂書鈔》、《太平御覽》諸書並引之。

晋百官儀服録五卷

晋功臣表

《水經・温水篇》注:“象水又兼象浦之名,《晋功臣表》所謂‘金潾清逕,象渚澄深’者也。”

晋王公百官志

《御覽》七百七十五引之云:“蜀劉主得賜露車七十乘,孫主賜露車三十乘。”

大興二年定官品事五卷

陸機　晋惠帝百官名三卷

見《舊唐志》。

晋武帝太始官名

《御覽》二百九引此書云:“大司馬石苞,開通爽悟,秉意不羣。”《魏志・臧霸傳》注:“霸子舜,晋散騎常侍,見《武帝百官名》。此《百官名》,[①]不知誰所撰也,皆有題目,稱舜‘才穎條暢,識贊時宜’也。”

晋懷帝永嘉官名

《御覽》二百九引此書曰:“吏部郎温畿字元輔,世論以其爲人夷曠似玉。”

元康百官名

《通典》職官門引此書曰:“陳愼、戴熊,俱以都水使者領水衡都尉。”

---

① “此”下原脱“百”字,據中華本《三國志》補。

會稽貢舉簿

《吴志·妃嬪傳》注引《志林》曰："按《會稽貢舉簿》，建安十二年到十三年闕，無舉者，云府君遭憂，則吴后以十二年薨也。八年、九年皆有貢舉，斯甚分明。"

晋過江人士目一卷

見《唐志》。

衛禹　晋永嘉流士十三卷

見《舊唐志》。《新唐志》二卷。

永嘉流人名

《世説》注屢引之。

魏晋百官名五卷

晋百官名三十卷

《舊唐志》四十卷。

晋官屬名四卷

明帝東宫僚屬名

《世説·方正篇》注、《雅量篇》注並引之。

晋東宫百官名

《世説·任誕》、《排調》兩篇注並引之。

齊王官屬名

見《世説·方正篇》注。齊王，冏也。

伏滔　大司馬僚屬名

見《世説·賞譽篇》注。大司馬，桓温也。《品藻篇》注引《大司馬官屬名》，不題撰人。

征西寮屬名

《世説·言語篇》、《排調篇》注並引之。

謝安石寮屬名

《世説·豪爽篇》注引之。

庾亮寮屬名

《世説·文學篇》注引之。

庾亮參佐名

《世説·雅量篇》注引之。

晋官品令

《後魏書·禮志》:"劉芳議云:'案《晋官品令》所制九品,皆正無從,故以第八品準古下士。'"《初學記》職官部、《北堂書鈔》設官部、《太平御覽》職官並引之,章宗源録入《攷證》。又《唐六典》引《晋官品令》云:"游擊將軍四品。"《書抄》五十八:"《晋官品令》:'給事黄門四人,與侍中掌文案,讚相威儀,典署其事。'"又云:"給事黄門四人,大法駕,次立黄門郎,從駕也。"又引"舊侍中職掌"云云,又引"大法駕出"云云。

王朝目録

章宗源《考證》曰:"《世説·品藻篇》注:'《王朝目録》曰:"裴綽字仲舒,楷弟也。名亞於楷,歷中書、黄門侍郎。"'按《吴志·宗室·劉匡傳》注曰:'朗之名位,見《三朝録》。'疑與《世説注》所引,當是一書。然'王朝'、'三朝',未審孰是。"

儀注類

傅瑗　晋新定儀注四十卷　安成太守。

《通典》卷七十引晋武帝咸甯中定元正朝賀儀。《書鈔》一百四十、《御覽》七百七十五亦引之。《晋儀注》云:"皇后乘油畫雲母安車,駕騄馬,①油畫雲母安兩轅。"②

《御覽》二百七十四③:"摯虞《新禮》曰:'魏故事,遣將出征,符

① "騄"原作"六",據中華書局影印本《太平御覽》改。

② "兩"上原脱"安","轅"下衍"車"字,據中華書局影印本《太平御覽》改。

③ "二"原作"三",據中華書局影印本《太平御覽》改正。

節郎授鉞於朝堂[①]。新禮遣將,御臨軒,尚書授節鉞,古兵書"跪而推轂"之義也。[②]'"《通典》一百一:"《新禮》:'弟子爲師齊縗三月。'摯虞駁曰:'仲尼聖師,止弔服加麻,[③]心喪三年。淺教之師,蹔學之徒,[④]不可皆爲之服。或有廢興,悔吝生焉。宜定新禮,無復如舊。'"《酉陽雜俎續集》卷四引摯虞《初禮議》。[⑤]

晋雜儀注十一卷

《唐志》二十一卷。

晋尚書儀十卷

《唐志》有《晋尚書儀曹事》九卷。

甲辰儀五卷 江左撰。

《唐志》作"甲辰儀注"。《藝文類聚》卷十六、《北堂書抄》八十五並引之。《御覽》一百四十九亦引之。

徐廣 晋尚書儀曹新定儀注四十一卷

見《唐志》。

魏晋儀注

《左傳》襄公正義引《魏晋儀注》曰:"寫章表,别起行頭者,謂之跳出。"

晋元康儀

《初學記》卷十、卷十四並引之。

晋尚書儀曹雜禮儀注三卷

晋尚書儀曹吉禮儀注三卷

並見《唐志》。

晋先蠶儀注

---

① "授"原誤作"接",據中華書局影印本《太平御覽》改正。

② "古"原誤作"者",據中華書局影印本《太平御覽》改正。

③ "加"原误作"如",據中華本《通典》改正。

④ "蹔"原誤作"暫",據中華本《通典》改正。

⑤ "卷"上原衍"虞"字,據《二十五史補編》本删。

《宋書·禮志》、《後魏書·禮志》並引之。《通典》六十七引博士胡訥議云:"《先蠶儀》乃太康中事。"一百四十四引《晋先蠶儀注》云:"車駕往,吹小箛;發,吹大箛。箛即笳也。"《御覽》五百八十一同。陳暘《樂書》一百三十亦引《晋先蠶注》云:"凡車駕所止,吹小箛;發,大箛。其實胡笳也。"《御覽》五百八十一又引一條曰:"胡笳,漢舊録有其曲,不記所出本末。笳者,胡人卷蘆葉,吹之以作樂也,故謂曰胡笳。"

張華　封禪儀

《初學記》十三引之。

賀循　籍田儀

《續漢志》卷四注引之;卷二十九耕車注引賀循説二條,亦當出此書。

華恒　納后儀

《通典》卷十八曰:"成帝將納杜后,太常華恒始與博士參定其儀。"又引"華恒定六禮"云云。

摯虞　決疑要注一卷

《齊書·禮志》曰:"晋初,荀顗因魏代前事,撰爲《晋禮》,參攷今古,更其節文。羊祜、任愷、庾峻、應貞共删集,成百六十五篇。後摯虞、傅咸纘續此製,未及成功。今虞之《決疑注》是遺事也。"

徐廣　車服雜注一卷

《宋書》本傳:"義熙初,奉詔撰《車服雜注》。"《晋書》廣傳作"車服儀注"。章宗源《攷證》據《左傳正義》、《初學記》諸書所引,或作"廣《車服儀制》",或作"廣《車服注》",或作"廣《輿服雜注》",或作"廣《車服志》"。今案《隋書·禮儀志》一引《車服雜記》,一引徐氏《輿服注》,隋諱廣,故稱徐氏,史沿舊文。一引徐氏《雜注》,皆出此書,章氏偶遺之也。《通典》六十二、六十三、六十四、六十六並引徐廣説。《書抄》卷五十連引徐廣《衣服儀制》、徐廣《車服儀制》兩條。

晉鹵簿圖一卷

《隋書·禮儀志》曰:"《晉氏鹵簿》:'御史軺車行中道。'"《太平御覽》車部引《晉中朝大駕鹵簿》。《通典》六十六載"晉制,《大駕鹵部》"云云,幾二千言。

范汪　雜府州郡儀十卷

見《舊唐志》。

謝元　内外書儀四卷

劉臻妻陳氏　元日冬至進見儀

見《晉書·列女》本傳。按《初學記》卷四:"劉臻妻陳氏《進見儀》曰:'正月七日,上人勝於人。'"

晉喪葬令

《通典》九十九:"《晉喪葬令》曰:'長吏卒官,吏皆齊縗以喪服理事,若代者至,皆除之。'"《文選》三十八注引《晉令》曰:"諸葬者,不得作祠堂石獸。"亦當是《喪葬令》也。

晉服制令

《初學記》卷十:"《晉服制》曰:'婕好銀印青綬,佩采《御覽》作'朱'。璸玉。'"《御覽》一百四十四引作"晉服制令"。《齊書·輿服志》云:"《晉服制令》:'冠十三品。'"按《官品》、《喪葬》、《服制》,皆《晉令》之分篇。今用章學誠裁篇之例,别著其目。

晉鹵簿令

《太平御覽》車部屢引之。《書抄》一百三十引《鹵簿·叙》云:"南郊大駕,公卿奉引羣司百官,備千乘萬騎。"《御覽》八百九十二稱《晉中朝大駕鹵簿》。

裴憲　三正東耕儀

《書抄》一百二十九:"《趙書》云:'裴憲撰《三正東耕儀》,中書令徐光奏請親耕玫服,疑有誤。宜服青縑袴褶。'"《御覽》八百二十二:"《趙書》曰:'《東耕儀》:直殿中監鋪席於侍臣之南,北面解匣,出御耒,跽授黄門侍中,侍中釋劍,擎跽以穎授尊。太常讚曰:"皇帝親耕籍田,一推一反,三推三反。"成禮,侍中跽取耒,以授侍郎,以授殿中監,監復韜匣。'"

刑法類

杜預　律本二十一卷

《唐志》作"賈充、杜預《刑法律本》"。《晋書》預傳云:"與賈充等定律令,既定,預爲之注解,乃奏之。"《書鈔》四十五:"杜預奏事云:'被敕,以臣造新律事,律吏杜景、李復等造律,句疑有誤。皆未清本末之意者也。'"《唐六典》曰:"晋氏受命,命賈充等增損漢、魏律爲二十篇。一刑名,二法例,三盗律,四賊律,五詐僞,六請賕,七告劾,八捕律,九繫訊,十斷獄,十一雜律,十二户律,十三擅興律,十四毁亡,十五衛宫,十六水火,十七廐律,十八關市,十九違制,二十諸侯,凡一千五百三十條。"《陳書·儒林·沈洙傳》:"舍人盛權議云:'范泉今牒述《漢律》,云:死罪及除名,罪証明白,考掠已至,而抵隱不服者,處當列上。杜預注云:處當,證驗明白之狀,列其抵隱之意。'"

杜預　雜律七卷

張斐　漢晋律序注一卷　僮長。《晋書》作"明法掾"。

《通典》一百六十四曰:"明法掾張裴又注律,表上之。""裴"乃"斐"字之誤。[①] 按各書所引,章宗源録之已詳。然如《史記·孝文紀》索隱:"《漢律序》:'文帝除肉刑而宫不易。'張斐注云:'以淫亂人族類,故不易之也。'"《御覽》六百四十二引張斐

① "裴乃斐字之誤"原作正文大字,當爲文廷式所加小注。

《律序》曰:"徒加不過六,囚加不過五,罪已定爲徒,未定爲囚。累作不過十二歲,五歲徒犯一等加六歲,犯六等爲十二歲作。累笞不過千二百。"五歲徒加六等,笞之一千二百。按此條章氏録之不全,又無注,故補録。此皆明著斐注而章氏遺之。《齊書·孔稚圭傳》云:"張斐、杜預同注一章,而生殺永殊。"《一切經音義》卷十一:"張斐《解晉律》云:'小曰蝩,大曰蝗。蝩音丈凶反,又之容反。'"《晉朝雜事》曰:"泰始四年,歲在戊子,正月二十日,晉律成。"《御覽》六百三十七。

張斐 雜律解二十一卷

晉令四十卷

《書鈔》四十五引杜預《律序》云:"律者八,正罪名。令者八,序事制。二者相須爲用者也。"《唐六典》曰:"晉命賈充等撰《令》四十篇,一户,二學,三貢士,四官品,五吏員,六俸廩,七服制,八祠,九户調,十佃,十一復除,十二關市,十三捕亡,十四獄官,十五鞭杖,十六醫藥疾病,十七喪葬,十八雜上,十九雜中,二十雜下,二十一門下散騎中書,二十二尚書,二十三三臺秘書,二十四王公侯,二十五軍吏員,二十六選吏,二十七選將,二十八選雜士,二十九官衛,三十十贖,三十一軍戰,三十二軍水戰,三十三至三十八皆軍法,三十九、四十皆雜法。"《永樂大典》一百四十二引《晉令》云:"夷其民守護樱民者,一身不輸之。"疑此書明初尚存。《史通·史官篇》曰:"按《晉令》,著作郎掌起居集注,撰録諸言行勳伐舊載史籍者。"①《覈才篇》曰:"《晉令》云:'國史之任,委之著作,每著作郎初至,必撰名臣傳一人。'"

賈充等 晉故事三十卷

按《隋志》刑法類曰:"漢初,②蕭何定律九章,③其後漸更增益。

---

① "諸"原誤作"者","伐"原誤作"代",據文淵閣《四庫全書》本《史通》改。

② 原脱"初"字,據中華本《隋書》補。

③ 原脱"定"字,據中華本《隋書》補。

晋初,賈充、杜預删而定之。有律,有令,有故事。"而不著録此書。舊事類曰:"晋初,甲令以下,[①]九百餘卷,武帝命賈充博引羣儒,删采其要,增律十篇。其餘不足經遠者爲法令,施行制度者爲令,品式章程者爲故事。"然有《晋故事》四十三卷,而不著撰人,蓋此書至隋已佚矣。今據《唐六典》、《通典》録存其目。

晋彈事十卷

《唐志》九卷。

晋駁事四卷

晋雜制十六卷

《御覽》二百二十:"《晋制》曰:'中書令銅印墨綬,進賢兩梁冠,絳朝服,佩水蒼玉,乘軺車。'"

晋刺史六條制一卷

晋百官敕戒

《文心雕龍·詔策篇》:"晋武敕戒,備告百官:敕都督以兵要,戒州牧以董司,警郡守以恤隱,勒牙門以警衛,有訓典焉。"

沮渠蒙遜朝堂制

《沮渠蒙遜載記》:"命征南姚艾、尚書左丞房晷撰《朝堂制》,行之旬日,百僚振肅。"

燕律

《慕容超載記》:"超議復肉刑,乃下書境内,令博士以上參考舊事,依吕刑及漢、魏、晋律令,消息增損,議成《燕律》。"

雜傳類

摯虞　注趙岐三輔決録七卷

---

① 原脱"以下",據中華本《隋書》補。

《史通·補注篇》曰:"若摯虞之《三輔決録》,陳壽之《季漢輔臣》,周處之《陽羨風土》,常璩之《華陽士女》,文言美詞列於章句,委曲叙事存於細書。"張澍《二酉山房集本》二卷。

海内先賢行狀三卷

章宗源《考證》曰:"《唐志》著題李氏。《世説·德行篇》注引荀淑、鍾皓、陳紀三事,[①]稱'先賢行狀'。他書所引,[②]亦多省'海内'二字。惟《御覽》人事部引王烈、戴良、徐孺子、仇覽四事,稱'海内先賢行狀';職官部引故宗正南陽劉奉先爲督郵事,稱'漢魏先賢行狀'。"余按稱"漢魏先賢",則晋人書也。《後漢書·鍾皓傳》注稱"海内先賢傳",《初學記》十一引稱"先賢傳行狀"。

范瑗　交州先賢傳三卷

《唐志》四卷。

陳壽　益部耆舊傳十四卷 《漢書·張騫傳》亦引之。

《隋志》題"陳長壽"。按陳壽《魏名臣奏事》,[③]《隋志》總集類亦題"陳長壽",或承祚固有两名歟。《晋書》本傳:"壽撰《益部耆舊傳》十篇。"《華陽國志》曰:"益部自建武後,蜀郡鄭伯邑太尉及漢中陳申伯、祝元靈、廣漢王文表,皆以博學洽聞,[④]作《巴蜀耆舊傳》。陳壽以爲不足經遠,乃並巴漢,撰爲《益部耆舊傳》十篇。散騎常侍文立表呈其《傳》,武帝善之。"

益州耆舊雜傳記二卷

見《唐志》。《蜀志》注引作"益部"。

濟北先賢傳一卷

---

① "紀"原誤作"犯",據章宗源《隋書經籍志考證》改正。

② "他"原誤作"化",據《二十五史補编》本改正。

③ "按陳"原互倒,據《二十五史補編》本乙正。

④ 原脱"以博聞洽聞",據《叢書集成初編》本《華陽國志》補。

按陶淵明《集聖賢羣輔録》下引《濟北英賢傳》,[①]當即此。

常寬　續益部耆舊傳二卷

《華陽國志》:"常寬續陳壽《耆舊》,作《梁益篇》。"《隋志》無撰人名氏。

諸國清賢傳一卷

《隋志》列陳壽後、白褒前,蓋晋人書也。《唐志》"清"作"先"。

白褒　魯國先賢傳二卷　大司農。《藝文類聚》五十八引《魯國先賢志》記孔翊事。

《唐志》十四卷。《太平寰宇記》河南道引作"白褒《魯記》"。

張方　楚國先賢傳贊十二卷　《初學記》十三引張方賢《魯國先賢傳》曰:"古者先王日祭、月享、時類、歲祀。諸侯舍日,卿、大夫舍月,庶人舍時。"《御覽》七百三十九引《楚國先賢傳》記石偉事。

《舊唐志》題"楊方",誤。《新唐志》無"贊"字。

江敞　陳留人物志十五卷　東晋剡令。《類聚》五十八引《陳留志》記范喬事。

《舊唐志》作"江微",《初學記》人部亦引作"江微",《世説》注則作"江敞"。《元和姓纂》卷五曰:"陳留耆舊有王孫骨,治三《禮》,爲博士。"亦當出此書。

陳長文　陳留耆舊傳

《真誥·握真輔》第一:"楊羲書云陳長文撰《耆舊》,亦七十二人。陶宏景注云:'此陳留耆舊也。'"按《隋志》有陳英宗《陳留先賢像贊》,未知英宗即長文否。

習鑿齒　襄陽耆舊記五卷

《唐志》作"耆舊傳"。《郡齋讀書後志》卷一曰:[②]"《記》五卷。前載襄陽人物,中載其山川城邑,後載其牧守。記録叢雜,非傳體也,當從《隋志》。"據張金吾《藏書志》,今存一卷。

---

① 原脱"賢"字,據《二十五史補編》本補。

② "卷一"原互倒。

廣陵耆老傳

《御覽》八百六十七引此書"晋元帝時，有老姥鬻茗"事。

鍾離岫　會稽後賢傳記二卷　《方正門》注引，無"傳"字。

《通志·氏族略》曰："鍾離岫，楚人。"《世説》注屢引《會稽賢後記》，當即此書。

虞豫　會稽典録二十四卷

本傳："預著《會稽典録》二十篇。"

賀氏　會稽先賢傳像讚四卷

見兩《唐志》。《隋志》："《會稽先賢像讚》五卷。"不著撰人名氏。

留叔先　東陽朝堂像讚一卷　南平太守。按高似孫《史略》作"太山太守"。

《唐志》作"畫讚"。

陸胤　廣州先賢傳七卷

見《舊唐志》。《通志·藝文略》三："劉芳《廣州先賢傳》七卷，[①]陸胤志《廣州先賢傳》一卷。"章宗源曰："允名，《新唐志》作'允志'。《初學記》人事部引羅威事，稱'陸徹《廣州先賢傳》'，徹與胤字以相似易訛。《御覽》人事部引終寵、徐徵二事，稱'陸允《廣州先賢傳》'，他所引，多不著名。"按《御覽》四百九十九引劉欣期《交州記》，有陸允平趙嫗事。

長仲穀　山陽先賢傳　山陽人。

《元和姓纂》卷五："晋太宰参軍長仲穀著《山陽先賢傳》。"按長仲穀無攷，《姓纂》以仲長統爲長仲統，此亦當是誤倒。《隋志》別集類有《仲長敖集》，疑即此人。"敖"、"穀"形近而譌。《舊唐志》有仲長統《兖州山陽先賢讚》一卷，《新唐志》無"兖州"二字。按仲長統"統"字亦誤，疑即《姓纂》所稱也。

---

① "芳"原誤作"著"，據《二十五史補編》本、《通志》改正。

熊默　豫章舊志三卷　會稽太守。

章宗源曰:"《續漢·郡國志》注引新吴、上蔡、永修縣,江淮南昌縣、建城縣,葛鄉昌邑城慨口四事。[①] 又匡俗事,以《世説·規箴篇》注、《水經·廬江》注所引爲详。《後漢書·馮衍傳》注:'周生豐爲豫章太守,清約儉惠。'《藝文類聚》祥瑞部:'太守孔竺臨郡三月,白雀出。南昌夏侯嵩臨郡六年,[②]白雀見女羅。'鳥部:'太守李儀臨郡二年,白烏見南昌。'並《豫章舊志》。王象之《輿地碑記目》一卷。"

熊欣　豫章舊志後撰一卷

王謨《豫章十代文獻略》云:"按謝《志》引《南昌耆舊記》載熊默而不載欣,白《志》經籍載欣此書,作'豫章舊志後撰',於義爲長。"

零陵先賢傳一卷

《三國志注》、《水經注》、《藝文類聚》並引之。又《書抄》一百十八引此書曹操攻柳城事,一百二十三引此書劉璋將懷楊事。

劉彧　長沙耆舊傳讚三卷　臨川王郎中。

《舊唐志》作"劉成《舊邦讚》",誤。《新唐志》四卷。

賀氏　會稽太守像讚二卷

見《新唐志》。《舊唐志》入集部。

高範　荆州先賢傳三卷

《北堂書鈔》、《太平御覽》諸書並引之。《藝文類聚》六十八引羅獻事云"泰始三年",則晋人也。或作"荆州先德傳"。

華隔　廣陵烈士傳一卷

---

① "慨"原誤作"溉",據中華本《後漢書》改正。

② "昌"原誤作"宫",據文淵閣《四庫全書》本《藝文類聚》改。

見《唐志》。

聖賢高士傳贊三卷 嵇康撰,周續之注。

《唐志》作"上古以來聖賢高士傳"。《通志·藝文略》三云:"《上古以來聖賢高士傳贊》,周續之撰。《隋志》作續之注。"

習鑿齒 逸人高士傳八卷

見《唐志》。章宗源曰:"《太平御覽》禮儀部:'習鑿《逸人高士傳》曰:"董威輦,不知何許人,忽見於洛陽白社中。"'"按《書鈔》八十七引此條,題"習鑿齒《逸民傳》"。

皇甫謐 高士傳六卷

《宋志》十卷,今存本三卷。

皇甫謐 逸士傳一卷 《魏志》注卷一引此書王儁事。《御覽》三百八十、四百七十五。

《三國志注》、《文選注》並引之。《世説·品藻門》、《排調門》並引《逸士傳》,不著撰人。《御覽》四百九十六引皇甫謐《達士傳》記繆裴事,恐是"逸士"之誤。

張顯 逸民傳七卷

《唐志》三卷。《水經·潁水篇》注引之。案涼後主《李歆傳》有從事中郎張顯,當即此人。

葛洪 隱逸傳十卷

本傳。

孫盛 逸人傳

《初學記》人事部引此書丁蘭刻木事。《御覽》四百十四亦引之。"人"疑當作"民",唐人避諱改耳。

虞槃佐 高士傳二卷

《御覽》卷五百十引此《傳》皇甫士安、朱沖、劉兆、伍朝、郭文舉五條,皆晋時人。

束皙 三魏人士傳 七代通記

本傳。

孫綽　至人高士傳讚二卷　廷尉卿。

皇甫謐　玄晏春秋三卷

近人張澍有集本。

蕭廣濟　孝子傳十五卷　輔國將軍。

章宗源《考證》曰:"《世説·德行篇》注王祥,《初學記》人部閔損、鄧展勤、[①]殷惲、杜孝,《藝文類聚》人部嬀皓、産業部郭原平、獸部蕭固、鳥部蕭芝、鱗介部陳元,《太平御覽》地部三州人、兵部魏陽、人事部五郡孝子邢渠、隗通、辛繕、文讓、申屠君遊、宿倉舒、王鷩、伏恭、朱百年、郭世道、何子平、施延,並引蕭廣濟《孝子傳》。"陶方琦《漢孳室文鈔·蕭廣濟孝子傳輯本敘》曰:"余旾其逸文,共得數十。又從隋《玉燭寶典》得一則,唐釋湛然《輔行記》得二則,[②]《白帖》得一則,尤爲尠見。惟《輔行記》引三州人一則,末有云'梁朝破,三人離',疑'梁'或作'漢',字相似而誤也。《御覽》引何子平一則,有云'宋大明末','大明'乃宋武帝紀元,晋至大明末,相間幾十年,疑原書亦有後人增入矣。"

虞槃佐　孝子傳一卷

見《唐志》。

戴逵　竹林七賢論二卷　太子中庶子。

《聖賢羣輔録》列《竹林七賢》云:"袁宏、戴逵爲之傳,孫統又爲之讚。"

劉劭　幼童傳　劭,見《劉隗傳》。

《初學記》天部引晋明帝事,人事部引夏侯恭事,並稱"劉劭《幼童傳》"。今《隋志》有劉昭書。無劉劭書,或徐氏誤引,姑

---

① 按《初學記》人部無"鄧展勤"。又"人部"原作"人事部"。

② "得二則"原作"則二則",據《二十五史補編》本改正。

録存其目。俟攷。

徐廣　孝子傳三卷

見《唐志》。

項原　列女後傳十卷

《唐志》作"項宗"。《後漢書・列女傳》注引之。

皇甫謐　列女後傳六卷

《藝文類聚》三十五、《初學記》卷二十並引作"列女後傳",《魏志・龐淯傳》注、《曹爽傳》注並引作"烈女傳"。《御覽》四百八十二引謐《列女後傳》衛義嫗事。

綦毋邃　列女傳七卷　《元和姓纂》云:"江左有綦毋邃,爲邵陽太守。"

裴駰《史記集解》兩引之。

杜預　女記十卷

《新唐志》作"列女記",[1]本傳作"女記讚"。按《集聖賢羣輔録》引汝南太守李倀妻事,[2]云:"見杜元凱《女戒》。"當即此書。《太平御覽》引四事,章氏《攷證》已録之。

潁川棗氏　文士傳

宋邵思《姓解》引三條。按《類聚》二十五引《文士傳》記棗據嘲沙門於法龍事,疑亦出此書。

張隱　文士傳五十卷　一作"張隲"。

《崇文總目》尚著録十卷,云:"終謝靈運。"似誤。《玉海》引《中興書目》云:"載六國文人,起楚芊原,終魏阮瑀。"較爲得之。《新唐志》作"張隲",羣書所引,或作"隱",或作"鷙"。《魏志・王粲傳》注譏隲:"虚僞妄作,不可勝紀。"《宋志》著録五卷。

陶潛　聖賢羣輔録二卷

---

① "志"原誤作"傳"。

② "聖賢"原互倒,據《二十五史補編》本乙正。

今存。

袁宏　正始名士傳三卷　竹林名士傳三卷

《世説·賞譽門》曰:“袁宏作《名士傳》,直云王參軍。或云:‘趙家先猶有此本。’”

《世説·政事門》注引《名士傳》曰:“王承字安期,避亂渡江,元皇引爲從事中郎。”《文學門》注:“《名士傳》曰:‘阮修字宣子,好《老》、《易》,能言理,不喜見俗人。’”又曰:“劉伶字伯倫,沛郡人。肆意放蕩,土木形骸。”《方正門》注:“《名士傳》曰:‘夏侯玄以鄉黨貴齒,不論德位,年長者必爲拜。’”《雅量門》注:“王戎幼有神理之稱。”《識鑒門》注:“《名士傳》曰:‘山濤嘗與盧欽言用兵本意,武帝聞之曰:“山少傅名言也。”’”又曰:“王夷甫推歎濤‘晻晻與道合,深不可測。’”《賞譽門》注:“《名士傳》曰:‘阮咸任達不拘,及與之處,少嗜欲,哀樂過人。’”又曰:“夷甫天形奇特,明秀若神。”又曰:“郭象爲太傅主簿,任事用勢,傾動一府。”又曰:“阮瞻,夷任而少嗜欲,不修名行,自得於懷。”又曰:“庾敳雖居職任,從容博暢,寄通而已。”又曰:“敳不爲辨析之談,而舉其旨要。”《品藻門》注:“《名士傳》曰:‘敳頹然淵放,莫有動其聽者。’”《規箴門》注:“《名士傳》曰:‘何晏有重名,與魏姻戚,内雖懷憂,而無復退。著五言詩以見志。’”《容止門》注:“《名士傳》曰:‘裴楷病困,詔遣黄門郎王夷甫省之。’”《任誕篇》:“《名士傳》曰:‘阮籍喪親,不率常禮。’”又曰:“阮修性簡任。”《水經·清水》注引袁彦伯《竹林七賢傳》嵇叔夜採藥遇孫登事。按《世説·方正門》注:“《名士傳》曰:‘初,夏侯玄以鍾毓志趣不同,不與之交。玄被收時,毓爲廷尉,執玄手曰:“太初何至於此?”玄正色曰:“雖復刑餘之人,不可得交。”’按郭頒,①西晋人,時世相近,爲《晋魏世語》,事多詳覈。孫盛之徒,皆採以著書,並云玄距鍾會。而袁宏《名士傳》最後出,不依前史,

① 原脱“郭頒”二字,據徐震堮《世説新語校箋》補。

以爲鍾毓，可謂謬矣。"據此，則《世説》注所引《名士郭頒傳》，皆宏書也。本傳作"《竹林名士傳》三卷"，疑與《正史名士傳》各是一書。俟考。

袁宏　江左名士傳

按此所引謂此盡出劉義慶書。俟考。

虞預　諸虞傳十二篇

本傳。

王接　烈女後傳 一作"列"。

本傳云七十二人。

王愆期　烈女後傳 接子。

本傳。

綦毋邃　列女傳注

案《永樂大典》二百六："《列女傳》：'晋平公使工人爲弓，三年乃成，不穿一札，公怒，將殺工。其妻，繁人之女也，見公，曰："妾之夫造此弓亦勞矣，幹生泰山之阿，一日三覩陽三覩陰，傅以燕牛之角，纏以荆麋之筋，糊以河魚之膠，此四者，天下之選也。而不穿一札，是君不能射也，而反欲殺妾之夫，不亦謬乎？妾聞射之道，左手如拒，右手如附枝，右手發之，左手不知，此射之道也。"公以其言爲儀，而穿七札，弓工得出，賜金三鎰。'綦毋遽按當作'邃'。注曰：'繁人，官名。札，鎧札也。燕角善，楚筋細，河膠粘也。'"據此，則邃蓋注《列女傳》，明初猶存。《隋志》著録，或脱"注"字。按《御覽》七百七十一引《列女傳》趙簡子夫人事注："其毋遽曰：'河水激揚，濟之不易。'""其毋遽"亦"綦毋邃"之譌也。

荀勗　大列女圖　小列女圖

見《歷代名畫記》。本傳。

顧愷之　列女圖

宋黄伯思《東觀餘論》卷下云："顧長康畫《列女圖》，有蘧伯玉車形。"阮元《文選樓叢書》有影宋刻顧愷之畫《列女傳》。《史通·雜述篇》有趙采《忠臣傳》,①未知是晋人否。俟攷。

王廙　列女仁智圖　見張彦遠《歷代名畫記》卷五。

戴逵　列女仁智圖

見宋郭若虚《圖畫見聞志》卷一。《東觀餘論·跋仁智圖》云:"右《列女圖》,自密康公母至趙將括母,凡十五圖,攷於劉向《傳》,此乃畫《仁智》一卷像也。"按黄伯思不言戴逵作,當是别本。

管辰　管輅别傳三卷

按辰仕至州主簿、部從事,太康初物故。《魏志》注、《世説》注屢引之。

郄景興　東山僧傳

陸明霞　沙門傳

張孝秀　廬山僧傳

朱君台　徵應傳

唐釋法琳《破邪論》卷下云:"晋中書侍郎郄景興撰《東山僧傳》,中書令陸明霞撰《沙門傳》,治中張孝秀撰《廬山僧傳》,太原王延秀撰《感應傳》,吴興朱君台撰《徵應傳》。"

毌邱儉記三卷

《魏志·明帝紀》注:"《毌邱儉志記》云:'時以儉爲宣王副也。'"

王弼别傳

《世説·文學門》注引《弼别傳》云:"弼之卒也,晋景帝嗟歎之。"則晋人書也。

荀勗别傳

---

① "采",原誤作"宋",據文淵閣《四庫全書》本《史通》改。

《魏志·賈詡傳》注引之。

竺治濟　高逸沙門傳一卷

《歷代三寶紀》卷八云:"孝武帝世剡東岇山沙門竺法濟撰,《高僧·竺道潛傳》云:'法濟幼有才藻,作《高逸沙門傳》。'"

嵇喜　嵇康傳

見《魏志·王粲傳》注。

曹志別傳

見《魏志·陳思王植傳》注。

潘尼別傳

潘岳別傳

《世説·容止門》注。

盧諶別傳

《魏志·盧毓傳》注。

謝鯤　樂廣傳

夏侯湛　辛憲英傳

《魏志·辛毗傳》注:"《世語》曰:'毗女憲英,適太常泰山羊躭,外孫夏侯湛爲其傳。'"

何劭　王弼傳

見本傳。《藝文類聚》七十四引之。又《世説·文學門》注稱"王弼別傳"。

孫惠別傳

見《吴志·孫賁傳》注。

陸機　顧譚傳

《御覽》卷三百八十九、卷五百並引《顧譚別傳》。

陸機陸雲別傳

見《吴志·陸抗傳》注。　《世説·賞譽門》注引《陸雲別傳》,《御覽》八百七十八引《陸機別傳》,六百九十九亦引《陸機別傳》。以上並見《三國志》注。

郄鑒别傳

見《世説·德行門》注。

王乂别傳

《世説·德行門》注。

王祥世家

見《世説·德行門》注釋。《祥世家》曰:"祥父融,娶高平薛氏,生祥。繼室以廬江朱氏,生覽。"

桓彝别傳

《世説·德行門》注、《御覽》卷六十七。

王丞相别傳

王導也,見《世説·德行門》注。

阮光禄别傳

見《世説·德行門》注。又《栖逸門》注稱"阮裕别傳"。

劉尹别傳

見《世説·德行門》注。又《品藻門》注稱"劉惔别傳"。

范宣别傳

《世説·德行門》注。

王獻之别傳

見《世説·德行門》注。

王恭别傳

《世説·德行門》注。

夏侯湛　羊秉叙

《世説·言語門》注引之,亦别傳之屬。

秀向别傳

《世説·德行門》注、《文學門》注、《文選》卷二十一注、《御覽》四百九並引之。

衞玠别傳

《世説・賞譽門》注、《言語門》注、《初學記》十九並引之。

顧和别傳

《世説・言語門》、《賞譽門》注。

王含别傳

《世説・言語門》注。

孫放别傳

《世説・言語門》注、《夙惠門》注、《書抄》一百三十八並引之。

庾翼别傳

《世説・言語門》注。

桓温别傳

《世説・言語門》注、《政事門》注、《識鑒門》注。

顧凱之爲其父傳

《世説・言語門》注，凱之父名悦。

顧凱之别傳

顧愷之家傳

《世説・夙惠門》注。

王長史别傳

見《世説・言語門》注。《類聚》四十八稱“王濛别傳”。

孝文王傳

《世説・言語門》注：“《孝文王傳》曰：‘王諱道子，簡文皇帝第五子也，封會稽王，領司徒、揚州刺史，進太傅。爲桓玄所害。贈丞相。’”

王中郎傳

王坦之也，見《世説・言語門》注。

郄超别傳

《世説・言語門》注。

王胡之别傳

《世説・言語門》注、《賞譽門》注、《品藻門》注。

王司徒傳

王謐也,見《世説・言語門》注。

鍾雅別傳

《世説・政事門》注。

陸玩別傳

《世説・政事門》注、《規箴門》注並引之。

江惇傳

《世説・政事門》注。

殷浩別傳

《世説・文學門》注、《政事門》注並引之。

王珉別傳

《世説・政事門》注、《初學記》卷十一、《類聚》卷四十八並引之。

王敦別傳

《世説・文學門》注、《御覽》二百三十七並引之。

謝鯤別傳

《世説・文學門》注。

王述別傳

《世説・文學門》注、《方正門》注、《簡傲門》注並引之。

謝玄別傳

《世説・文學門》注。

左思別傳

《世説・文學門》注。

郭璞別傳

《世説・文學門》注、《術解門》注。

諸葛恢別傳

《世説・方正門》注、《傷逝門》注。

周顗别傳

《世説・方正門》注。

孔愉别傳

《世説・品藻門》注、《方正門》注、《栖逸門》注並引之。

蔡司徒别傳

蔡謨也,見《世説・方正門》注。

陶侃别傳

《世説・方正門》、《識鑒門》、《賢媛門》注並引之。

王彪之别傳

《世説・方正門》注。

羅府君别傳

羅含也,見《世説・方正門》注。又《規箴門》注稱"羅含别傳"。

祖約别傳

《世説・雅量門》注。

阮孚别傳

《世説・雅量門》注。

羊曼别傳

《世説・雅量門》注。

王劭别傳

見《世説・容止門》注。《御覽》三百八十九亦引之。

王薈别傳

見《世説・雅量門》注。《御覽》八百五十九"王薈别傳"。

石勒傳

《世説・識鑒門》注、《御覽》四百九十六、八百二十二、八百三十二引之,並稱"石勒别傳"。

王彬别傳

《世説·識鑒門》注。

王舒傳

《世説·識鑒門》注。

王澄别傳

《世説·賞譽門》注。

王邃别傳

《世説·賞譽門》注。

卞壼别傳

《世説·賞譽門》注、《任誕門》注並引之。

虞光禄傳

虞騴也,見《世説·品藻門》注。

郄愔别傳

《世説·品藻門》注。

陳逵别傳

《世説·豪爽門》注、《品藻門》注。

賀循别傳

《世説·規箴門》注。

桓沖别傳

《世説·夙惠門》注。

桓豁别傳

《世説·豪爽門》注。

桓玄别傳

《世説·德行門》注引兩條,《文學門》注引一條,《任誕門》注引一條。《唐志》有《桓玄傳》二卷。

周處别傳

《世説·容止門》注。

賈充别傳

《世説·惑溺門》注。

王汝南别傳

見《世説·賢媛門》注。《御覽》三百六十七稱“王湛别傳”。

謝車騎傳

謝玄也,《世説·雅量門》注。

郄曇别傳

《世説·賢媛門》注。

范汪别傳

《世説·識鑒門》注、《排調門》注。

蔡充别傳

《世説·品藻門》注、《排調門》注。

司馬晞傳

《世説·黜免門》注。

王雅别傳

《世説·讒險門》注。

何劭　荀粲别傳

見劭本傳。《魏志·荀彧傳》注引之,《世説·文學門》注、《惑溺門》注並引之,稱“荀粲别傳”。《書鈔》一百引何劭《荀粲傳》。

司馬無忌别傳

《世説·仇隙門》注。

高座别傳

《世説·德行門》注、《賞譽門》注引《高座傳》,《簡傲門》注引《高座傳》。

夏仲御别傳

《齊民要術》卷十引《夏統别傳》注,《御覽》八百五十一亦引

《夏統別傳》注,是此書有注本也。《初學記》卷四、《書抄》一百三十九、《御覽》五百八十一,並作"夏仲御別傳"。

孟嘉別傳

按《陶淵明集》有《孟嘉傳》。《世說·言語門》注、《識鑒門》注,《初學記》卷四,《書鈔》一百五十五,《御覽》三百九十三、三百六十五並引之,與淵明所撰略同。

孫登別傳

《藝文類聚》卷十九、《御覽》三百九十二、五百二。

王廙別傳

《世說·豪爽門》注、《仇隟門》注,《北堂書鈔》一百三十八。

許遜別傳

《藝文類聚》卷二十一、《御覽》四百二十四引之。

郭翻別傳

《藝文類聚》卷二十一、《御覽》四百二十四引之。

許邁別傳

《晉書》本傳云:"王羲之撰《許邁傳》。"《類聚》卷八十,《御覽》八百七十一、四百八十九。

曹毗　曹肇傳

《書抄》一百三云:"曹毗作《曹肇傳》。"《御覽》六百八十九亦引《曹肇傳》。

王蘊別傳

《藝文類聚》卷四十八引之。

王濛別傳

《世說·言語門》、《賞譽門》、《傷逝門》注,《初學記》卷十一,《書抄》五十七,《御覽》二百二十並引之。

張載別傳

《書鈔》卷九十八、卷一百並引之。

張華別傳

《初學記》卷十二、《北堂書抄》卷五十七、《太平御覽》卷二百三十四、五百九十七並引之。

裴楷別傳

《北堂書鈔》八十五、《御覽》三百八十八。

荀采傳

陳武別傳

《類聚》卷十九,《御覽》三百六十三、三百九十二、四百四十六、八百三十三並引之。此陳武乃石勒將,與《吴志》之陳武,别是一人。

王威別傳

《類聚》卷九十九:"《王威別傳》曰:'時有白燕來翔,被令爲賦。'"

傅宣別傳

《初學記》卷十二。

梅陶自叙 《史通·序傳篇》云:"揚雄已降,自叙始以誇尚爲宗。① 至魏文帝、傅玄、梅陶、葛洪之徒,又踰於此。"原書"梅陶"誤"陶梅","踰"誤"喻",今改正。

《初學記》十二引之,《御覽》六百四十九引之。

许肅別傳

《初學記》卷十七:"《許肅別傳》曰:'肅爲愍帝侍中,帝送平陽。頃之,劉聰陰行鴆毒,帝因食心悶,欲見肅,肅馳詣前,帝已不能語,執肅手流涕,肅欷歔登牀,帝遂殂於扶抱之中,晝夜號泣,哀感異類。'"《御覽》四百十八引之尤詳。《晋書》不爲許肅立傳,何以勸事君? 蓋失之矣。

荀顗家傳

① "尚"下原衍"書"字,據上古點校本《史通通釋》、《二十五史補編》本删。

《初學記》卷十一:"《荀彧當作'顗'。家傳》曰:'顗爲司空,文帝平蜀,議復五等,表魏朝,使公言禮儀,中護軍賈充正法律,尚書裴秀議官制。公遂删定舊文,行正式,爲一代之典。書成奏上,藏於秘府。'"

庾異行别傳

《御覽》八百二十四引《庾異原誤作"廙"。行别傳》。按《孝友·庾衮傳》云:"世號之爲異行。"

李劭别傳

《初學記》十八:"《李劭别傳》曰:'公居貧而不好修産業,稻田三十畝,第宅一區。'"

袁宏　山濤别傳

《初學記》卷十八、《御覽》四百九。

趙穆别傳

《世説·賞鑒門》注引《趙吴郡行狀》。《初學記》卷二十、《北堂書鈔》卷三十三。

庾亮别傳

《書鈔》五十七、六十九。

顔含别傳

《書抄》五十八,《類聚》四十八,《御覽》二百十九、三百八十九並引之。

何劭　荀粲傳

見本傳。《書鈔》卷一百引之。

傅威别傳

《書鈔》六十六:"《傅咸别傳·序》云:'友人魯仲叔,雅量宏濟。'"又卷一百引《傅咸别傳》云:"咸少屬文,不貴詞人之賦,潁川庾純嘗歎曰:'傅長虞之意不可及也。'"

傅巽别傳

《御覽》三百二十二引之。

葛洪别傳

《書鈔》九十七。

杜祭酒别傳

《書抄》一百三十四、一百三十六,《御覽》一百五十七、三百八十五、七百七亦引之。祭酒,杜夷也。《御覽》一百五十七所引爲桓宣武事,與杜夷無涉,似有誤。

孫略别傳

《書鈔》一百三十四、《御覽》七百七。

吴猛别傳

歐陽建别傳

《書鈔》卷一百引之。

以上並見《北堂書鈔》。

石虎别傳

《御覽》卷三十四。

雷焕别傳

《書抄》一百二十二,《御覽》三十七、三百四十三、四百六十七並引之。

徐邈别傳

《御覽》三百八十五:"《徐邈别傳》曰:'君諱邈,字仙民,東莞人。岐嶷,朗惠,[①]聰悟,七歲涉學,詩賦成章。'"《御覽》一百八十:"《徐邈别傳》曰:'邈字仙民,舉世諮承,傳爲定範。舊疑歲神在卯,此宅之左,即彼宅之右地,何得俱忌。邈以爲太歲之屬,自是遊神,譬如日出之時,向東背朔,非爲定體。'"

羊祜别傳

---

① "朗"原誤作"即",據中華書局影印本《太平御覽》改正。

《御覽》二百三十九、八百三十七。

桓石秀別傳

《御覽》二百五十五。

祖逖別傳

《御覽》二百五十八。

江祚別傳

《御覽》三百六十二。

江虨別傳

《御覽》五百一十一、七百五十四。

傅玄　傅嘏別傳

嚴可均《全晉文》曰:"見《魏志·劉表傳》注,《書鈔》七十六,又《魏志·傅嘏傳》注。據《世説·識鑒篇》注、《書鈔》六十、《白孔六帖》七十六、《御覽》四百四十七校。"按《御覽》三百八十五亦引之。

何禎別傳

《御覽》三百八十五引之。《魏志·管甯傳》注引《文士傳》曰:"禎字元幹,廬陵人。入晉,爲尚書、光禄大夫。"

嵇紹　趙至敍

《世説·言語門》注引之,亦別傳之屬。

趙至別傳

《御覽》三百八十五。

謝安別傳

《御覽》三百八十。

王祥別傳

《御覽》四百九十六。

蔡克別傳

《御覽》八百十六引之。

潘京别傳

《御覽》六百八十八。

桓任别傳

《御覽》七百一。　又七百七引作“桓任傳”。

張蕪别傳

《御覽》七百十二：“《張蕪别傳》曰：‘蕪小時，母謂其寒，且作袴。蕪曰：“且作襦，如熨斗著火，[1]柄亦熱。”’”以上並見《太平御覽》。章宗源曰：“凡别傳一百八十四家，《隋》、《唐志》皆不著録，無從攷其卷數。諸書所見篇目，《御覽》備彙其全，《初學記》等亦或互見，今從簡略，故不重載。”今亦略用其例。

孫綽作　孫登傳

見《水經·清水篇》注。

江逌　阮籍序贊

見逌本傳，疑亦别傳之類，録之。

趙吴郡行狀

趙穆也。見《世説·賞譽門》注。

孫綽　嵇中散傳

《文選》卷二十一注引孫綽《嵇中散傳》曰：“嵇康作《養生論》，入洛，京師謂之神人，向子期難之，不得屈。”

殷羡言行

《世説·政事門》注、《品藻門》注並引之。後世言行録昉此。

郭沖　諸葛亮隱没五事一卷

見《唐志》。

傅暢自叙

《書抄》七十三，《御覽》二百六十五、三百八十五、六百九十

---

① “火”原誤作“大”，據中華書局影印本《太平御覽》改正。

一、六百九十六並引之。

傅咸自叙

《御覽》卷十一引之。

晋氏后妃别傳

《御覽》一百四十九引之。

謝敷　觀世音應驗傳

《隋志》。[①] 智顗《觀音義疏》卷三上云:[②]"晋世謝敷作《觀世音應驗傳》,齊陸杲又續之。"

趙至自叙

《御覽》三百六十六、三百六十八引之。

皇甫謐自序

《御覽》七百三十九引之。

葛洪　郭文傳

庾闡　郭文傳

《隱逸·郭文傳》曰:"葛洪、庾闡並爲作傳,贊頌其美云。"

袁準自叙

見《魏志·袁涣傳》注引《袁氏世紀》。

杜預自叙

《御覽》四百三十一引之。

庾珉别傳

《御覽》四百十八:"《庾岷别傳》曰:'岷字子居,位列侍中。劉曜作亂,京都傾覆,岷時直在省,謂僚佐曰:"吾必死此屋内。"既天子蒙塵,岷與許遐等侍從。曜設會,使帝行酒,岷至帝前,乃慨然流涕,曜曰:"此動人心。"即時遇害。'"晋時附《庾

① 按《隋志》未著録此書,但著録王延秀《感應傳》八卷,疑此處有闕文。

② "顗"上原脱"智"字,今補。

峻傳》,作"珉字子琚",記事亦小異。

王彪之自序

《御覽》七百五十引之。

王丞相德音記

《世説·汰侈門》注引之。

張鴻傳

《御覽》九百一十九引《張鴻傳》曰:"鴻爲慕容晃黄門郎,甚寵愛之。頤下黄鬚三根,長寸餘,乃遣出宫看鵝、鴨。"

地志類

郭璞　山海經注二十三卷　山海經圖讚二卷

今存。

山海經音義

郝懿行《山海經箋疏·敍》云:"郭注《南山經》,兩引燦曰。其注《南荒經》昆吾之師,又引《音義》云云。是必郭以前音訓注解人,惜其姓、字、爵里與時代俱湮,良可於邑。"

張駿　山海經圖讚

《御覽》九百三十七。九百三十九又引張駿《山海經飛魚讚》。《初學記》卷二十九引之,作"山海經圖畫讚"。

郭璞　注水經三卷

《通典》一百七十四云:"《水經》既順帝時所撰,都不詳悉。景純注解,又甚疏略,亦多迂怪。"

王演　山記

《初學記》卷五:"謝靈運《遊名山志》曰:'地肺山者,王演《山記》謂之木榴山,一名地肺。'"

泰始郡國圖

杜預《春秋釋例》卷五曰:"今所畫圖,本依官司空圖,[①]據泰始之初郡國爲正。"

裴秀　禹貢地域圖十八篇

見本傳。案張彦遠《名畫記》卷三云:"裴秀《地形方丈圖》一。"是唐時猶存。

洛陽記四卷

無撰人名氏。章宗源《攷證》得七條。如《水經・穀水》注引《洛陽記》云:"千金堨,魏時所脩。"則晋人語也。

陸機　洛陽記一卷

章宗源《攷證》得六條。按《後漢書・鮑永傳》注引此書曰:"上商里在洛陽東北,本殷頑人所居,故曰上商里宅也。"《御覽》一百九十五:"陸機《洛陽記》曰:'宫門及城中大道皆分作三。中央御道,兩邊築土墻,高四尺餘,外分之。唯公卿尚書章服道從中道。[②] 凡人皆行左右,左入右出,夾道種榆槐樹,此三道、四通、五達也。'"此其所遺也。

洛陽宫殿簿一卷

《日本見在書目》尚有此書。

洛陽宫舍記

章宗源《考證》:"《文選・東都賦》、《耤田賦》注,《初學記》居處部並引《洛陽宫舍記》,《御覽》珍寶部引《洛陽宫殿記》。"

洛陽故宫名

章宗源《攷證》:"《水經・穀水》注,《文選・求爲諸孫置守冢人》注、《劉公幹贈徐幹詩》注,《初學記》居處部,《藝文類聚》居處部,《太平御覽》居處部並引《洛陽故宫名》。《續漢・禮

① "司空圖"下原衍"司空圖"三字,據《叢書集成初编》本《春秋釋例》删。

② "道從"原作"過從",據中華書局影印本《太平御覽》改。

儀志》注稱《洛陽宫閣傳》,《百官志注》引《洛陽宫門名》。《後漢書·光武紀》注,又《初學記》居處部、《藝文類聚》居處部並引《洛陽宫殿名》。《後漢書·安帝紀》注引《洛陽宫閣名》。"余按《世説·巧藝門》注又引作《洛陽宫殿書》。

楊佺期　洛陽圖一卷　《隋志》題"懷州刺史"。錢大昕《攷異》曰:"晉無懷州,當是'雍州'之譌。"

《新唐志》作"洛城圖",《通志》從之。按章宗源《考證》凡録各書所引,或稱"洛陽記",或題"楊龍驤",則以佺期曾爲龍驤將軍也。又《文選》卷二十注引楊佺期《洛陽記》:"東宫之北曰玄圃園。"《藝文類聚》六十四引楊龍驤《洛陽記》曰:"顯陽殿,北有避雷室,西有御龍室。"《太平御覽》九百引楊龍驤《洛陽記》:"石牛在城西,石虎當衰,石牛夜唤,聲聞三十里,事奏虎。虎遣人打落牛兩耳尾,以鐵釘釘四脚,今具存。"[①]則其所遺也。張彦遠《名畫記》云:"楊佺期撰《洛陽圖》,一名《楊宫圖狀》。"《通志·圖譜略》云:"臣見楊佺期《洛京圖》。"是此書南宋猶存。又云記有楊佺期《唐洛陽京城圖》,則漁仲誤也。

華延儁　洛陽記

章宗源《考證》:"《北堂書鈔》樂部、《初學記》橋部、《後漢書·皇后紀》注、《太平御覽》服用部、《寰宇記》河南道並引華延儁《洛陽記》。"《御覽》一百八十七、一百八十八、一百九十四居處部亦引之,一百九十五稱"華氏《洛陽記》",六百九十九亦引之,一百七十九稱"華延儁《洛中記》"。

戴延之　洛陽記一卷

見《唐志》。

---

① 原闕"石牛在城西"至"今具存",據中華書局影印本《太平御覽》補。

晋宫閣名

《初學記》、《藝文類聚》、《文選注》諸書多引之。《詩·豳風》疏引作"晋宫閣銘"。

晋宫闕簿

《太平寰宇記》河南道引此書云:"宣武觀在大夏門内東北上。"

河南郡縣境界簿

《文選·閒居賦》注、阮籍《詠懷詩》注、《宋孝武宣貴妃誄》注並引之。《御覽》一百九十六引《河南十二境簿》,當即此。

晋中州記

《水經·穀水篇》。

戴延之　西征記二卷

按《隋志》既録此書,又有戴祚《西征記》一卷。章宗源《攷證》云:"《封氏聞見記》言祚晋末從劉裕西征姚泓,《水經·洛水》注言延之從劉武王西征,是祚乃延之名,而以字行也。《隋志》重出。"《唐志》惟有戴祚,無延之。《隋志》又有《宋武北征記》一卷,戴氏撰,亦當是祚所作,兹不録。

伏滔　北征記

《御覽》一百九十二引之曰:"梁國名,故宋國微子所封城。再重土城,梁孝王所築。"四十三:"伏滔《北征記》曰:'都梁山有都梁香草,因以爲名。'"五十三:"伏滔《北征記》曰:'博望城内有成湯、伊尹、箕子冢,今皆爲邱。'"《文選》卷二十六注:"伏韜'韜'当作'滔'。《北征記》曰:'石頭城,建康西界,臨江城也,是曰京師。'"卷三十注:"伏滔《北征記》曰'黎陽,津名也。'"《類聚》卷九引之曰:"廣陵西一里,水名公路浦,袁術自九江東奔袁譚於下邳,由此浦渡,因名也。"《初學記》卷八引之誤作"侯滔"。曰:"下邳城,韓信所都也。中城,吕布所守,南臨白樓門。"《御覽》六百十八亦引此條,作"二千餘卷"。九百九:"伏滔《北征記》曰:'皇天塢北,古時陶穴,晋時有人逐狐,入穴,行十餘里,得書三千卷。'"又曰:"河冰厚數丈,冰始合,車馬未過,須狐先行,此物善聽,聽水無聲乃過。"一百八十七:"伏滔《北征記》曰:'廣陵,吴王濞所都,大城得柏柱三,皆柏心,蓋吴濞門柱也。'"一百七十五:"伏滔《北征記》曰:'梁城東有韓馮墓,去城二里東蘭殿,是宋王住殿。'"

周處　風土記三卷 平西將軍。

《左傳》宣十二年正義:"周處《風土記》:'鯨鯢,海中大魚也,俗説:出入穴即爲潮水。'"新、舊《唐志》俱十卷。《史通·補注篇》云周處《陽羡風土》,又云:"委曲叙事,存於細書。"今各書所引有自注,章宗源《攷證》甚詳。嚴可均有集本一卷,得二百三十餘事。姚鼐《江甯府志》卷五十五云:"此書昔人謂專記陽羡風土,然如辨吴、越歷山之見《水經注》河水下,記洞庭地脈之見《編珠》卷一,按《編珠》僞書,不足據。皆概言吴、越風土,非專志陽羡也。"

京兆舊事

《集聖賢羣輔録》引之。

皇甫謐　地書

《北史·崔廓傳》:"子賾,大業四年,從駕往太山,詔問賾何處有羊腸坂。賾曰:'臣按皇甫士安《地書》,太原北九十里有羊腸坂。'"

顧夷　吴郡記一卷

按《隋志》複出顧夷《吴郡記》二卷。又按《後漢書·楚王英傳》注引顧夷《吴地記》,《續漢志》吴郡注、《史記·始皇本紀》、《高祖本紀》集解並引顧夷説。

顧長生　三吴土地記

宋王象之《輿地碑記目》云:"《三吴土地記》,顧長生作。"按《太平寰宇記》卷九十四引之 。

張勃　吴地記一卷

見《唐志》。按《宋書·州郡志》:"新城,《晋太康地志》無,張勃云:'晋末立。'疑是太康末立,尋復省也。"《志》又兩引《吴記》,當出此書。又《文選》卷二十八陸機《吴趨行》注引張勃《吴録》云:"八族,陳、柏、吕、竇、公孫、司馬、徐、傅也。四姓,朱、張、顧、陸也。"《太平御覽》四百六十七引張勃《吴録》湛廬之劍夜飛去楚事,陸廣微《吴地記》引張勃《吴録》"五湖者,太湖之别名",此等皆不甚關孫氏事,疑並出此書矣。

揚州記

《世説·言語門》注:"《揚州記》曰:'冶城,吴時鼓鑄之所,吴平猶不廢,王茂宏所治也。'"

劉芳　徐地録一卷

見《唐志》。章宗源《攷證》曰:"《北堂書抄》藝文部:'徐州有秦始皇碑。'地理部:'延陵縣南有茅君山。'《寰宇記》河南:'地合鄉故城,古之互鄉。'又云:'後漢承宫躬稼於蒙山。'並引劉芳《徐州記》。"

荀綽　九州記

案《魏志·袁涣傳》注:"涣子準,荀綽《九州記》稱準有儁才。"核以羣書所引,實《兖州記》之文,疑晋、宋時止傳兖、冀二《州記》,餘七州絶無可徵引者矣。

荀綽　兖州記

章宗源《攷證》曰:"《世説·文學篇》注引此書云:'袁準有俊才,太始中位給事中。'"《北堂書鈔》設官部、《藝文類聚》職官部、《御覽》職官部所引並同。余按《魏志·杜畿傳》注、《鍾會傳》注,《世説·品藻門》注,《初學記》卷十二並引此書,章氏偶未檢也。

荀綽 冀州記

《魏志·陳思王植傳》注、《崔琰傳》注、《裴潛傳》注、《牽招傳》注、《夏侯尚傳》注,《世説·德行門》注、《言語門》注、《品藻門》注,《文選·沈休文奏彈王源》注,《御覽》卷二百四十七並引此書。又《世説·言語門》注引《冀州記》曰:“裴頠宏濟有清識,稽古,善言名理,履行高整,自少知名。歷侍中、尚書左僕射。爲趙王倫所害。”此條不稱撰人。

喬潭 冀州記

《書鈔》六十五:“喬潭《冀州記》云:‘裴康字仲預,楷字叔則,並爲名士。至太子衛率。’”按《御覽》二百四十七引荀綽《冀州記》,與此文同。然“喬潭”字與“荀綽”字不近,不得致誤,今仍别存其目。

裴秀 冀州記

《史記·封禪書》索隱:“顧野王按裴秀《冀州記》曰:‘緱山仙人廟者,昔有王喬,犍爲武陽人,爲柏人令,於此得仙,非王子喬也。’”

賀循 會稽記一卷

《御覽》四十七石簣山條引賀循《記》。

庾仲雍 荆州記

范汪 荆州記

《初學記》、《類聚》、《御覽》諸書多引之,或作“荆州記”,蓋涉“汪”字而誤。《書抄》一百六引茂汪《州記》云:“舜葬九疑,民俗始作《韶歌》。”孔校云:“疑是《荆州記》。”

譙周 益州記

《文選·蜀都賦》注引之。按《寰宇記》、《太平御覽》有引杜預《益州記》者,皆“任預”之譌,今不取。

譙周 三巴記一卷

章宗源《考證》曰:"《玉篇·巴部》:'閬白水,東南遶,如巴字。'《類聚》樂部:'閬中有渝水,賨民鋭氣善舞,高祖使樂人習之,故樂府中有《巴渝舞》。'《御覽》人事部、禮儀部並引巴國將軍曼子事,俱見譙周《三巴記》。《續漢·郡國志》注引有《巴漢志》。"余按《續漢志》注引譙周《巴記》曰:"初平六年,趙穎分巴爲二郡,欲得巴舊名故郡,以墊江爲治,漢以下爲永甯郡。建安六年,劉綽分巴,以永甯爲巴東郡,以墊江爲巴西郡。"其餘引《巴漢志》八條,《巴記》四條,皆不著名,蓋《巴漢志》非譙周書也。

蓋泓　珠崖傳一卷 僞燕聘晋使。

《初學記》卷八引《珠崖傳》。

王範　交廣二州記一卷

見《唐志》,疑即《交廣二州春秋》之殘帙也。

劉欣期　交州記

近人南海曾釗集此書二卷,刻入《嶺南遺書》。《左傳》宣二年正義引作"劉歆期"。

黄恭　交廣記

恭,見《廣州人物傳》。按《藝文類聚》地部引苗恭《交廣記》,"苗"、"黄"形近而譌。《太平御覽》州郡部引作"黄恭",不誤。又二百六十五職官部引黄義仲《交廣二州記》,義仲蓋恭字也。《御覽》四百四十引黄恭《廣南記》,一百五十七引黄恭《交廣記》。《書鈔》七十二引黄恭《交州記》。《御覽》三百九十一亦引黄義仲《記交廣》,與二百六十五同記尹牙事。

裴淵　廣州記二卷 《左傳》宣十二年正義引之。

阮元《廣東通志》云:"黄《志》作二卷,不著年代。謹案酈道元《泿水》注已引之,則淵蓋晋人也。"今案賈思勰《齊民要術》卷十亦引之,近人曾釗有集本。

裴淵　海東記

《北堂書抄》一百三十六："裴淵《海東記》曰：'俚獠貴銅，鑄銅大鼓，東海豪富子女以金銀爲大釵，執以叩銅鼓，叩竟，留遺主人，號之曰銅鼓釵。'"《御覽》十八引此作"廣州記"，今仍據《書鈔》分列其目。《書抄》七十九、一百五十七又引裴淵《南海記》。

俞益期　交州牋 豫章人。

《水經注》屢引之。《類聚》八十七果部引俞益期《牋》。《北堂書抄》一百十九稱"喻益期《牋》"。《御覽》八百三十九、一百八十七引俞益期《牋》，七百七十一稱俞益期《與韓豫章牋》。戴凱之《竹譜》注引俞益期《與韓康伯書》、《豫章書》，分書與牋爲二，似誤。《續談助》卷四引俞期益《交州牋》云："俞益期，交州人，與韓康伯送至交州云云。"

鄧中缶　交州記三卷 《豫章古今記》云："豫章人。"

王謨《豫章十代文獻略》云："案《通志》引《豫章書》作中缶，别無可攷，疑亦流寓交州者也。"

王隱　交廣記

《吴志·吕岱傳》注引之，疑是"王範"之誤，姑録以備攷。

陸翽　鄴中記三卷

今存一卷。

三輔故事二卷

《隋志》稱晋世撰，張澍《二酉山房》有集本。

潘岳　關中記一卷

見《舊唐志》。《水經·渭水》注，《文選》卷二十二、二十七注並引之。《真誥·握真輔》第一録此書十條。《初學記》卷三："潘岳《關中記》曰：'桂宫，一名甘泉，又作近風觀、寒露臺以避暑。'"卷七："潘岳《關中記》曰：'昆明，漢武習水戰也，中有靈沼神池,云堯時理水訖,停舟此池。'"又曰:"漢武作昆明池,人釣魚綸絶而去,夢於帝求去其鈎。"①《御覽》五十七引三則。

摯虞　畿服經一百七十卷

《隋志》云:"摯虞依《禹貢》、《周官》作《畿服經》,其州郡及縣分野、封略事業、國邑、山陵、水泉、鄉亭、城郭、道里、土田,民物風俗、先賢舊好,按疑是'舊姓'之誤。靡不具悉,凡一百七十卷。"

阮籍　宜陽記

《御覽》四十二引此書曰:"金山之竹,堪爲笙管。"

葛洪　關中記一卷

見《宋志》。《書録解題》云:"所載殊簡略。"《玉海》引《中興書目》曰:"《關中記》一卷,晉葛洪撰,載長安山川及宫殿陵廟。"

晏謨　齊地記二卷

見《唐志》。章宗源《攷證》曰:"《水經·濟水》注、《元和郡縣志》河南道並引晏謨《齊記》。《寰宇記》亦多引之。《晋書·慕容德載記》:'德如齊城,望晏嬰冢,曰:"平仲死葬近城,豈有意?"青州刺史晏謨對曰:"臣先人儉以矯世,豈擇地而葬乎?"德問謨以齊之山川邱陵、賢哲舊事,謨歷對,詳辯畫地成圖。德深嘉之。'"《御覽》四十二作"晏謀",誤。

伏琛　齊記

《水經·濟水》注引之。《初學記》卷二引作"伏琛《齊地記》"。又《水經·河水篇》注云:"又東逕千乘城北,伏琛之所謂千乘北城者也。"是伏琛亦可稱伏琛之。《御覽》一百七十七引伏

① "夢"原作"薦",據中華本《初學記》改。

滔《地記》述琅邪臺秦碑事，疑是伏琛《齊地記》之誤，今不録。一百五十七、二百九十四稱“伏琛《齊地記》”，卷四十二引伏琛《齊記》，五十六、七十一“伏琛《齊地記》”。

顧徽　廣州記

《御覽》、《類聚》諸書多引之。《唐書・宰相世系表》：“顧榮，晋司空。弟徽，侍中，又居監官。”

常寬　蜀志一卷 東京武平太守。

袁休明　巴蜀記

《水經・若水》注引此書曰：“堂琅縣西，高山嵯峨，嶺石磊落，傾側縈迴，下臨峭壑。行者攀緣，牽援繩索，三蜀之人及南中諸郡以爲至險。”

張華　注東方朔神異經一卷

《新唐志》二卷，今存。

李彤　聖賢冢墓記一卷

《類聚》八十八：“《聖賢冢墓記》曰：‘東平思王歸國，思京師。後薨，葬東平，其冢上松柏皆西靡。’”《後漢書・張衡傳》注：“《聖賢冢墓記》曰：‘馮夷者，宏農華陰潼鄉隄首里人，服八石，得水仙，爲河伯。’”《御覽》一百八十八：“《聖賢冢墓記》曰：‘東平思王奢靡，及死，生葬所幸奴婢，着銅窗内，令守冢。’”

太康三年地記五卷

見《舊唐志》。《新唐志》六卷。《宋書・州郡志》：“始甯，《晋太康三年地志》有。”《魏志・陳羣傳》注云：“案《晋太康三年地記》，晋户有三百三十七萬。”《吴志・孫皓傳》注：“《太康三年地記》曰：‘吴有太初宫，方三百丈，權所起也。昭明宫，方五百丈，皓所作也。’”餘書多引作“太康地記”，或作“太康地記”。近人畢沅有集本。

太康土地記十卷

見《新唐志》。

太康三年州郡縣名五卷

太康郡國志

《通典》卷五十四引《太康郡國志》三條,載秦、漢事甚詳,與《太康地記》當别是一書。

元康三年地記六卷

《藝文類聚》卷六:"《元康地記》曰:'荆州於古,蠻服之地也。秦滅楚,置郡縣,漢武分爲交州,至魏晋而荆州所部郡國二十。'"

元康六年户口簿記三卷

《宋書·州郡志》云:"以太康、元康定户。"

元康六年地記三卷

晋中州記

《水經·穀水》注:"《晋中州記》曰:'惠帝爲太子,出,聞蝦蟆聲。問人:"爲是官是私?"侍官賈充對曰:"在官地爲官蝦蟆,在私地爲私蝦蟆。"令曰:"若官蝦蟆,可給廩。"'"

永甯地志

《宋書·州郡志》:"董覽《吴地誌》云:'晋分永世。'《太康》、《永甯地誌》並無,疑是江左立。"

羅含　湘中山水記三卷

見《宋史·藝文志》。《崇文總目》云:"《湘中山水記》三卷,羅含撰,盧拯注。"《書録解題》云:"其書頗及隋、唐以後事,則亦後人附益也。"《史通·覈才篇》曰:"羅含、謝客宛爲歌頌之文。"

庾仲雍　湘中記

《藝文類聚》山部引此書曰:"桂陽郴縣東北有馬嶺山,蘇耽所栖遊處，因而得仙。後見耽乘白馬還此山，因名馬嶺。”

庾仲雍　湘洲記二卷

章宗源《攷證》曰：“《初學記》天部‘零陵山有石燕’，地理部‘應陽縣蔡子池南有石臼，云是蔡倫舂紙石’，並引庾仲雍《湘洲記》。《御覽》地部：‘君山，昔秦皇欲入湘觀衡山，遇風浪，至此山而免。’此稱庾穆之《湘洲記》。”

庾仲雍　漢水記五卷

《水經·漾水》注：“庾仲雍又言，漢水自武遂川南入蔓葛谷，越野牛，逕至關城，合西漢水。”

袁山松　宜都山川記

《水經注》、《藝文類聚》、《初學記》諸書並引之，或省“山川”字。

羊頭山記

《御覽》一百七十六引三條，記漢石經石虎、聖壽堂、原城萬歲樓三事，疑晋人書也。

杜預　汝南記

章宗源曰：“《初學記》人事部‘李充妻謂充分異獨居，充告母，叱遣’事引杜預《汝南記》。《御覽》人事部同。《後漢書·應奉傳》注‘華仲妻本汝南鄧元義前妻，更嫁華仲’事，此稱《汝南記》，不著撰名。”

三齊略記

《水經·河水》注、《濡水》注並引之，當是晋人書。《藝文類聚》卷六引此書“始皇作石橋，有神人驅石”事，《初學記》地理部、《御覽》天部所引並同。《御覽》二十九引此書“沛公避項羽，入免井”事。又卷四十二引此書曰：“鄭玄刊注《詩》、《書》，栖黌山。今山有古井，不竭，猶生細草，葉形似韭，俗稱鄭公書帶。”

黄義仲　十二州記

《水經·河水》注兩引之。《藝文類聚》卷六引苗恭《十四州記》,即此書也,與《水經》所引詞亦略同。《御覽》一百五十七引黄恭《十四州記》三條。

釋道安　四海百川水源記一卷

葛洪　幙阜山記一卷

《太平寰宇記》一百六:"分甯縣,幕阜山在縣西二百九十里。晋葛洪著《山記》一卷。"《書録解題》云:"《幙阜山記》一卷,葛洪撰。其山在豫章。"

庾仲雍　江記五卷

章宗源曰:"《水經·江水》注引庾仲雍《江水記》。《文選》殷仲文《南州桓公九井詩》注、鮑明遠《還都道中詩》注題'庾仲雍《江圖》'。"

葛洪　潮説

姚寬《西溪叢話》云:"舊於會稽得一石碑,論海潮,不知誰氏。云觀古今諸家海潮之説者多矣,或謂天河激湧,注云:'葛洪《潮説》。'"據此,則洪以潮爲天河所激,與盧肇諸家之説不同,於理未當,今始録其目 。

王羲之　遊四郡記

《類聚》八十八引此書曰:"永甯縣界海中有松門,西岸及嶼上皆生松,故名松門。"

樂資　九州志

章宗源《攷證》曰:"《水經·沔水》注'鹽官縣有秦延山'引樂資《九州志》。《江水》注:'鄂,今武昌也。'稱《九州記》。《史記·外戚世家》集解同引。《御覽》、《寰宇記》多引《九州要記》。"

釋道安　西域志一卷

見梁僧祐《出三藏記集》卷五。[①]《三寶記》、《開元釋教録》等書並載之。《藝文類聚》卷七十六引之,《太平御覽》七百九十七引六條。又案《水經注》引釋氏《西域記》甚多,蓋亦出此書。《御覽》九百十一:"《西域諸國志》曰:'有鼠王國,鼠著金環,沙門過,不咒願,輒害人衣器。'"《異苑》云:"釋道安昔至西方,適見此俗。"

法盛　歷諸國傳

《通典》一百九十一云:"諸家纂西域事,皆多引諸僧遊歷傳記,如法明案即法顯。《遊天竺記》、支僧載《外國事》、法盛《歷諸國傳》、道安《西域志》。唯《佛國記》、曇勇《外國傳》、智猛《外國傳》、支曇《諦烏山銘》、翻經法師《外國傳》之類,皆盛論釋氏詭異奇迹,參以他書則紕繆。"

支僧載　外國事

《水經・河水篇》注,《類聚》七十三、七十六,《書鈔》一百三十二,《御覽》七百一並引之。又《御覽》七百九十七引十三條。三百六十九引《外國事》曰:"大拳當作'秦'。國人,猨臂長脇。"亦當出此書。

外國圖

《水經・河水》注引《外國圖》云:"從大晉國正西七萬里,[②]得崑崙之墟,諸仙居之。"則晉人書也。《御覽》七百九十七引四條。

外國事

《河水》注又引《外國事》云:"據者,晉言十里也。"[③]據此,亦晉

① "記集",原誤作"集記"

② "從"原誤作"徒",據《水經注》改正。

③ "晉"上原有"三"字,據《水經注》删。

人書。

括地圖

《裴秀傳》:“今祕書既無古之地圖,又無蕭何所得,惟有漢氏《輿地》及《括地》諸雜圖,皆不精審,不可依據。或荒外迂誕之言,不合事實。”今案《水經·河水》注所引“馮夷恒乘雲車,駕二龍”,《史記·大宛傳》索隱所引“崑崙弱水,非乘龍不至”之類,皆近荒外迂誕之言,季彦所見,蓋即此書。因晋以前典籍,故録存其目。

釋法顯　佛國記一卷

今存。

釋法顯　遊天竺記

《水經·河水》注、《後漢書·南蠻傳》注並引之。《初學記》二十九引法顯《佛游本記》,當即此書。

袁宏　羅浮山記

《元和郡縣志》卷三十四云:“博羅縣羅浮山在縣西北二十八里,羅山之西有浮山,蓋蓬萊之一阜,浮海而至,與羅山並體,故曰羅浮。高三百六十丈,周迴三百二十七里。峻天之峰,四百三十有二焉。事具袁彦伯《記》。”《晋書·藝術·單道開傳》:“袁宏爲南海太守,與弟穎叔及沙門支法防共登羅浮山。”《藝文類聚》卷七引作“袁彦伯《羅浮山疏》”。《御覽》七百五十九:“袁彦伯《羅山疏》曰:‘善道開户在石室北壁下,形體朽壞,止有白骨。在昔,成都識此道士,聞之,使人惻然,其業行殊異,當蟬蜕解骨耳。石室中先有甌盛香,得便掃除燒香。’”

伏滔　遊廬山序

《類聚》卷七:“伏滔《游廬山序》曰:‘廬山者,江陽之名嶽,其大形也,背岷流,面彭蠡,蟠根所據,亘數百里,重嶺桀嶂,仰插雲日，俯瞰川湖之流焉。'"陳舜俞《廬山記》亦引之。

王彪之　廬山記

《書鈔》一百五十八："王彪之《廬山記》曰：'若乃飄颻高崖，迢遞峻峰，箕風吐穴而蓬勃，暈雲出岫而鬱蓊。'"

釋慧遠　廬山記一卷

羣書所引，稱"廬山記"，今存。本名《廬山紀略》。《御覽》四十一又引《遠法師遊山記》。

劉遺民　廬山記

《書抄》一百五十一引劉遺民《廬山記》云："白气映嶺下。"

張野　廬山記

《藝文類聚》卷七張野《廬山記》曰："廬山天將雨，則有白雲，或冠峰岫，或亘中嶺，俗謂之山帶'不出三日，必雨。"《御覽》四十一亦引之。陳舜俞《廬山記》卷一引之。按《陶潛傳》有鄉親張野，即其人。《世説・文學門》注引張野《遠法師銘》。《永樂大典》六千三百三十九引《江州志》曰："張野字萊民，詮族也。徙家柴桑，與陶潛通姻，學兼華竺，州舉秀才、南中郎、府功曹、州治中，後徵散騎常侍，卒不就。躬耕樂道，號東皋春農，入惠遠蓮社。遠之葬，謝靈運作銘，野序焉。年六十九卒，有《廬山記》行於世。"

袁山松　勾將山記

章宗源曰："《寰宇記》山南東道：'登勾將山，北見高筐山，嶷然半天。'《御覽》地部卷四十九：'堯時大水，此山不没，如筐，因名焉。'並引袁山松《勾將山記》。"余按《御覽》四十九又引此《記》，敘勾將山特詳，章氏未檢。又《初學記》卷八："《勾將山記》曰：'縣去四十里，别從狼尾灘下南崖。'"不題袁山松名。

支遁　天台山銘序

《文選·遊天台山賦》注引之。

王珣　虎邱記

《類聚》卷八:"王珣《虎邱記》曰:'山大勢,四面周嶺,南則是山逕,兩面壁立,交林上合,谿路下通,升降窈窕,亦不卒至。'"又《虎邱山銘》曰:"晋司徒東亭獻公王珣撰,曰虎邱山先名海涌山。"

顧愷之　虎邱山序

《類聚》卷八:"晋顧愷之《虎邱山序》曰:'吴城西北,有虎邱山者,含真藏古,[①]體虚窮玄,隱嶙陵堆之中,望形不出常阜,至乃嵒崿,絶於華峰。'"《御覽》四十六引首二語。

竺法真　登羅山疏

《類聚》山部、菓部,《御覽》香部、竹部並引之。

傅玄　華嶽銘序

《類聚》卷七引之。

張曜　中山記

章宗源曰:"《水經·滱水》注多引《中山記》,其言城中有山,故曰中山。《通典·州郡門》注取之。《御覽》一百六十一州郡部、《寰宇記》河北道並稱'張曜《中山記》'。"

林邑國記一卷

《文選注》、《藝文類聚》諸書多引之,每記范文事,蓋晋人書也。

南中八郡志

《書抄》、《御覽》屢引之。案《御覽》八百十三:"《南中八郡志》曰:'雲南舊有銀窟數十,劉禪時,歲常納貢。亡破以來,時往採取,銀化爲銅,不復中用。'"詳其文義,當是晋人作也。《御

① "含真"原誤作"合莫",據上海古籍出版社本《藝文類聚》改正。

覽》九百二十四引作“南中八郡異物志”。

薛瑩　荆揚已南異物志

章宗源曰:“《文選·吴都賦》注:‘餘甘如梅李,核有刺,初食之,味苦,後口中更甘。’《御覽》果部:‘榞子樹産山中,實似李,冬熟,味酸。丹陽諸郡育之。’[①]並引薛瑩《荆揚已南異物志》。”

魏完　南中志

《文選·蜀都賦》劉淵林注云:“貊獸毛黑,白臆,似熊而小,以舌舐鐵,[②]須臾便數十斤,出建甯郡也。有神鹿,兩頭,主食毒草,名之食毒鹿,出雲南郡。此二事,魏完《南中志》所記也。”

續咸　異物志十卷

《文苑》本傳。

束晳　發蒙記一卷　載物産之異。

章宗源曰:“《隋志》經部小學類有束晳《發蒙記》一卷,此疑重出。然注特言記物産之異,或名同而書殊也。《史記·匈奴傳》索隱‘駃騠刳其母腹而生’,《殷本紀》正義‘鼈三足曰熊’,《初學記》獸部‘西域有火鼠之布,東海有不灰之木’,《御覽》兵部‘師子五色,而食虎於巨木之岫,一噬則百人仆,惟畏鉤戟’,卷八十四,並引《發蒙記》。此類與諸《異物志》相仿,故亦入地理類。”余按耶律鑄《雙溪醉隱集·花史序釋》自注引束晳《發蒙記》曰:“甘棗令人不惑。”是此書元時尚存。又按《初學記》卷八引《發蒙記》:“侯官謝端得一大螺,中有美女,云我天漢中白水李女,令爲卿妻。”此類則近小説矣。

譙周　異物志

《文選·蜀都賦》注引之。

---

① “部”,原作“子”,據《二十五史補編》本章宗源《隋書經籍志考證》改。

② “鐵”原作“銕”,據《二十五史補編》本及《文選》李善注改正。

涼州異物志二卷

按《初學記》卷二亦引之。《涼州異物志》曰:"有一大人生於北邊原注:在丁零北千五百里。偃臥於野,其高如山,頓脚成谷,横身塞川,原注:長萬餘里,頓脚之間乃是大谷。近之有灾。銅雹擊旃,原注:旃之也。唯可遥看,不可到下,到下則雷霆流銅鐵之丸以擊人。"《寰宇記》隴右道引"龍勒山貳師將軍祠",又"葱嶺水東流爲河源"二事。《水經·河水》注作"涼土異物志"。近人張澍有集本,云疑即宋膺作。"銅雹擊旃"以下出《初學記》。

巴蜀異物志

《漢書·賈誼傳》注、《文選·鵬鳥賦》注並引晋灼曰:[①]"《巴蜀異物志》曰:'有鳥小如雞,體有文色,土俗因形,名之曰鵬。不能遠飛,行不出域。'"

張須無　九江圖一卷

《隋志》有張氏《江圖》一卷,蓋即此書。張彦遠《歷代名畫記》三云:"圖三,劉氏,又一張氏。"

《豫章十代文獻略》云:"《宋書·胡蕃傳》有張須無,不詳何許人。《南史·張孝秀傳》云:'曾祖須無,南陽宛人,徙居尋陽,世爲江州别駕從事。'所撰《九江圖》羅泌《路史》引之。《史記正義》'九江孔殷'注引張鎮《九江圖》,疑即此書。"

張僧鑒　尋陽記二卷　據《豫章十代文獻録》引《豫章書》題二卷。

見《新唐志》。《説郛》中有此書。按《江圖》、《尋陽記》,《初學記》、《世説新語》注多引之。《永樂大典》卷六千三百三十九引《江州志》云:"張僧監,南陽人,父須無,徙尋陽,世爲州别駕從事。僧監善屬文,先是,須無嘗作《九江圖》,具載八州曲折成江者九。僧監因之,遂作《尋陽記》。後又有張密者,不

---

① "賦"上原脱"鳥"字,據中華書局1987年影宋本《六臣注文選》補。

知何許人，亦著《九江新舊録》，或曰其裔也。”《尚書·禹貢》正義引張須元《緣江圖》，“元”蓋“无”字之誤。

張玄之　吴興山墟名一卷

葉夢得《玉磵雜書》曰：“張玄之，晋吴興太守，嘗爲《吴興山墟名》一卷，其記卞山云：‘峻極，非清秋爽月，不見其頂。’”葉文見陶九成《遊志續編》。

戴勃　九州名山圖 勃，逵長子，見逵傳。

見《歷代名畫記》。

徐靈期　南嶽記

章宗源《攷證》曰：“《藝文類聚》居處部、服飾部，《太平御覽》地部卷三十九並引徐靈期《南嶽記》。”廷式案《通典》一百三稱東晋徐靈期問張憑，即此人。

張氏　土地記

郭璞注《山海經·海內南經》引之。

西河舊事一卷

見《唐志》。張澍《二酉山房》有集本。

朱應　扶南異物志一卷

章宗源曰：“《通典》邊防門注、《史記·大宛傳》正義並稱宋膺《異物志》，省‘扶南’二字，‘朱’作‘宋’，‘應’作‘膺’，未知孰是。”余案《梁書·文學·劉杳傳》曰：“沈約云：‘何承天《纂文》奇博，其書載長頸王事，何出？’杳曰：‘長頸是毗騫王，朱建安《扶南以南記》云古來至今不死。’”據此，則作“宋”者非是。且云扶南以南，故所記有大秦、大宛事矣。又《諸夷·扶南傳》云：“吴時，遣中郎康泰、宣化從事朱應使於尋國，國人猶裸，泰、應謂曰：‘國中實佳，但人褻露可怪耳。’”知應是吴時人，今附存其目。

楊元鳳撰　置桂陽郡事

《梁書·劉杳傳》:"杳云:'桂陽有千里酒,飲之至家而醉。'任昉曰:'吾實不憶此。'杳云:'出楊元鳳所撰《置郡事》。元鳳是魏代人,此書仍載其賦,云三重五品,商溪摖里。'[①]即檢楊記,言皆不差。"案侯君謨《補三國藝文志》未載此書,[②]故特補之。

殷斌　石室記

《書鈔》一百五十八引此書。

譜系類

摯虞　族姓昭穆記十卷

《隋志》云:"《族姓昭穆記》,晋亂已亡。"《史通·書志篇》曰:"晋有摯虞《姓族記》。"

賈弼　十八州士族譜七百十二卷

《南史·王宏傳》:"晋太元中,平陽賈弼,篤好簿狀,乃廣集衆家,大搜羣族,所撰十八州、一百一十六郡,合七百一十二卷,謂之《百家譜》。"《齊書·賈淵傳》、《梁書·王僧孺傳》、《唐書·柳沖傳》稱"河東賈弼撰《姓氏簿狀》七百一十二卷"。

黄容　梁州巴紀姓族

見《華陽國志》。

傅餘頠　複姓録

《元和姓纂》卷二曰:"晋有餘頠,著《複姓録》,本出傅氏。"卷九曰:"傅餘頠《複姓録》有尚方氏。"宋鄧名世《古今姓氏書辯證》卷八云:"安都,晋傅餘頠《複姓録》有此氏。"卷十二:"傅餘頠《複姓録》曰:'代北人南涼尚書左丞婆衍崙。'"卷三十

① "溪"原誤作"豁",據中華本《梁書》改正。

② "謨"原誤作"模"。

云:"晉傅餘頠著《複姓》,自云傅説之後,留居傅巖,爲傅餘氏。"

皇甫謐　韋氏家傳三卷

見《舊唐志》。

傅暢　裴氏家記

《蜀志·孟光傳》注引之。

曹毗　曹氏家傳一卷

曹氏譜

《世説·品藻門》注:"《曹氏譜》曰:'茂之,彭城人,仕至尚書郎。'"

司馬無忌　司馬氏世本

見《史記·序傳》索隱。《唐志》有《司馬氏世家》二卷,不著撰人名氏。

司馬氏譜

《世説·仇隙門》注:"《司馬氏譜》曰:'丞娶南陽趙氏女。'"

摯氏世本

《世説·言語篇》注引之。

嵇氏世家

《初學記》卷十一:"《嵇氏世家》曰:'嵇含爲中書郎,書檄雲集,[①]初不立草。'"《御覽》二百二十亦引此條。

嵇氏譜[②]

章宗源曰:"《魏志·沛穆王林傳》注:'嵇康妻,林子之女也。'《文選·幽憤詩》注:'嵇康兄喜,歷徐、揚州刺史。'《水經·淮水》注:'譙有嵇山,家於其側,遂以爲氏。'並引《嵇氏譜》。

① 原脱"雲"字,據中華書局1962年本《初學記》補。

② 原脱"嵇"字,據《二十五史補編》本補。

《魏志·王粲傳》注:‘嵇康父昭,督軍糧,治書侍御史。兄喜,晋揚州刺史、宗正。’此稱《嵇康譜》。”

范汪　范氏家傳一卷

孫氏譜

《魏志·孫資傳》注:“《孫氏譜》曰:‘宏爲南陽太守,宏子楚,字子荆。’”

孫氏世録

《文選·爲蕭揚州薦士表》注引此書記孫康事。

江氏家傳

《御覽》三百八十五引此書江蕤事,二百六十三引此書江統事,七百三十五江統事,八百六十七《江氏傳》江統事。

江偉家傳

《御覽》七百四十七引之。

華氏譜

《後漢書》卷七十一引華嶠《譜序》曰:“表字偉容,歆之子也。年二十八,除爲散騎常侍。”《世説·德行門》注、《御覽》二百二十四並引嶠《譜叙》。按本傳:“嶠《後漢書》有《序傳》一卷。”

阮氏譜

《魏志·杜畿傳》注“案《阮氏譜》”云云。“炳子坦,字宏舒,晋太子少傅、平東將軍;坦弟柯,字士度。”①《世説·尤悔門》注:“《阮氏譜》曰:‘牖字彦倫,裕長子也,仕至州主簿。’”

陳氏譜

《世説·德行門》注:“《陳氏譜》:‘陳忠字孝先,州辟不就。’”《術解門》注:“陳述字嗣祖,有美名。”

---

① 按此條亦見於《魏志·杜畿傳》注,非《阮氏譜》語,引自《杜氏新書》。

王氏世家

《世説·品藻門》注:"《王氏世家》曰:'禕之字文劭,仕至中書郎。'"

王氏譜

《世説》注屢引之。《排調門》注稱"王氏家譜"。

張氏譜

《世説·任誕門》注:"《張氏譜》曰:'張湛,仕至中書郎。'"

荀氏譜

《聖賢羣輔録》:"朗陵令,潁川荀季之八子,並有德業云云。見《荀氏譜》。"又《世説·排調門》注:"《荀氏譜》曰:'萬字景伯,祖式,太尉;父保,御史中丞。'"

李氏譜

《世説·品藻門》注:"《李氏譜》曰:'李志,仕至員外常侍、南康相。'"

劉氏譜

《世説》注屢引之。《魏志·劉廙傳》注亦引《劉氏譜》曰:"阜字伯陵,阜子喬字仲彦。"

馮氏譜

《世説·文學門》注:"《馮氏譜》曰:'馮懷字祖思,長樂人,歷太常、護國將軍。'"

賈氏譜

《世説·賢媛門》注:"《賈氏譜》曰:'郭氏名玉璜,即廣宣君也。'"①

虞氏譜

---

① "賈氏譜曰"原作"賈氏","名"字上原脱"郭氏",據本書體例及徐震堮《世説新語校箋》補。

《世説·賞譽門》注:"《虞氏譜》曰:'球字和琳,仕至黄門侍郎。'"

虞覽　虞氏家記五卷

《書鈔》一百二引《虞氏家記》記虞潭事,《御覽》一百七十六亦然。《新唐志》:"虞覽《虞氏家傳》五卷。"《書鈔》一百二十九:"《虞潭家記》云:'泰甯二年,詔贈太夫人碧紗袍。'"

郝氏譜

《世説·賢媛門》注:"《郝氏譜》曰:'普字道匡,仕至洛陽太守。'"

郗氏譜

《世説·賢媛門》注:"《郗氏譜》曰:'超娶汝南周閔女,名馬頭。'"《排調門》注:"《郗氏譜》曰:'融字景山,辟琅邪王文學,不拜。'"

韓氏譜

《世説·賢媛門》注:"《韓氏譜》曰:'繪之字季倫。父康伯,太常卿。繪之仕至衡陽太守。'"

袁氏世紀

《世説·文學門》注:"《袁氏世紀》曰:'準字孝尼,陳郡陽夏人。忠信居正。世事多險,不敢求進。著書十餘萬言。'"《魏志·袁涣傳》注亦引此書。

袁氏家傳

《世説·言語門》注:"《袁氏家傳》曰:'喬字彦升,陳郡人。'"《文學門》注:"《袁氏家傳》曰:'喬有文才。'"《任誕門》注:"《袁氏家傳》曰:'躭字彦道,陳郡陽夏人。仕至司徒從事中郎。'"《書抄》六十九引《袁氏家傳》袁勗事。

袁氏譜

《世説·品藻門》注:"《袁氏譜》曰:'恪之字元祖,義熙中爲侍中。’”《任誕門》注：“《袁氏譜》曰：‘躭大妹，名女皇，適殷浩。小妹名女正，適謝尚。’”《讒險門》注：“《袁氏譜》曰：‘悦字元禮，有寵於會稽王，每勸專攬朝權，王頗納其言。’”

温氏譜

《世説·品藻門》注引《温氏譜·序》。《假譎門》注：“按《温氏譜》，嶠初取高平李晅女，中取琅邪王詡女，後取廬江何邃女。”

陸氏譜

《世説·文學門》注：“《陸氏譜》曰：‘退字黎民，吴郡人。高祖凱，吴丞相。祖仰，吏部郎。父伊，州主簿。退仕至光禄大夫。’”又曰：“退，張憑壻也。”

羊氏譜

《世説·文學門》注：“《羊氏譜》曰：‘輔字幼仁，泰山人。祖楷，尚書郎。父綏，中書郎。輔仕至衛軍功曹。’”又曰：“孚字子道，泰山人，歷太學博士、州别駕、太尉參軍。”《言語門》注：“《羊氏譜》曰：‘羊楷字道茂，仕至尚書郎，娶諸葛恢次女。’”《賞譽門》注：“《羊氏譜》曰：‘繇字堪甫，歷車騎掾，娶樂國禎女。’”

謝氏譜

《世説》注屢引之。

傅氏譜

楊氏譜

《世説·識量門》注：“《楊氏譜》曰：‘楊朗，祖囂，典軍校尉；父淮，冀州刺史。’”

周氏譜

《集聖賢羣輔録》引：“周燕，少卿之五子，號曰五龍。”又《世説·德行門》注：“《周氏譜》曰：‘翼字子卿，陳郡人。’”《賢媛門》注:"按《周氏譜》,浚取同郡李伯宗女。"

吴氏譜

《世説·德行門》注:"《吴氏譜》曰:'坦之字處靖,濮陽人,仕至西中郎將功曹。父堅,娶東苑童僧女,名秦姬。'"

孔氏譜

《世説·言語門》注:"《孔氏譜》曰:'沈字德度,會稽山陰人。祖父奕,全椒令。父羣,鴻臚卿。沈至琅邪王文學。'"《魏志·倉慈傳》注"案《孔氏譜》"云云,"乂子恂,字士信,晋平東將軍衛尉"。

陶氏叙

《世説·言語門》注:"《陶氏叙》曰:'侃字士衡,其先鄱陽人。'"

陶氏家傳

《類聚》卷六引《陶氏家傳》"陶汪晋咸康中爲宣城内史"事,《御覽》二百二十九引此書"陶覆之爲太常丞"事,二百九引此書"陶迴爲王導從事中郎"事,《書抄》七十八引《陶氏家傳》"陶遽爲龍陽長"事,七十三引《陶氏家傳》陶清事,《御覽》二百五十八《陶氏家傳》"陶基爲交州刺史"事。二百四十五:"《陶氏家傳》曰:'侃遷太子中庶子。君少而好學,善談玄理,尤明《詩》、《易》。以孝行聞於時,儲選殊難其人,特召君焉。'"此條疑有誤。

謝女譜

《世説·言語門》注:"《謝女譜》曰:'重女月鏡適王恭子愔之。'"

戴氏譜

《世説·栖逸門》注:"逯字安邱,譙國人。以武勇顯,有功,封廣陵侯,仕至大司農。"

許氏譜

《世説・政事門》注:"《許氏譜》曰:'柳字季祖,高陽人。祖允,魏中領軍。父猛,吏部郎。'"又曰:"永字思妣。"《雅量門》注:"《許氏譜》曰:'璪仕至吏部侍郎。'"

桓氏譜

《世説・政事門》注:"《桓氏譜》曰:'歆字叔道,温第三子。仕至尚書。'"《規箴門》注:"《桓氏譜》曰:'道恭字祖猷,彝同堂弟。'"《仇隟門》注:"《桓氏譜》曰:'桓沖後娶潁川庾蔑女字姚晋。'"

索氏譜

《世説・傷逝門》注:"《索氏譜》曰:'元字天保,燉煌人。歷征虜將軍、歷陽太守。'"

殷氏譜

《世説・文學門》注:"《殷氏譜》曰:'仲堪娶琅邪王臨之女字英彦。'"《紕漏門》注:"《殷氏譜》曰:'殷師字師子,至驃騎諮議。生仲堪。'"《御覽》八百九十二引《殷氏世傳》殷亮事,二百三十六亦引殷亮事。《類聚》卷十九引《殷氏世傳》記殷褒爲滎陽令事,《御覽》八百三十七《殷氏世傳》記殷謏事,二百四十九《殷氏家傳》記殷泰爲文帝車騎掾事。《任誕門》注:"《殷氏譜》曰:'羨字洪喬,仕至豫章太守。'"

祖氏譜

《世説・排調門》注:"《祖氏譜》曰:'廣字淵度,范陽人。父台之。廣仕至護軍長史。'"

諸葛氏譜

《世説・方正門》注:"《諸葛氏譜》曰:'恢子衡字峻文,仕至滎陽太守,娶河南鄧攸女。'"

顧氏譜

《世説・簡傲門》注:“《顧氏譜》曰:‘辟疆,吴郡人,歷郡功曹、平北將軍。’”

庾裴　庾氏家傳一卷

庾氏譜

《世説・雅量門》注、《識鑒門》注、《賢媛門》注並引之。

邵氏家傳

《御覽》三百四十八引之記邵宏爲景帝中尉事,八百七十一引邵貞赴張氏葬事,五百九十八引邵仲全事,七百三十六邵信臣事。《吴志・孫皓傳》注引《會稽邵氏家傳》記邵疇事。

太原郭氏録

《世説・惑溺門》注:“《太原郭氏録》曰:‘孫秀字彦才,吴郡吴人。爲夏口督,[①]甚有威恩。孫皓欲除之,秀豫知謀,遂來歸化。世祖喜之,以爲驃騎將軍、交州牧。’”

郭氏譜

《魏志・郭淮傳》注引之。

衛氏譜

《世説・賞譽門》注:“衛承字君長,成陽人。仕至左軍長史。”

魏氏譜

《世説・賞譽門》注:“《魏氏譜》曰:‘隱字安時,歷義興太守。弟邉,黄門郎。’”《排調門》注:“《魏氏譜》曰:‘顗字長齊,會稽人。仕至山陰令。’”

目録類

荀勗　晋中經十四卷　《舊唐志》作“中書簿”,誤。

---

① “夏”原誤作“下”,據徐震堮《世説新語校箋》改正。

案《晋書》,《隋志》四部之分始於此書。章宗源《攷證》已詳,兹於其未及者,攷而録之,以見此書體例。《隋書·音樂志》云:“《晋中經簿》,無復樂書。《别録》所載,已復亡逸。”《七録序》云:“《晋中經簿》,四部書一千八百八十五部,二萬九千九百三十五卷。《隋志》云二萬九千九百四十五卷。其中十六卷佛經書簿少二卷,不詳所載多少。”又云:“荀勗因魏《中經》,更著《新簿》。雖分爲十有餘卷,而總以四部别之。”《文選》卷四十六注引王隱《晋書》曰:“荀勗領秘書監,與中書令張華依劉向《别録》,整理錯亂。又得《汲冢竹書》,身自撰次,以爲《中經》。”此與今《晋書》略同,因所引爲王隱書,故仍録之。《隋書·牛宏傳》曰:“晋秘書監荀勗,定魏《内經》,更著《新簿》。雖古文舊簡,猶云有缺。新章後録,鳩集已多。”《隋書·經籍志》曰:“荀勗因《中經》,更著《新簿》,分爲四部。一曰甲部,紀六藝及小學等書;二曰乙部,有古今諸子家及近世子家、兵家、兵書、術數;三曰丙部,有史記、舊事、皇覽簿、雜事;四曰丁部,有詩賦、圖讚、汲冢書,大凡四部合二萬九千九百四十五卷。”《郡齋讀書志》卷一曰:“勗之部,蓋合兵書、術數、方伎於諸子,自春秋類摘出史記,别爲一部。六藝、諸子、詩賦,皆仍歆舊。其後歷代所編書目,如王儉、阮孝緒之徒,咸從歆例;謝靈運、任昉之徒,咸從勗例。”《初學記》卷十二:“傅暢《晋諸公讚》曰:‘荀勗領祕書監,太康二年汲郡冢中得竹書,勗躬自撰次注寫,以爲《中經》。列於秘書,經傳闕文,多於證明。’”宋董逌《廣川畫跋》卷二曰:“《晋中經》言佛本臨倪國世子,父曰屑頭邪,母曰莫邪,身服色黄,髮如青絲。初,莫邪夢白象始孕,及生,從左脅出,生而有髻,墮地能行。臨倪,在天竺域。天竺又有神人名沙津。一作‘律’。漢元壽元年,秦景憲使大月氏,王使伊存口授浮圖。□復皇者,其人也。傴歸一作‘滿’。按疑當作'蒲'。塞、桑門、伯開、疏簡、白間、比邱、桑門,皆弟子號。"[①]是《中經》已録釋典,但未知於四部入何門耳。《晋中興當作'經'。簿》曰:"盛書皂縹囊,書函中皆有香囊二。"《御覽》七百四。[②]《書鈔》一百三十六:"《晋中經簿》云:'盛書用皂縹囊,布裹,書函中皆有香囊,素裹,封書也。'"

晋元帝書目

《七録·序》云:"《晋元帝書目》,四部三百五袠,三千一十四卷。"

晋義熙四年秘閣四部書目

見《七録·序》。嚴可均《全晋文》曰:"此下當有脱文。《北堂書抄》一百一引《義熙起居注》云:'何無忌見祕閣中書勝俗,悉求賜副,詔賜一千卷。'"《御覽》二百三十三:"《晋太康二字有誤。起居注》曰:'祕書丞桓石綏啓校定四部書,[③]詔郎中四人,各掌一部。'"又二百三十四引作"晋"。又引《晋令》云:"祕書郎掌中外三閣經書,覆校闕遺,[④]正定脱誤。"《北堂書抄》一百一:"《續晋陽秋》:'太元三年,詔賜會稽王祕閣書八千卷。'"

李充　四部

《文選》卷四十六注:"臧榮緒《晋書》曰:'李充字宏度,爲著作郎。于時典籍混亂,充删除煩重,以類相從,分爲四部。'"《晋起居注》云:"祕書丞桓石綏啟校定四部書。"[⑤]《書鈔》五十七引《晋中興書》同。"甚有條貫,祕閣以爲永制",今《晋書》本

---

① 1984年中華書局影印萬有文庫本《通典》卷一百九十三此段文字作"昔漢哀帝元壽元年博士弟子秦景館受大月氏使王伊存口授浮圖經國曰復豆者其人也伊蒲塞桑門伯開疏間白閒比邱桑門皆弟子號也"。

② "御覽七百四"原作正文大字,當爲小注。

③ "校"原誤作"據"。《初學記》職官部亦引此條。

④ "覆校"原作"復據太元不誤",據中華書局影印本《太平御覽》改。

⑤ "校"原誤作"據"。《初學記》職官部亦引此條。

傳同。《御覽》二百三十四引《晋中興書》同。五經爲甲部，史記爲乙部，諸子爲丙部，詩賦爲丁部。《七録・序》云："江左草創，十不一存。後雖鳩集，淆亂已甚。著作佐郎李充，頗加删正，因荀勗舊簿四部之法，而换其乙、丙之書，没略衆篇之名，總以甲乙爲次。"《隋書・經籍志》曰："充以勗舊簿校之，其見存者，但有三千一十四卷。"《晋陽秋》云："孝武好覽文籍，敕著作郎徐野民料簡四部書，得三萬六千卷。"《書抄》五十七。

摯虞　文章志四卷

《世説・文學門》注："摯虞《文章志》曰：'崔烈字威考，高陽安平人，駰之孫，瑗之兄子也。靈帝時，官至司徒、太尉，封陽平亭侯。'"餘引《文章志》、《文字志》十數條，蓋西晋以前並出此書也。《後漢書・桓麟傳》注、《魏志・陳思王傳》注並引之。

荀勗　雜撰文章家集叙十卷

《魏志・王粲傳》注：荀勗《文章叙録》。《夏侯淵傳》注。《世説・文學門》注："《文章叙録》曰：'自儒者論以老子非聖人，絶禮棄學。何晏説與聖人同，著論行於世。'"《世説・文學門》注："《文章敍録》曰：'晏能清言，而當時權士，天下談士多宗尚之。'"《類聚》三十一："《文章敍録》曰：'杜摯與毋邱儉鄉里相親，故爲詩與儉，求仙人藥一丸，欲以感切儉，求助也。'"《世説・巧藝門》注："《文章叙録》曰：'韋誕字仲將，京兆杜陵人，太僕端子。有文學，善屬辭。以光禄大夫卒。'"

鄭默　魏中經簿

《書鈔》五十七："王隱《晋書》：'鄭默爲秘書郎，删省舊文，除其浮僞，著《魏中經部》。中書令虞松謂默曰："而今而後，朱紫别矣。"'"

顧愷之　晉文章記

《世説·文學門》注:"顧凱之《晉文章記》曰:'阮籍《勸進》,落落有宏致,至轉説徐而攝之也。'"

釋僧叡　二秦衆經録目一卷

隋費長房《歷代三寶記》卷十五:"姚秦沙門釋僧叡一部一卷《經録目》。"又卷八云:"叡,魏郡人。"

釋道安　綜理衆經目録一卷

見《歷代三寶記》卷八。《高僧傳》云:"漢魏迄晋,傳經之人,名字弗説,後人莫測年代。安乃總集名目,表其時人,詮品新舊,撰爲《經録》。衆經有據,實由其功。"

魏世録目一卷　吴世録目一卷　晋世雜録一卷　河西録目一卷

《歷代三寶記》卷七云:"右四録經目,合四卷,廬山東林寺釋慧遠弟子沙門釋道流創撰,未就而流病卒,同學竺道祖因而成之,大行於世。"

經論都録一卷　別録一卷

《歷代三寶記》卷七云:"右録一卷,成帝世豫章山沙門支慜度總校羣經,合古今目録,撰此《都録》。"《别録》一卷,詳《開元釋教録》卷十。

竺法護　衆經録目一卷

見《歷代三寶記》卷六。《大唐内典録》卷十云:"右依檢是晋武帝長安青衣外大寺沙門也。翻經極廣,因出其録。"

聶道真　衆經録目一卷

道真,承遠子,見《歷代三寶記》卷八。

二趙經録一卷

《大唐内典録》卷十云:"似是二石趙時諸録遥注,未知姓氏。"

補晉書藝文志

萍鄉文廷式道希纂

子部十七類

一曰儒家，二曰道家，三曰墨家，四曰法家，五曰名家，六曰雜家，七曰兵家，八曰農家，九曰縱横家，十曰曆算家，十一曰天文家，十二曰五行家，十三曰醫家，十四曰神仙家，十五曰釋家，十六曰雜藝家，十七曰小説家。

儒家類

李軌　揚子法言注十五卷　　解一卷

今存。《書録解題》云："《音義》一卷。"《玉燭寶典》卷二："《揚子法言》云：'龍蟠于泥蚖其肆矣'。李軌《同異志》云：'或作黿，黿、蚖音義無異，復似兩通。'"此蓋《音義》中語，故今注無之。"同異志"三字，疑有誤。

殷興　通語十卷　尚書左丞。

《新唐志》："文禮《通語》十卷，殷興續。"案裴松之《吴志・顧邵傳》注："殷禮子基作《通語》。"又引《文士傳》曰："基無難督，以才學知名，著《通語》數十篇。"蓋此書殷基撰，而興續之也。"文禮"二字誤。《意林》作"八卷"。《御覽》六百十四引殷典（當作興）《通語》四"殷禮字經嗣，時人語曰奇才强記殷經嗣"云云。《吴志・孫和傳》注、《蜀志・費禕傳》注並引殷基《通語》。《吴志・朱據傳》注。

譙周　譙子法訓八卷

《初學記》卷十四、十七、二十九、三十,《文選注》二十八,《書抄》九十二並引之。馬國翰集得十三節,云此書稱《法訓》,亦如揚雄書稱《法言》之類。《初學記》二十二引作"法詞",誤。《御覽》三百四十七、《世説·任誕門》注、《御覽》四百六十八、《御覽》九引《法訓》,不題譙子。八百五十九、九百二十,又七百六十九引二條。七百七十三、三百六十一、四百九十二、一百五十六。

譙子五教志五卷

宋釋法雲《翻譯名義集》卷五引《譙子》曰:"夫交人之道,猶素之白也,染之以朱則赤,染之以藍則青。"

袁準　袁子正論十九卷

《新唐志》二十卷,馬國翰集此書二卷。案《通典》所引,多論禮服,疑出準《喪服經傳》,非《正論》語也。嚴可均集得《正論》三十許事,《正書》四十許事。

袁準　袁子正書二十五卷

《魏志·袁涣傳》注:"《袁氏世紀》曰:'準著書十餘萬言,論治世之務,爲《易》、《周官》、《詩》傳,及論五經滯義,聖人之微言,以傳於世。'"據此,《正書》言治法,《正論》言經學,此其别也。《羣書治要》卷五十録《袁子正書》《禮政》、《經國》、《設官》、《政略》、《論兵》、《王子主失》、《厚德》、《用賢》、《悦近》、《貴公》、《治亂》、《損益》、《世治》、《刑法》、《人主》、《致賢》、《明賞罰》,凡十七篇。《書抄》一百五十六、《類聚》八十七並引作"袁子政書"。

孫毓　成敗記三卷　《意林》云"字仲"。攷《經典釋文》云:"字休朗,北海平昌人,晋豫州刺史。"《隋志》題"晋長沙太守"。

《意林》卷五引二則。

王元長　無名子十三篇　丞相從事中郎。

《華陽國志》云:"依則《論語》。"

王長文　通經四卷

王隱《晉書》："王長文字德郁，廣漢人。著[①]《通玄經》四卷，《文言》、卦象可用以爲卜筮。"《御覽》五百三。《華陽國志》云："著《通經》四篇，亦有卦名儗《易》、《玄》。"《晉書·王長文傳》："著《通玄經》四卷，時人比之《太玄》。"《隋志》："丞相從事中郎王長元《通經》二卷。"[②]"長元"當是"長文"之誤。《輿地紀勝》一百五十四："王長文，郪人，著書四卷，儗《易》，曰《通玄經》。"

夏侯湛　新論十卷　散騎常侍。《御覽》三百七十引之曰："爪生於肉，去爪而肉不知"。

本傳云："著《論》三十餘篇，别爲一家之言。"《太平御覽》引六條，馬國翰《玉函山房》集之。《御覽》九百四十五："《夏侯子》曰：'一蝗之行，一蚊之飛，聖人皆知之。'"

楊泉　物理論十六卷　徵士。

近人孫星衍有集本。

楊泉　揚子太玄經十四卷

《意林》引六則。

華譚　新論十卷　金紫光禄大夫。

《初學記》卷十七引之曰："夫體道者聖，游神者哲。體道，然後寄意形骸之外；游神，然後窮理變化之端。故寂然不動而萬物爲我用，塊然玄默而衆機爲我運。"

干寶　干子十八卷

《史記·楚世家》集解引干寶曰"先儒學士多疑此事"云云，按令昇未注《史記》，其説當出此書也。

蔡詔　閎論二卷　江州從事。

《書抄》一百五十八引一條云："火居之鼠養毫炎穴，湯泉之魚戲鱗沸泉"。今刻本"閎"訛作"閔"。《白氏六帖》亦引之。

---

① "著"原誤作"普"，據中華書局影印本《太平御覽》改正。

② 原脱"從事"二字，"元"又誤作"文"。據中華本《隋書》補正。

虞喜　志林新書三十卷　廣陵二十四卷　後林十卷

吕竦　要覽十卷

《通志》作“正覽”。

綦毋邃　孟子注七卷　《元和姓纂》云:“江左有綦毋邃,爲邵陽太守。”

《通典》九十九引《孟子》“膏澤下於人有故而去”,綦毋邃云:“謂有他故,不得不行,或避怨仇者也。”《文選·詠懷詩》注引綦毋邃注云:“當路,當仕路也。”又《安陸王碑》注引綦毋邃注云:“周之秋,於夏爲盛陽也。”

顧夷　顧子義訓十卷　揚州主簿。

見《舊唐志》。《隋志》無“義訓”二字。《永樂大典》卷一萬九千六百三十六引《顧子義訓》曰:“假天下之見以視,則四海豪末可見也。”此條《御覽》三百六十六引之,“見”作“目”。[①]《初學記》十八引《顧子》曰:“不諫則危君,諫則危身,是賢人君子上不敢危君,下不敢危身。三諫不從,則去矣。”《類聚》卷九:“《顧子》曰:‘與子華游於東池。子華曰:“水有四德,池爲一焉。沐浴羣生,澤流萬世,仁也。揚清激濁,滌蕩塵穢,義也。弱而難勝,勇也。導江疏河,變盈流謙,智也。”顧子曰:“我得女於池上矣。”’”此條《御覽》六十七亦引之。《御覽》九百三十五:“《顧子》曰:‘昔宋人臨萬仞之淵,以釣數寸之鱗,魚將食釣,不知膝之日進,有傾墮而死,利能誘也。’”按顧譚有《顧子新語》,羣書所引《顧子》,當有譚書。《北堂書鈔》九十五、《御覽》六百九同。《顧子儀訓》曰:“三墳、五典,粲粲如列宿,落落如連珠。”《御覽》四百六十八:“《顧子》曰:‘遇其樂也,則欲荒淫流湎。逮其喜也,則欲歡笑鼓舞。荒淫則傷義,鼓舞則虧風。’”四百六十七:“《顧子》曰:‘夫哀、樂、喜、怒、愛、憎、欲、懼,人之情也。當其哀也,則欲哭泣擗踴。遇其樂也,則欲懽笑鼓舞。’”元李衎《竹譜詳録》卷五云:“簾竹、玄竹,實中。

---

① “顧子義訓曰假天下之見以視則四海豪末可見也”与“此條御覽三百六十六引之見作目”原互倒,據文意乙正。又,“末”原誤作“未”,據《二十五史補編》本改正。

太極竹長百丈。簳竹、䈴竹、篸竹、簡竹、胥竹、鶴系竹、簩竹、篾簡竹、篾簸竹、筿竹，並出《顧夷義訓》。"又云："顧夷《義訓》有　竹、　竹。"

干寶　正言十卷　立言十卷

俱見《舊唐志》。《文選・李康運命論》"椎紒而守敖庾海陵之倉"，注曰："干子《正文》引此而爲髺字。"《正文》未知即《正言》否。

杜崧　任子春秋一卷　《隋志》入總集類。《日知録》作"壬子"，誤。

崧附《儒林・杜夷傳》，云："惠帝時，俗多浮僞，著《任子春秋》以刺之。"又《惠帝紀》云："南陽魯褒作《錢神論》，廬江杜嵩作《任子春秋》，皆刺時之作。"《初學記》卷三十："《任子》曰：'鳳爲羽族之美，麟爲毛類之俊，龜龍爲介蟲之長，楩楠爲衆材之最，是物之貴也。'"《北堂書鈔》三十七引《任子》："古之公也篤，今之公也薄。"又曰："太王不務私其身，不外其民，故曰百姓之身猶吾身也。爲戎翟之病，棄國之富，杖策而去。"一百十七："《任子》曰：'善陣者，徒衆整一，如列宿之陳；部伍周廻，如山岳之盤，是陣之體也。'"按疑出任嘏《任子道論》。

蔡洪　化清經十卷　松滋令。

《意林》引三則。《晋書・文苑・王沈傳》："吴郡蔡洪字叔開，有才名，作《孤奮論》。"即此人。《初學記》二十九引《蔡氏清論》，當即此書。馬國翰曰："其書舊列儒家，而細玩遺文，頗涉玄旨。"又云："稱經，蓋儗《易》而作，亦楊泉《太玄》類也。"《御覽》八百七十："《蔡氏化清論》曰：'伏龍非我馬，白日非我燭，藏之默之，保此小樸。'"九百一十九："《蔡氏化清經》曰：'水戰之鴨，何必白纓。盈俎之鷄，何必長鳴。'"《書抄》一百三十六："《蔡氏清化當作'化清'。論》云：'鏡能照人好醜，而不能好醜於人。'"

王嬰　古今通論二卷　松滋令。

《意林》作"三卷"。《北堂書鈔》八十七宗廟條引王嬰《古今通論》："夏曰世室，世世祀之。"一百五十七："王嬰《古今通論》：

'地厚三萬里。'"又《書抄》五十一、八十七,《御覽》五百三十一並引作"通語"。《書抄》五十一引《古今通典》云:"興仁隆化,幽贊神明,奉度順道,使災不生。"未知出此書否。《御覽》一百五十六:"王嬰《古今通論》曰:'崑崙東南方五千里,謂之神州,州中有和美鄉,方三千里。五岳之城,帝王之宅,聖人所生也。'"

李密　述理論十篇

見《蜀志·楊戲傳》注。《華陽國志》曰:"論中和仁義,儒學道化之事。"

何隨　譚言十篇　字季業,蜀郡郫人。

《華陽國志》曰:"論道德仁義。"

李秉　家誡

《魏志·李通傳》注引王隱《晋書》"秉字玄冑,有儁才,官至秦州刺史。嘗答司馬文王問,因以爲《家誡》"云云。《世説新語》注引李康《家誡》,嚴可均曰:"'康'字誤,《書抄》引亦作'康'。"

李充　起居誡

《類聚》二十三、《御覽》五百九十五此所引誤作"起居注"。五百九十七並引之。《書鈔》卷一百:"李充《起居戒》云:'中世蔡伯喈長於爲碑。'"

周處　默語三十篇

見本傳。

常寬　典言五篇

見《華陽國志》。

黄容　家訓

見《華陽國志·常寬傳》。

皇甫謐　禮樂聖真論

虞溥　厲學

馬國翰《玉函山房》有集本。

華譚　辨道十二卷

本傳作“三十卷”。

益州學堂圖　唐張彦遠《歷代名畫記》卷三:“《益州學堂圖》十,畫古聖帝、賢臣、七十子,後代又增漢、晋帝王名臣,蜀之賢相、牧守。似東晋時人所撰。”

賈充妻李氏　典式八篇

《世説·賢媛門》注引《婦人集》曰:“李氏至樂浪,遺二女《典式》八篇。”《初學記》卷四云:“華勝起於晋代,見賈充李夫人《典戒》。‘戒’或當作‘式’。云像瑞圖金勝之形,又取像西王母戴勝也。”《玉燭寶典》卷一引賈充李夫人《典誡》云:“每見時人月旦問訊到户,至花勝,交相遺與,爲之煩心勞倦。”

李氏　女誡

《賈充傳》云:“李氏作《女訓》,行於世。”《世説·賢媛篇》云:“賈充妻李氏作《女誡》,行於世。”《藝文類聚》卷四亦引此條,作“賈充《典戒》”,誤脱“妻”字。

虞喜　釋滯

馬國翰《玉函山房集佚書》曰:“虞喜《釋滯》,《隋》、《唐志》無之。《通典》引三節,豈喜别撰此而史佚之邪? 抑其爲《志林》、《廣林》、《後林》篇目之一邪? 疑不能明,仍依《通典》原題,録存一卷。”

虞喜　通疑

《通典》引五節,馬氏並集之。《通典》一百三又引虞喜《釋疑》。

慕容皝　典誡十五篇

《慕容皝載記》曰:“著《典誡》十五篇,以教胄子。”

明岌　明氏家訓一卷　僞燕衛尉。

《隋志》入雜傳類。

道家類

羊祜　解釋老子道德經二卷　太傅。

《經典釋文》云:"羊祜《解釋老子》四卷。"《舊唐志》同。《新唐志》:"羊祜《注》二卷,《解釋》四卷。"

孫登　老子道德經注二卷　音一卷　尚書郎。《釋文》作"集注"。

《孫統傳》:"弟登,少善名理,注《老子》,行於世。"《郡齋讀書志》:"成君相《集三十家注老子》,有孫登、羊祜二家。"《初學記》二十三:"《老子》曰:'道生一。'孫登注曰:'妙一宅於太虛之內,玄化資於至道之用,故因其所由,謂之曰生。'"《釋文》"悠",孫登、張憑、杜弼俱作"由"。又"彈坦",梁、按"梁"字疑衍。王尚、鍾會、孫登、張嗣本有此。坦,平大貌。盧校:"梁"下當脱"武"字。

蜀才　老子注二卷

《釋文·序録》。

郭象　老子注

劉仁會　老子注

見唐張君相《三十家老子注》,有郭、劉二家。

劉黄老　老子注

附《劉隗傳》。

孫盛　老子考訊。

見《遂初堂書目》。《廣宏明集》卷五載七條。

巨生　解老子道德經二卷

《真誥·握真輔》第一張生稽首注云:"又見系師注《老子內解》,皆稱臣生稽首。"按此巨生,或是臣生之誤,其人姓張也。《釋文》:"巨生《內解老子》二卷。"注云:"不詳何人。"

郭璞　老子經注

《文選·上林賦》注:"張揖曰:'此三字疑衍。郭璞《老子經注》曰:"虛無寥廓,與元通靈,言其所乘氣之高,故能出飛鳥之上,而與神俱者也。"'"按此條亦不似注《老子》,今姑存其目。俟攷。

王尚　述老子道德經注二卷　字君曾,琅邪人。東晉江州刺史,封杜忠侯。

《經典釋文·序録》云:"王尚《述》二卷。""述"字似非名。盧文弨攷證云:"《釋文》脱'注'字,蓋誤以'述'字當之。《唐志》王尚《注》二卷,竟作單名尚矣。然王字君曾,'述'字必其名也。"《通志》作"王尚楚",亦誤。

程韶　老子集解二卷　郎中。

邯鄲氏　老子注二卷

常氏　老子注二卷

《隋志》作"老子傳"。①

孟氏　老子注二卷

《釋文·序録》:"孟子《注》二卷。或云孟康。"余按當是孟陋。

盈氏　老子注二卷

蓋即著《論語集義》之盈氏也。

袁真　老子道德經注二卷　字彦仁,陳郡人,東晉西中郎將、豫州刺史。

劉仲融　老子道德經注二卷

案張君相《集解》有劉仁會,未知即仲融否。俟攷。

張嗣　老子注二卷

張憑　老子道德經注二卷

劉程之　老子玄譜一卷　柴桑令,彭城人。

葛洪　老子道德經序訣二卷

① "志"原誤作"氏"。

見《新唐志》。

僧義盈　老子注二卷

鳩摩羅什　老子注二卷

見《舊唐志》。張君相《三十家老子注》尚列其目。

鄧粲　老子注

本傳。

李軌　老子音一卷

戴逵　老子音一卷　字安道,譙國人,東晋散騎常侍、太子中庶子。徵,不就。

王倫　老子例略

《世説·排調門》注引《王氏家譜》曰:"倫字太冲,司空穆侯中子,司徒渾弟也。醇粹簡遠,貴老、莊之學,用心淡如也。爲《老子例略》、《周紀》。年二十餘,舉孝廉,不行,歷大將軍参軍。年二十五卒。"

張湛　文子注

《文選》卷十三注引《文子》曰:"去其誘慕,除其嗜欲。"張湛曰:"遺其衒尚,爲害真性。"卷二十一注引《文子》曰:"三皇五帝輕天下,細萬物,上與道爲友,下與化爲人。"張湛曰:"上能友於道,'友'或爲'反'。"卷四十注引《文子》曰:"起師十萬,日費千金。"張湛曰:"日有千金之費。"卷五十注引《文子》曰:"羣臣輻湊。"張湛曰:"如衆輻之集於轂。"此條卷五十三注亦引之。

向秀　列子注

《文選》卷二十一注引《列子》曰:"有神巫自齊而來,處於鄭,名曰季咸。列子見之而心醉。"向秀曰:"迷惑其道也。""列子"或是"莊子"之誤,姑存其目。

張湛　列子注八卷　字處度,光禄勳。

今存。

張湛　列子音義一卷

見《宋志》。張湛注。按今本《列子》，多以殷敬順《釋文》羼入。《宋志》所録，疑即殷書。姑録其目，以資攷訂。

向秀　莊子注二十卷　散騎常侍。

《世説·文學門》注："或言秀遊託數賢，蕭屑卒歲，都無注述，唯好《莊子》，聊應崔譔所著，以備遺忘云。"張湛《列子注》屢引之。

崔譔　莊子注十卷　清河人。議郎。

《釋文》云："二十七篇，《内篇》七，《外篇》二十。"

司馬彪　莊子注二十一卷　《通志》箸録十六卷。

《釋文》云："五十二篇，《内篇》七，《外篇》二十八，《雜篇》十四，《解説》三篇，爲《音》三卷。"

郭象　莊子注三十卷　目一卷　太傅主簿。梁《七録》三十三卷。

《釋文》："三十三卷，三十三篇。《内篇》七，《外篇》十五，《雜篇》十一，爲《音》三卷。"今存。按《世説·文學門》注引向子期、郭子玄《逍遥》義，明二家不異。又《釋文》《繕性篇》"心與心識"："衆本悉同，向本作'職'，云'彼我之心，競爲先職矣'。郭注既與向同，則亦當作'職'也。"此則郭注同向，劉、陸並明言，徵之後人，輒舉一二異同，以爲非盡抄襲，顯違史傳。余未敢附和也。《文選》卷十一注引《莊子》："去其害馬。"郭璞曰："以過分爲害。"據此，則璞亦注《莊子》也。《釋文》："鷯，郭璞云：'鷦鷯，桃雀。'"又："薦，郭璞云：'《三蒼》云六畜所食曰薦。'"

葛洪　修撰莊子十七卷

釋藏《辨正論》云："劉宋時，陸静修《道藏書目》，《莊子》十七卷，莊周所出，葛洪修撰。"余按《抱朴子·應嘲篇》云："常恨莊生言行自伐，桎梏世業。身居漆園，而多誕談。好畫鬼魅，憎圖狗馬。狹細忠貞，貶毀仁義。"洪之不滿莊生如此。然則修撰者，乃删取之類，故僅存十七也。

張湛　莊子注

《文選》卷五十四注引《莊子》曰:"孔子觀於吕梁,見一丈夫,謂孔子曰:'吾長於水而安於水,性也;不知吾所以然,命也。'"張湛曰:"固然之理,不可以智知。知其不可知,故謂之命也。"按此張湛《列子·黄帝篇》注,今本"固然"作"自然",無"故"字,恐《文選》誤引,擬删。

盧諶　莊子注

本傳。

李頤　莊子注三十卷　音一卷　丞相參軍。字景真,潁川襄城人,自號玄道子。

《唐志》作"集解"。《釋文·序録》云:"《集解》三十卷,三十篇。一作三十五篇,爲《音》一卷。"《文選·文賦》注引李歸頣《莊子注》三條,"頣"即"頤"字。《釋文》李頤説甚多,《列子·黄帝篇》注亦引之。

孟氏　莊子注十八卷　録一卷

《釋文·序録》云:"五十二篇。孟氏,不詳何人。"

李充　釋莊子論二卷

見《舊唐志》。本傳無"子"字,是。

王叔之　莊子義疏三卷　字穆夜,[1]琅邪人。

《釋文·序録》云:"宋處士。"余案《藝文類聚》屢稱晋王叔之,今從之。

李軌　莊子音一卷

《釋文·序録》曰:"徐仙民、李宏範作《音》,皆依郭本。今以郭爲主。"[2]

司馬彪等　莊子注音一卷

① "穆"下原作"囗",據吴承仕考證,當作"夜",今從其説補。

② "以"上原脱"今"字,據吴承仕《經典釋文序録疏證》補。

《釋文》:"朝菌,支遁云:'一名舜英,朝生暮落。'潘尼云:'木槿也。'"[1]又:"敖者,支云:'伺彼怠敖,謂承夫問殆也。'"

支法遁　注逍遥篇

《高僧傳》卷四:"遁注《逍遥篇》,羣儒舊學,莫不歎伏。"《世説·文學門》注引遁《逍遥》義。[2]

徐邈　莊子音三卷　莊子集音三卷

《文選》二十六注引之。

向秀　莊子音一卷

《四庫全書》郭象《莊子注》提要曰:"《世説》:'向秀注《莊子》,惟《秋水》、《至樂》二篇未竟。'案《秋水篇》'與道大蹇'句,《釋文》云:'蹇,向紀輦反。'則此篇向亦有注。"廷式案《釋文》所引出《莊子音》,《世説》之言,未爲誤也。

郭象　莊子音三卷

王坦之　廢莊論

本傳。

蘇彦　蘇子七卷 北中郎參軍。

《書抄》九十五引《蘇子》云:"道陰陽,示悔吝,莫過於《易》。"九十九亦引《蘇子》"翠以羽殃身,蚌以珠破體"云云。嚴可均《全晋文》集《蘇子》十二條,云:"《隋志》云梁有,亡。兩《唐志》皆七卷,宋不著録,蓋唐末復亡。羣書引見尚多,[3]繹其詞,譽商、韓而詆孟子。"按見《御覽》六百八,誤矣。《藝文類聚》卷九有晋蘇彦《於西陵觀濤詩》,卷十九蘇彦《語箴》,《初學記》卷三有蘇彦《秋夜長詩》。《初學記》卷二:"《蘇子》曰:

---

① "槿"原誤作"權",據上古本《經典釋文》改正。

② 原脱"文學",據《世説新語》補。

③ 原脱"多"字,據嚴可均《全上古三代秦漢三國六朝文》補。

‘夫人生一代,若朝露之託桐葉耳,其與幾何。’又曰:‘蜀鄧公呼吸成霧。’”韓鄂《歲華紀麗》卷三引《蘇子》曰:“人生于世,若朝露之寄於桐葉。”

宣聘　宣子二卷　宣城令。

陸雲　陸子十卷

本傳云:“撰新書十卷。”即此。《初學記》卷九:“《陸子》曰:‘三皇垂拱,五帝垂手,唐虞按轡,禹湯馳轅。雖使周公御衡,仲尼促節,固不已也。’又曰:‘三皇垂筴,而五帝擊手。’”《御覽》八百三十二:“《陸子》曰:‘欲水之清,則勿涉。欲草之茂,則勿獵。’”

顧谷　顧道士新書論經三卷　方士。

孫綽　孫子十二卷

《初學記》二十七:“《孫子》曰:‘隋珠耀日,羅衣從風。’”《法苑珠林》二十八:“《孫綽子》曰:‘海人與山客辨其方物,海人曰:“横海有魚,額若華山之頂,一吸萬頃之波。”山客曰:“鄧林有木,圍三萬尋,直上千里,旁蔭數國。”有人曰:“東極有大人,斬木爲策,短不可杖;釣魚爲鮮,不足充餔。”’”《崇文總目》著録十卷。陳振孫《書録解題》雜家類云:“《孫子》十卷,題晉孫綽興公撰。恐依託,《唐志》及《中興書目》並無之。余從程文簡家借録。”馬國翰《輯佚書》此書得二十餘節。然如《文選》卷三十注引《孫子》曰:“秋霜被,不彫其秀。”三十八注引《孫綽子》曰:“或問人物,曰:‘察虚實,審真僞,斷成敗,定終始,斯可謂之人物矣。’”又引:“或問雅俗,曰:‘判風流,正位分,涇渭殊流,雅鄭異調,題帖分明,標榜可觀,斯可謂雅俗矣。’”卷四十注略引。皆其所遺也。明人《世善堂書目》尚存孫綽《孫子》一卷。《書抄》一百三十八:“《孫綽子》曰:‘仲尼見滄海横流,故務爲舟航。’”《御覽》七百六十四:“《孫子》曰:‘何世之無才？[1] 何才之無施？良匠捉斤斧，造山林。梁棟，阿衡之材；櫨柱，楣椽之樸。森然陳于目前，大厦之器具矣。'"七百七十："《孫綽子》曰：'仲尼見滄海横流，故務爲舟航。'"《御覽》七十二："《孫綽子》曰：'海人曰：横海有魚，一吸萬頃之波。'"六百八："《孫綽子》曰：'銜轡衡軛，無心於馬而所以御馬；典籍禮度，無心於治而所以爲治。'又曰：'典籍文章之言也，理出於天，辭先於人。'"《文選》卷四十七注引《孫綽子》曰："聖賢極其標牓，有大力矣。"又陸佃《埤雅》尚引之，則此書宋時猶存。《孫綽子》曰："高祖御龍，光武御虎。龍，韓、彭之類是也；虎，耿、賈之類是也。"《玉函山房》已録。

簡文帝　簡文談疏六卷

《太平廣記》尚引之。《續談助》卷四引《簡文談疏》云："漢世人物，當推子房爲標的，神明之功，玄勝之要，莫之與二。接俗而不虧其道，應世而事不嬰。玄識遠情，超然獨邁。"

阮侃　攝生論二卷 河内太守。

《高僧·釋僧遠傳》有守陽太守阮侃。

梅子一卷

《隋志》儒家有《梅子新論》一卷。《意林》卷五引一則，云："案其書，晋人也。"稱"莊周以來，命世大賢惟阮先生"，蓋道家者流。《書鈔》一百五十六引《陶梅書》云："古人就食于安里，今三州米流出門。"《御覽》三十五引《陶梅書》同。余案《陶梅書》是"梅陶"之誤，疑《梅子》即梅陶作也。姑附記于此。

徐苗　玄微論

本傳云："依道家，著《玄微論》。"

張詮　子張子八篇

---

① 原闕"無才"以下至"張詮子張子八篇"，據《二十五史補編》本補。

《永樂大典》六千三百三十九引《江州志》曰:“張詮字秀碩,南陽人。性情高逸,帶經而鋤,徵散騎常侍,不起。庾悦以其貧,授尋陽令禄之。歎曰:‘古人正以容膝爲安,苟屈吾志,亦何榮乎?’拂衣入廬山浄社。客有食野鹿、溪魚而美者,誇於詮曰:‘天生是物以供人,何其美也!’詮舉《列子》曰:‘蚊蚋噆膚,虎狼食肉,非天爲。蚊蚋生人,虎狼生肉也。’客大慙。卒。有《子張子》八篇。”按書已佚,以志載,詮學近道家,故附於此。《高僧傳·釋慧遠傳》有南陽張季碩。

杜夷　杜氏幽求新書二十卷

《御覽》八百三十七:“杜夷《幽求》曰:‘獵者嗜肉,不多於不獵。及其陵岡巒赴谿嶺,而有遺身之患。’”八百九十:“《幽求子》曰:‘堯時獲獬豸,緝其尾以爲帝帳。’”本傳:“著《幽求子》二十篇。”《新唐志》作“三十卷”,誤。案《三國志·杜畿傳》注屢引此書,《文選》注、《太平御覽》亦引之。《文心雕龍·諸子篇》:“仲長《昌言》,杜夷《幽求》,咸叙經典,或明政術,雖標論名,歸乎諸子。”《書抄》一百二十六:“杜夷曰:‘銜羈之馬,伏櫪之駒,莫不思平原曠澤,翹尾而馳。’”亦當出此書。《御覽》三百五十九杜夷《幽求》三條。《困學紀聞》卷十引《幽求子》曰:“當其夢時,覩山念木,或志在舟楫,因舟念水,因水念魚。”《文選》卷五十五注:“杜夷《幽求子》曰:‘不仁之人,心懷豺虎。’”《御覽》七百六十九:“杜夷《幽求子》曰:‘輕舟可以救溺,濡幕可以濟焚。’”六百九十七:“《杜氏幽求》曰:‘褒衣博帶,高冠厚舄,佩以珠璣,結之纓蕤。’”《御覽》二十四:“《幽求子》曰:‘秋風晨厲,則慘然多悽。’”《御覽》二十二:“《幽求子》曰:‘扇翣微動,涼風夏生。’”四百三:“《杜氏幽求子》曰:‘蓋道清淡,以無爲爲家,恬虚寂静,宏廣多包,豈非聖人所宅乎。’又曰:‘有道之國,其鬼不神。’”

苻朗　苻子二十卷 員外郎。

《晉書》載記第十四："苻朗著《苻子》數十篇行於世，亦老、莊之流也。"《史通·模擬篇》云：[①]"苻朗比跡於莊周。"今案《藝文類聚》、《初學記》諸書尚多引之，嚴可均《全晉文》集得五十一事。明張鼎思《琅邪代醉篇》卷十云："王元美曰：'《苻子》書在《道藏》，非隱僻，而升菴以爲已亡。'余在白下徧求《道藏》，亦未得見《苻子》。"余案《道藏》無《苻子》，元美說誤。

司馬彪　淮南子注

《文選》卷四十五《歸去來辭》注："《淮南·要略》曰：'山谷之人，輕天下，細萬物，而獨往者也。'司馬彪曰：'獨往，任自然，不復顧世。'"《莊子·胠篋篇》釋文："《淮南子》云：'萇宏鈹裂而死。'司馬云：'胣，剔也。[②]萇宏，周靈王賢臣也。'"

阮籍　道德論　通老子論

《世說·文學門》注："《晉諸公贊》曰：'步兵校尉阮籍著《道德論》。'"

祖台之　道論

《初學記》十七引之曰："大道以至虛順通，聖人以忘懷兼應。"

墨家類

魯勝　注墨辯六篇

勝在《隱逸傳》，云："其著述爲世所稱，遭亂遺失，惟《注墨辯》存其《叙》。"

---

① "模"原誤作"摸"。

② "剔"原誤作"裂"，據上古本《經典釋文》改正。

法家類

黄命　蔡司徒難論五卷　三公令史。

滕輔　慎子注十卷

見《唐志》。《隋志》集部有《晋太學博士滕輔集》五卷,[①]即此人。今存。

劉黄老　慎子注

黄老,附《劉隗傳》。

氾毓　肉刑論

本傳。《元和姓纂》:"氾毓字毓春,晋武帝徵秘書郎,不就。著書七萬言。"

曹彦　肉刑論

《書抄》四十四"害輕全重,去死就生",注云:"曹議《肉刑論》云:'李勝云"蛇蝮螫手,則士斷其腕。繫號在足,則虎跑其蹯"云云。'"孔廣陶校云:"俞本與《類聚》五十四引作'曹羲《肉刑論》'。且脱'蛇蝮'以下。《御覽》六百四十八引《博物志》云:'李勝、曹羲建《肉刑議》。'"余案據此則"害輕全重"二語、曹羲議"蛇蝮"以下,李勝論也。又《御覽》引王隱《晋書》載曹彦《肉刑議》有云"於死於輕,[②]減死五百爲重,重不害生"云。今特著曹彦名。其李勝、曹羲兩論,不悉録目。

魯勝　刑名二篇

本傳。

名家類

張輔　名士優劣論

---

① "志"原誤作"書"。

② "於輕",文淵閣《四庫全書》本《太平御覽》卷六百四十八作"爲輕"。

《藝文類聚》卷二十二引三條,一論魏武帝、劉玄德,此條本傳已載。一論司馬遷、班固,一論樂毅、諸葛孔明。

雜家類

傅玄　傅子百四十卷

本傳云:"爲《内》、《外》、《中篇》,凡有四部六録,合百四十首。"近人嚴可均、方濬師均有輯本。

薛瑩　新議八篇

見《吴志》。

索靖　索子二十卷

本傳。

張顯　析言論二十卷　議郎。

馬國翰集張顯書,凡得四條。案《御覽》三百四十八引張顯哲曰:"古諺云:'堯舜至聖,身如脯腊。桀紂無道,肥膚三尺。'"張顯哲,他書未見,疑"哲"字乃"析言"二字之誤也。《書抄》六十二:"張顯《析言》云:'謁者僕射季明,清達有高才,多識前代格言,以爲揚雄、司馬遷儔也。'"《類聚》九十二引張顯《析言》。《新唐書·志》:"張明《誓'析言'二字誤合。論》二十卷,《古訓》十卷。"

陸機　正訓十卷

見《宋志》。《通志》七十二云:"陸機《正訓》,《隋》、《唐》二志並存,今出於荆州田氏。"《文獻通考》引《崇文總目》云:"《唐志》有《正訓》二十卷,辛德源撰。而此題云十卷,據隋以前書録,皆無之。《晋史》機傳亦不言有此,疑是德源遺書。"

范望　太玄經注十二卷　字叔明。尚書郎。

見《唐志》儒家,今存,本十卷。其《序》云:"以陸爲本,録宋所長,訓理其義,爲十卷。且以《首》分居本經之上,以《測》散處贊詞之下,故爲十二卷矣。”宋司馬光《注太玄序》云:“晋尚書郎范望作《解贊》。”

韋謏　典林二十三篇

本傳云:“作《伏林》二千餘言,遂演爲《典林》二十三篇。”

陸機　要覽三卷　《宋志》類事類“陸機《會要》一卷”,即此書。

見《舊唐志》。《玉海》五十四引《書目》云:“一卷。機《自序》云:‘直省之暇,乃集《要術》三篇。上曰《連璧》,集其嘉名,取其連類。中曰《述聞》,實述予之所聞。下曰《析名》,乃搜同辨異也。’”董斯張《廣博物志》引《書目》云:“陸士衡著《要覽》三卷,上曰《連璧》,中曰《述聞》,下曰《析名》。”《御覽》二十二又引陸機《纂要》。《御覽》卷九、卷二十、卷二十二、二十五、三百三十九。《五色綫》卷下引陸機《要覽》:“夏樹名連陰,[①]夏雨名錦雨。”[②]

周熙　新論

《北堂書鈔》六十三引周熙《新論》云“武衛將軍孫奇,年十七以秀才入侍帷幄。余作詩一篇,美而風之”云云,則熙晋時人。《御覽》二百四十一引作“周紹”。

陸喜　西州清論

本傳云:“作《西州清論》,借稱諸葛孔明以行其書也。”

陸喜　言道　訪論等書百篇

本傳:“喜《自叙》曰:‘感子雲之《法言》而作《言道》,覩賈子美才而作《訪論》,觀子政《洪範》而作《古今曆》,覽蔣子通《萬機》而作《審機》,讀《幽通》、《思玄》而作《娱賓》、《九思》。真所謂忍媿者也。’其書近百篇。”

---

① “陰”上原脱“連”,據中華書局影印本《太平御覽》補。

② “夏雨”原作“雨”,據中華書局影印本《太平御覽》補。

秦菁　秦子三卷

《隋志》題“吴人”。今案《意林》及《北堂書抄》卷一百四十五所引，有與顧彦先問難語，蓋晋人也。《意林》云二卷。《御覽》八百六十一：“《秦子》曰：‘五味者，各稱一族之名。今和一鼎名曰羹，猶威重廉平恩，合而爲信也。’”《御覽》十二引《秦子》曰：“今欲馳光日下，顯白雪中，不可得也。”九百六：“《秦子》曰：‘虎能雄猛，不可以託麑。鷹能飄擊，不可以寄雛。’”八百三十八：“《秦子》曰：‘孔文舉爲北海相，有人母病差，思食新麥，家無，乃盗鄰熟麥而進之。[①] 文舉聞，特償之。’”同二百六十二，彼處較詳。《御覽》五百八十一：“《秦子》曰：‘一人執規，十手自負。一人吹籥，長短皆應。’”《類聚》八十一：“《秦子》曰：‘常聞作人當如園圃之藍，不異衆艸，染而後朗。然不如唐棣之華，灼灼自顯。’”《書抄》一百二十九：“《秦子》曰：‘有千金之裘而無千金之布。’”一百四十八：“《秦子》曰：‘今人知涉川必涉，而忘酒醴之荒性。’”《御覽》二百六十二引《秦子》孔文舉爲北海相事，《書抄》三十六、《類聚》八十五並引孔北海事。

鄒子一卷

馬國翰《集佚書》云：“《鄒子》一卷，撰人闕。《隋》、《唐志》皆不著目。《意林》有《鄒子》一卷，在《化清經》、《成敗志》之間，蔡洪、孫毓皆晋人，《鄒子》當亦晋人所撰。攷《晋書・文苑傳》，鄒湛字潤甫，南陽新野人。所著詩及論事議二十五首，爲時所重，此湛有著作之證。以時攷之，又與蔡洪、孫毓皆在西晋之初，故書中叙‘邢高、吕安飲，仰天泣’，目覩其事而論之也。《意林》引二節，《御覽》引四節，引者不著其名，今亦僅

① “熟”下原脱“麥”，據中華書局影印本《太平御覽》補。

題鄒氏。”八百三:“《鄒子》曰:‘珠生於南海,玉出於須彌,無足而至。’”八百九十七:“《鄒子》曰:‘董仲舒三年不闚園圃,乘馬不知牝牡。’”《初學記》卷二:“《鄒子》曰:‘朱買臣孜孜修學,不覺雨之流粟。’”《書抄》九十五同,“覺”作“知”,《御覽》卷十同。

楊偉　桑邱先生書二卷　征南軍師。

楊偉　時務論十二卷

《三國志·曹爽傳》注引郭頒《魏晋世語》云:“偉字世英,馮翊人。”《御覽》三百五十八引之。

葛洪　抱朴子外篇五十一卷

今存。按《抱朴子·自叙》云:“《外篇》言人間得失,世間臧否,屬儒家。”今以其兼採道術,故仍入雜家。

孟儀　子林二十卷

孔衍　孔氏説林二卷

《新唐志》:“孔衍《説林》五卷。”

殷仲堪　論集九十六卷

《舊唐志》作“《雜論》九十五卷”,入集部。

蘇道　立言六卷

戴安道　纂要一卷　亦云顔延之撰。

兵家類

慕容氏　兵法一卷

孔衍　兵林六卷　江都相。

司馬彪　兵記二十卷　一本八卷。

司馬彪　戰略

《三國志·劉表傳》、《王基傳》、《鍾繇傳》、《蔣濟傳》注皆引司馬彪《戰略》。《初學記》二十五、《御覽》三百三十七、三百五十九亦引之,未知與《兵記》即一書否。

陶侃　六軍鑑要一卷

見《宋史·藝文志》。蓋依託。

抱朴子軍術

此《外篇》中佚篇也。嚴可均集得四十二條,今别録其目。

葛洪　兵法孤虚月時秘要一卷

見《唐志》。

葛洪　陰符十德經一卷

見《唐志》。

庾衮　保聚圖一卷

《通鑑》:"太安元年,潁川處士庾衮,聞冏期年不朝,歎曰:'晋室卑矣,禍亂將興。'率妻子逃於林慮山中。"《郡齋讀書志》:"庾衮《保聚圖》一卷,晋庾衮撰。《晋書·孝友傳》載衮字叔褒,齊王冏之倡義也。張泓等掠陽翟,衮率衆保禹山,泓不能犯。此書《序》云:'大駕遷長安時,元康三年己酉,撰《保聚壘議》二十篇。'按冏之起兵,惠帝永甯元年也;帝遷長安,永興三年也,皆在元康後。且三年,歲實癸丑,今云己酉,皆誤。"

農家類

郭璞　夏小正注

《太平廣記》卷十三引《神仙傳》云:"璞注《山海經》、《夏小正》、《爾雅》、《方言》。"

嵇含　南方草木狀三卷

見《宋志》,今存。《齊民要術》屢引《南方草物狀》,未知即此書否。案此書文筆淵雅,敘述簡净,自是唐以前作。然以爲嵇含則非也。案《晋書·忠義傳》:"劉宏表含爲廣州刺史,未發,宏卒。含素與宏司馬郭勱有隙,夜掩殺之。"又《抱朴子·

自叙》云:“故人譙國嵇君道見用爲廣州刺史,[①]乃表請洪爲參軍。遣先行催兵,而君道於後遇害。”[②]是含實未至廣州,不得爲此書也。又案《南方艸木狀》“乞力伽”一條云:“劉涓子取以作煎。”涓子,東晋末人,遠在嵇含後,是書非含作益明矣。

史道碩　田家十月圖

《古今名畫録》曰:“晋史道碩畫《田家十月圖》,爲世所寶。”《御覽》七百五十、《歷代名畫記》卷五引孫暢之云:“道碩兄弟四人,並善畫。”謝赫云:“碩與王微並師荀衛。”

何曾　食疏

《齊書・虞悰傳》:“豫章王嶷盛饌享賓,謂悰曰:‘今日肴羞,甯有所遺不?’悰曰:‘恨無黄頷臛,何曾《食疏》所載也。’”

宏君　舉食檄

《北堂書鈔》、陸羽《茶經》、《太平御覽》皆引之。嚴可均云:“疑即宏戎。”《通典》八十一有晋東海國臣宏據。

徐衷　南方草木狀

《後漢書・西南夷傳》注引之。《御覽》八百三“草木”作“草物”。又八百七引徐衷《南方記》述班具贏,九百四十一引徐衷《南方記》述白珠捧觳,亦當出此書。戴凱之《竹譜》云:“筋竹,其筍未成竹時,堪爲弩弦。見徐忠《南方奏》。”“徐忠”蓋即“徐衷”。

食經

《御覽》八百五十六:“盧諶《祭法》:‘秋祠用菹消。’《食經》有此法也。”此諶所見之《食經》,是晋以前書。《齊民要術》亦屢引《食經》。

---

① “君”原作“居”,楊明照《抱朴子外篇校箋》據《意林》及《晋書》改,今從其説改。

② “君”原作“居”,楊明照《抱朴子外篇校箋》據《意林》及《晋書》改,今從其説改。

縱横家類

皇甫謐　鬼谷子注三卷

《日本國見存書目》尚有此書。

曆算家

楊偉　景初曆三卷　景初曆術二卷　景初曆法五卷一本三卷。

《後魏書·律曆志》云:"魏明帝行楊偉《景初》,於晋朝無所改作。"①

劉智　正曆四卷　太常。《新唐書》云薛夏訓。

《開元占經》屢引之。《初學記》卷一引劉氏《正曆問》,即此書。按智附《劉寔傳》。《御覽》卷二百五十九引《晋書》作"劉世智",②疑史臣避唐諱,但稱劉智也。

汲冢書大曆二篇

事詳《束晳傳》,云:"鄒衍談天類也。"

王朔之　通曆

《律曆志》云:"永和八年,著作郎琅邪王朔之造《通曆》。"

杜預　二元乾度曆　曆論

本傳。《春秋釋例》卷十云"余爲《曆論》之後,至咸甯中,有善算者李修、夏顯,依曆體爲術,名《乾度曆》,表上朝廷"云云。又《春秋長曆》説"夏顯"作"卜顯"。

皇甫謐　朔氣長曆二卷

劉徽　九章算術十卷　九章重差圖一卷　一名《海島算經》。

《四庫總目提要》云:"劉徽《序九章算術》云:'徽尋九數有重

① "律"原誤作"偉",據《二十五史補編》本改正。

② "卷"下原脱"二百五十九","晋"上衍"中"字,"晋"下衍"中興"二字,據中華書局影印本《太平御覽》改正。

差之名,凡望極高,測絶深,而兼知其遠者,必用重差。輒造《重差》,並爲注解,以究古人之意,綴於句股之下。'據此,則徽書本名《重差》,無《海島》之目,但附於句股之下,不别爲書。故《隋志》《九章算術》增爲十卷,云劉徽撰,蓋以《九章》九卷,合此爲十也。而《隋》、《唐志》又有《九章重差圖》一卷,蓋一書兩出。至《海島》之名,不過後人因卷首以海島之表設問而改斯名。然《唐·選舉志》稱'《九章》、《海島》共限習三年',則唐初已然矣。"《大藏音義》卷六引劉洪《九京疑當作"章"算經注》"一至載數法之名,有十五等"云云。

夏侯陽　算經三卷

阮元《疇人傳》曰:"舊以夏侯陽爲隋人,以張邱建有夏侯陽方倉之語,斷爲陽以後人。余攷之,有不盡合者。夏侯陽稱甄鸞、劉徽爲之詳釋,則鸞在夏侯陽之前;而張邱建《算經》有甄鸞注,則張邱建當更在鸞之前。彼此互異,不可是正,蓋術數之書,多經竄易,不可據單詞定先後也。今姑從《大觀算學》所定,以張、夏附見晋代,以俟知者詳之。"

張邱建　算經三卷　清河人。

今存。

楊偉　漏刻經一卷

張亢　宗曆贊一篇

案亢附《張載傳》,云:"亢述《曆贊》,見《律曆志》。"今檢《志》,無此《贊》。"宗"字誤衍。

趙畋　河西甲寅元曆一卷　甲寅元曆序一卷　凉太史。

《魏書·律曆志》云:"世祖平凉土,得趙畋所修《玄始曆》,後謂爲密,以代《景初》。"

趙畋　河西壬辰元曆一卷

見《舊唐志》。《後魏書·李業興傳》云:"以世行趙畋曆,節氣後辰下算。延昌中,業興乃爲《戊子元曆》上之。”

趙敺　陰陽曆術一卷　又《通志》有趙敺《七曜曆數算經》一卷。

姜氏　三紀曆一卷　曆序一卷

姜岌　曆術四卷　《唐志》三卷。

《律曆志》:“天水姜岌造《三紀甲子元曆》。”《通志・藝文略》:“姜岌《三紀驗曆》一卷,姜氏《曆序》一卷。”《隋・律曆志》中:“晋時有姜岌,又以月食於日度,知冬至之日日在斗十七度。”

天文家類

虞喜　安天論圖六卷　會稽人。

《新唐志》:“虞喜《安天論》一卷。”《初學記》屢引喜《安天論》。《御覽》五十四。

葛洪　渾天論

虞聳　穹天論

聳字世龍,虞翻子,事見《吴志・虞翻傳》注引《會稽典録》。《初學記》卷一:“虞昺《穹天論》曰:‘天形如笠,而冒地之表。’”《書抄》一百四十九亦引之。案昺字子文,虞翻子,事見《吴志・虞翻傳》注引《會稽典録》。以上三種,並見《晋書・天文志》及《開元占經》。

魯勝　正天論

本傳。

姜岌　渾天論　渾天論答難

見《開元占經》。《晋書・律曆志》云:“岌又著《渾天論》,以步日於黄道駁前儒之失。”《隋・天文志》有安岌《論天》,《疇人傳》引錢辛楣曰:“‘安’當爲‘姜’字,脱其半耳。”

譙周　天文志

見《晋書・天文志》序。《續漢書・天文志》注引之。

郭璞　星經一卷

見《通志·藝文略》六。

索靖　五行三統正驗論

本傳云:"著《五行三統正驗論》,辯理陰陽氣運。"

陳卓　天文集占十卷 太史令。

陳卓　天官星占十卷　四方宿占四卷　五星占一卷 《舊唐志》二卷。

《景祐六壬神定經》曰:"後魏太史陳卓言,入宿度,各有先後。"按卓乃晋太史令,楊維德誤也。

陳卓　石氏星經記七卷

本書《天文志》云:"武帝時,太史令陳卓總甘、石、巫咸三家所著《星圖》,大凡二百八十三官,一千四百六十四星,以爲定紀。"蓋即此書。

韓楊　天文要集四十卷 太史令。

《初學記》卷二十引四條。《御覽》六百四十二引作"韓陽"。

郭琦　天文志

見本書《隱逸傳》。

郭曆　星經十卷

陳卓　星述一卷

見《通志》。

張華　列象圖

見《遂初堂書目》。

張華　小象賦一卷　三家星歌一卷

並見《宋志》。又《通志》張華《小象千字詩》一卷,《玉海》引《崇文目》同。

晋渾天圖

宋米芾《畫史》云:"漣漪藍氏收晋畫《渾天圖》,直五尺素畫,不作圜勢，别作一小圈，畫北斗紫極，亦易於點閲。又列位多異於常圖。”

五行家類

徐苗　徐氏周易筮占二十四卷　徵士，字君胄，高密淳于人。

譙周　災異志　記漢建武以來。

見《續漢書·五行志》。《絳雲樓書目》尚著録《譙子五行》。

譙周讖

《華陽國志》屢引之。

王子年歌一卷

《藝術·王嘉傳》云：“其所造《牽三歌讖》，事過皆驗，累世猶傳之。”蓋即此書。《高僧傳》卷五云：“人問善惡，嘉隨而應答，語則可笑，辭似讖記，事過多驗。”

瑞應圖二卷

《後魏書·張淵傳》《觀象賦》自注引《瑞應圖》曰：“景星大如半月，生於晦朔，助月光明。當堯之時，有此星見。”案淵逮事苻堅，其所引蓋晋以前書也。又《晋書·五行志》内史吕會上言，亦引《瑞應圖》。

程猗　説石圖

《後魏書·禮志》：“元珍上言云：‘越騎校尉程猗贊成王肅，駁鄭禫二十七月之失，爲六徵三驗。上言於晋武帝。’”即此人。干寶《搜神記》“程猗《説石圖》曰：金者，晋之行也”云云。《宋書·符瑞志》兩引之。

郭璞讖

見《桓温傳》。《隋書·薛道衡傳》：“郭璞有云：江東偏王三百年，還與中國合。”亦當是讖也。

祥瑞圖

《御覽》八百七十三:“《祥瑞圖》曰:‘張掖之柳谷有石,始見於建安,成形於黄初,文備於太和。其石狀象龜,嶷然盤峙,廣一丈六尺,長一丈七尺,周圍五丈餘,蒼質。麟鳳龍馬,炳焕成形,文字燦然。斯蓋大晋受終,聖德兼該之應也。’”按此疑即《晋玄石圖》,今姑並列其目。

晋災異簿二卷

晋德易天圖二卷

晋玄石圖一卷

郭璞　周易新林四卷　周易林五卷　或作“《周易新林》九卷”,疑並兩書數之也。**易洞林三卷　易八卦命録斗内圖一卷　易斗圖一卷　易立成林二卷**《隋志》題郭氏,蓋亦依託景純者,今並録之。

《藝文類聚》十七、九十八,《初學記》二十九皆引郭璞《洞林》。《崇文總目》郭璞《洞林》一卷,馬國翰集《易洞林》二卷。《初學記》卷三:“《周易集林》曰:‘坤,土也。’”《類聚》九十八引《洞林》曰:“東中郎參軍周稚琰封蠶蛾,令吾射之。”八九引《洞林》曰:“郭璞避難至新息,有以茱萸令璞射之。璞曰:‘子如赤鈴,含玄珠。’”案文言之是茱萸。《左傳》莊二十二年正義曰:“郭璞撰自所卜事,謂之《辭林》。其辭皆韵,習於古也。”按“辭林”當作“洞林”,涉下文而誤。《郭璞傳》:“璞撰前後筮驗六十餘事,名爲《洞林》。又抄京、費諸家要最,更撰《新林》十篇、《卜韵》一篇。”

郭璞　葬書一卷

見《宋志》,今存。按《隋書·藝術·簫吉傳》引《葬書》云:[①]“氣王與姓相生,大吉。”今此本無之,當是别一書也。《後漢書·方術傳》注:“須臾,陰陽吉凶立成之法也。今書《七志》

① “簫”,中華書局點校本《隋書》作“蕭”。

有《武王須臾》一卷。"此條注《易成林》下。《隋志》:"《武王須臾》二卷。"

郭璞　青囊補注三卷

見《郡齋讀書後志》。《通志略》:"郭璞《青囊經》二卷。"案璞傳載璞從河東郭公受《青囊中書》九卷,故術家爲此名也。《太平廣記》十四引《神仙拾遺》云:"郭文蒻葉書《金雄詩》、《金雌記》,其言皆當時讖詞。"

郭文　金雄記一卷　金雌記

郭文,見《隱逸傳》。宋鄧牧《洞霄圖志》:"文以晋室亂入餘杭大滌山學道。"又引《吴地記》載文嘗坎本書之上曰《金雄記》,下曰《金雌記》。蓋讖晋祚也。《隋志》讖緯類有郭文《金雄記》一卷。《金雌記》一作"金雌詩",宋、齊《符瑞志》皆引之,明周嬰《卮林》考之甚詳。

郭璞　八五經一卷

見《直齋書録解題》。

郭璞　周易竅書三卷　周易括地林一卷

並見《崇文總目》。

郭璞　周易穿地林一卷　地理碎金式一卷　玄堂品訣三卷　撥沙成明經一卷　錦囊經一卷

並見《通志・藝文略》六。

郭璞　三命通照神白經三卷　周易玄義經一卷　周易察微經一卷　周易鬼御算一卷　周易逆刺一卷　易鑑三卷

並見《宋志》。

郭璞　玉照定真經一卷

見《四庫書目》。

郭琦　五行傳

見《晋書・隱逸傳》。

索襲　天文地理十餘篇

本傳。

遁甲書六十餘卷　撰人闕。

見《抱朴子·登涉篇》。《後漢書·方術傳》注云："今書《七志》有《遁甲經》。"《隋書》有《遁甲開山圖》，榮氏解，[①]引者或稱"榮卲"。按劉越石《勸進表》云："臣磾遣散騎常侍、征虜將軍、清河太守、領右長史、[②]高平亭侯榮卲。"當即其人。《通志·藝文略》六："《遯甲開山圖》三卷，榮氏撰。"

葛洪　龜決二卷　周易雜占十卷

葛洪　遯甲反覆圖一卷　遯甲肘後立成囊中秘訣一卷　遯甲要用四卷　遯甲秘要一卷　遯甲要一卷　三元遯甲圖三卷　末一種見《舊唐志》。

《抱朴子·登涉篇》云："《遁甲書》乃有六十餘卷，不可卒精，故抄集其要，以爲《囊中立成》。"

郭璞　元經十卷　門弟子趙載注。

趙載　旋璣經一卷

明崇禎間刻本。按《晋書》云："璞門人趙載嘗竊《青囊書》，未及讀，而爲火所焚。"《御覽》七百二十六。後人遂依託其名，撰此書也。又明人刻《地理人天共寶》有陶侃《尋龍捉杖賦》，尤依託無據。不録。

顏氏　周易立成占三卷

顏氏　周易孔子通覆決三卷

按此顏氏，蓋即顏幼明，姑録其書。俟考。

顏幼明　黄帝靈棊經注二卷

---

① 《隋志》五行類載《遁甲開山圖》三卷，榮氏撰，不云解。《文選注》及《太平御覽》有引"榮氏解曰"者。又《二十五史補編》本"解"上有"圖"字。

② "右"原誤作"各"，據中華書局影印本《文選》李善注改正。

今存。《四庫總目提要》云："大抵依託之詞，惟考《隋志》，即有《十二靈棊卜經》。而《南史》所載'客從南來，遺我良材。寶貨珠璣，金盌玉盃'之繇，實爲今經第三十七卦象詞。[①] 則是書出自六朝以前，由來已古矣。"南齊有平南將軍顔幼明，見《索虜》及《南蠻傳》。《梁書·儒林·范縝傳》有琅邪顔幼明。《水經·泄水》注云："沈約《宋書》言泰始元年，豫州刺史殷琰反，[②]明帝假勔輔國將軍討之。琰降，不犯秋毫，百姓來蘇，生爲立碑，言過其實。建元四年，故史顔幼明爲其《廟銘》。"劉敬叔《異苑》卷五曰："《十二棊卜》，出自張文成，受法於黄石公。行師用兵，萬不失一。逮至東方朔，密以占象事。自此以後，秘而不傳。晉甯康初，襄城寺法味道人忽見一老公著黄皮衣，竹筒盛此書，以授法味，[③]無何，失所在，遂復流於世。"據此，則此書蓋法味依託也。《御覽》七百二十六所引同。

河圖占

《晉書·天文志》引之。近人補後漢、三國《藝文志》者，悉未入録，故附存其目。

庾闡　蓍龜論

《藝文類聚》卷七十五引之。

相牛經二卷

《世説·汰侈篇》注："《相牛經》曰：'《牛經》出甯戚，傳百里奚。漢世河西薛公得其書以相牛，千百不失。本以負重致遠，未服輜軿，故文不傳。至魏世，高堂生又傳以與晉宣帝，

---

① "卦"下原脱"象詞"，據《四庫全書總目提要》補。

② "反"原誤作"及"，據《四部叢刊》本《水經注》改正。又本條不見於《泄水》注，見於《肥水》注。

③ 原脱"以授"，據《叢書集成初編》本《異苑》及中華書局影印本《太平御覽》補。

其後王愷得其書焉。'"《郡齋讀書志》箸録云:"細字,薛公注也。"

白澤圖一卷

按《抱朴子·登涉篇》及干寶《搜神記》已引之,則晋以前書也,故附著其目。馬國翰集此書得四十節,爲一卷。

張華　注師曠禽經一卷　依託。

今存。

相手版經

《御覽》六百九十二:"《相手版經》曰:'《相手版》出自蕭何,或曰四皓。初出,殆不行世。東方朔見而善之,曰:"此非庸人所解。"[①]至魏,原誤'衞'。司空陳長史見此書歎伏,以示許士宗、韋仲將、管輅,見而推歎。郭景純以夜兼晝,方得其妙理。'"按晋時緯縱學不甚傳,而此等書乃紛然錯出,録之足以覘風氣也。本紀:"泰始三年,禁星氣讖緯之學。"

醫家類

王叔和　脈經十卷　高平人,官太醫令。

今存。《郡齋讀書志》曰:"按唐甘宗伯《名醫傳》,叔和,西晋高平人。性度沈静,博通經方,精意診處,尤好著述。其書纂岐伯、華陀等論脈要訣,凡九十七篇。"

王叔和　論病六卷

高湛《養生論》曰:"王叔和,高平人。博好經方,洞識攝生之道。嘗謂人曰:'食不欲雜,雜則或有所犯,當時或無灾患,積久爲人作疾。尋常飲食,每令得所多冷,令人頓亭短氣,或致暴疾。夏至、秋分,少食肥膩餅臛之屬,此物與酒食瓜果相

① 原脱"解"字,據中華書局影印本《太平御覽》補。

妨，當時不必即病，入秋節變，陽消陰息，寒氣總至，多至暴卒。良由涉夏取冷大過，飲食不節故也。而不達者皆以病至之日便謂是受病之始，而不知其所由來者漸矣。豈不惑哉。'"《御覽》七百二十。

吴普　華陀方十卷

吴普　本草六卷　華陀弟子。廣陵人。

《抱朴子·至理篇》云："有吴普者，從華陀受五禽之戲，以代導引，猶得百餘歲。"按此書《藝文類聚》、《太平御覽》屢引之。《後漢書·華陀傳》注引《陀别傳》曰："吴普從陀學，微得其方。魏明帝呼之，使爲禽戲，普以年老，手足不能相及，粗以其法語諸醫。普今年將九十，耳不聾，目不冥，牙齒完堅，飲食無損。"按作《陀别傳》者在魏明帝後，而稱普"將九十"，《抱朴子》言普"得百餘歲"，則固入晉矣。

王季琰　本草經三卷

按季琰，王珉字。沈子培曰："此修《隋書》時避唐諱，故稱其字。"

王季琰　藥方一卷

王叔和編次　張仲景傷寒論十卷

見《通志》，今存。高湛《養生論》曰："叔和性沈静，好著述，考覈遺文，採摭羣論，撰成《脈經》十卷，編次《張仲景方論》爲三十六卷，大行於世。"《御覽》七百二十二。《隋志》："梁有張仲景《辨傷寒》十卷，張仲景《評病要方》一卷，又張仲景《療婦人方》二卷。"

王叔和　張仲景藥方十五卷

見《舊唐志》。

葛洪　肘後方六卷

《舊唐志》作"《肘後救卒方》四卷"，本傳作"《肘後要急》四卷”,今存。《藝文類聚》七十五引陶宏景《肘後百一方序》。《類聚》八十二引葛洪《治金創方》。

金匱玉函經八卷

《郡齋讀書志》曰:“漢張仲景撰,晋王叔和集。設答問雜病形證脈理,參以療治之方。仁宗朝,王洙得於館中,用之甚效。合二百六十二方。”

羅什耆婆　脈訣注十二卷

見《日本現在書目》。

葛洪　玉函煎方五卷　金匱藥方一百卷

《晋中興書》曰:“洪撰《經用救驗方》三卷,號曰《肘後方》。又撰《玉函方》一百卷,於今行用。”《御覽》七百二十二。

葛仙翁杏仁煎方一卷

《崇文總目》“葛洪撰”,《宋志》“仙翁”作“仙公”。按《東觀餘論》以葛仙公爲葛玄,此亦當是。今姑録之。

皇甫謐　曹歙　論寒食散方二卷　“歙”當依《魏志》作“翕”。

《魏志·東平王徽傳》注:“臣松之案,翕入晋,封廩邱公。魏宗室之中,名次鄄城公。撰《解寒食散方》,與皇甫謐所撰並行於世。”按《隋志》又有《皇甫士安依諸方撰》一卷,文義未備,蓋承上宋尚《寒食散》而言,即此書也。

釋道洪　寒食散對療一卷　釋道洪方一卷

胡洽　胡居士治百病要方三卷

見《新唐志》。

范汪　范東陽方一百七十六卷　録一卷

《舊唐志》:“《雜藥方》一百七十卷,范汪方、尹穆撰。”案《御覽》七百三十九引范汪《秘方》,七百四十三、九百四十六並引《范汪方》,九百二十五引范汪《治咽方》,九百四十八引范汪《治不得小便方》,卷一千引范汪《治淋方》。餘各家所引尚多，明徐氏《古今醫統》引用書目尚有《范汪方》五卷。《晋書·范汪傳》：[①]“撰《方》五百餘卷，又一百七卷，後人詳用，多獲其效。”《御覽》七百二十二“范汪”，竇衆《述書賦注》作“范泜，字玄平”。

范氏療婦人藥方十一卷

范氏解散方七卷

劉涓子　鬼遺方十卷 龔慶宣傳。

《崇文總目》云：“涓子，晋末人。於丹陽縣得《鬼遺方》一卷，皆治癰疽之法，慶宣得而次第之。”《中興書目》引。見《直齋書録解題》。《唐志》作“劉涓子男方”，誤。

劉涓子　鬼論一卷

《崇文總目》著録。錢侗云：“天一閣有抄本。”

療癰經一卷

《隋志》列《鬼遺方》下，不著撰人。錢氏《讀書敏求記》卷三云：“予别有劉涓子《治癰疽神仙》一卷，是家抄本。”蓋即此書。

殷仲堪　殷荆州要方一卷

《顔氏家訓·雜藝篇》云：“醫方之事，微解藥性，小小和合，居家得以救急，皇甫謐、殷仲堪則其人也。”

阮文叔　阮河南藥方十六卷

《新唐志》題“阮炳”。《隋志》避唐諱稱字。《魏志·杜畿傳》注引《杜氏新書》云：“阮武弟炳字叔文，河南尹。精意醫術，撰《藥方》一部。”按《唐志》又有《阮河南藥方》十七卷，當是重出。

遼東備急方三卷

---

① “汪”下原脱“傳”字。

《隋志》云:"都尉臣廣上。"

于法開　議論備豫方一卷

《翻譯名義集》卷十七:"法開,晋升平中,孝宗有疾,開視狀,知不起,不肯進藥。獻后怒,收付廷尉。俄而帝崩,獲免。或問法師曰:'高明剛簡,何以醫術經懷。'開曰:'明六度以除四魔之疾,調九候以療風寒之病。自利利他,不亦可乎。'孫綽曰:'才辯縱横,以數術通教,其在開公焉。'"

宫泰　三逆散方

徐春甫《古今醫統》:"晋宫泰,不知何郡人。制《三逆散方》,治喘咳氣逆最效,世所貴云。"

鄞邵　五石散　礜石散方

《古今醫統》:"鄞邵,不知何郡人。制《五石散》、《礜石散》等方,晋朝士大夫無不敬服。"

葛洪　黑髮酒方一卷

見《崇文總目》。

張湛　養生要集十卷　養性傳二卷

見《新唐志》。《文選》二十一注引《養生要論》曰:"龜鶴壽有千歲之數,性壽之物也。道家之言,鶴曲頸而息,龜潛匿而噎,此其所以爲壽也。服氣養性者法焉。"疑出此書也。《新唐志》入神仙家。《御覽》卷九引《養性經》曰:"治身之道,春避青風,夏避赤風,秋避白風,冬避黑風。"此彭祖《養性經》也,《醫心方》屢引之。

張湛　延年秘録十二卷

見《唐志》。《宋·藝文志》《延年秘録》十二卷,不著撰人。葉石林《避暑録話》卷下引張湛授范甯《目痛方》,蓋出此書。

玉房秘訣十卷

《隋志》八卷,不題撰人。《新唐志》題"冲和子《玉房秘訣》十卷”,注云張鼎。鼎,不詳何時人。俟攷。

殷浩　方書

《圖書集成》藝術典醫部《名醫列傳》引《醫學入門》云:“殷浩精通經脈,著《方書》。”《初學記》卷四:“《養生要集》曰:‘术,味苦小温,生漢中南郊山谷,五月五日採之。’”《御覽》八百三十九、八百四十一均引《養生要集》。《文選》卷五十三引《養生要》曰:“大蒜勿食,葷辛害目。”《御覽》三百九十一:“《養生要訣》曰:‘人語笑欲令至少,不欲令聲高。若過誤笑,損肺、腸,精神不足。’”

支法存　申蘇方五卷

《千金序》曰:“支法存,嶺表人,性敦方藥。自永嘉南度,士大夫不襲水土,多犯脚弱,惟法存能拯濟之。”《御覽》七百二十四又曰:“僧深善療脚弱氣之疾,撰録法存等諸家醫方三十餘卷。”①

神仙家類

華嶠　紫陽真人周君傳一卷

按“嶠”當作“僑”。《真誥・真胄世譜》云:“華僑者,晋陵冠族,世事俗禱。僑入道,鬼事得息。積年乃見裴清靈、周紫陽。”又云:“今世中《周紫陽傳》,即僑所造。”《御覽》六百六十九:“《真人周君内傳》曰:‘紫陽真人周義山字季通,汝陰人也,漢丞相勃七世孫。父浚,官至陳留内史。’”《類聚》七十八:“《真人周君傳》曰:‘紫陽真人周義山,汝陰人。聞有欒先生得道在蒙山,能讀《龍嶠經》,乃追尋之。’”

葛洪　抱朴子内篇二十一卷　音一卷

今存二十卷。

---

① “方”原誤作“家”,據中華書局影印本《太平御覽》改正。

抱朴子神仙服食藥方十卷

《新唐志》:"《抱朴子太清神仙服食經》五卷。"

抱朴子養生論一卷

見《宋志》。《道藏》臨字號有此書。嚴可均《鐵橋漫稿》曰:"前半即《地真篇》也,後半與《極言篇》相輔。"

太清玉碑十一卷　葛洪與鄭惠遠問答。

見《宋志》。

青霞子授茅君歌一卷　青霞子,晋太康時人。

見《通志》。

王浮　老子化胡經十卷

《高僧傳》卷一:"帛遠平素之日,與王浮屢争邪正,浮瞋不自忍,乃作《老子化胡經》,誣謗佛法。"《郡齋讀書志》云:"魏明帝爲之序。按裴松之《三國志注》,言世稱老子西入流沙,化胡成佛。其説蓋起於此。"

稚川真人校證術一卷

《道藏》似字號有此書。

枹朴子神仙金汋經三卷

嚴可均《漫稿》曰:"其上、下二卷,即《金丹篇》也。"

抱朴子别旨二卷

《宋史・藝文志》著録,云"不知作者"。今《道藏》本《抱朴子内篇》後附此書一卷,凡五百六十餘言,蓋依託也。

王真人陰丹訣一卷　東晋王長生撰。

見《通志》。

葛洪　五金龍虎歌一卷　五岳真形圖文一卷

並見《崇文總目》。

許真君修九幽立成儀一卷

見《崇文總目》。金錫鬯云:"《通志略》亦名《旌陽遺教》。"

庾闡　列仙論

《藝文類聚》卷七十八引之。

葛洪　神仙傳略一卷

見《崇文總目》。

仙人馬君陰君内傳一卷

《唐志》題“趙昇等撰”。

葛洪　胎息術一卷

《郡齊讀書後志》云:“《葛仙翁胎息術》一卷。右仙翁,葛洪也。”案葛仙翁即三國時之葛仙公,非稚川也,晁氏蓋誤。《後漢書·方術·王真傳》:“能行胎息胎食之方。”注:“《漢武内傳》曰:‘習閉气而吞之,名曰胎息。’《抱朴子·釋滞篇》曰:‘胎息者,能不以鼻口嘘噏,如在胞胎之中。’”①

王羲之　許先生傳一卷

見《唐志》。《崇文總目》有《許邁傳》一卷,金錫鬯云:“疑即此書。《通志》作《許遠游傳》,《藝文類聚》、《太平御覽》屢引之。”

葛洪　金木萬靈訣一卷

見《通志》。《道藏》松字號有此書。

大洞真經一卷　《真誥》引之。

《郡齋讀書志》卷十六云:“《大洞真經》一卷,題云高上虚皇等道書三十七章。晋永元中,上清紫微元君降授於王夫人,是《上清高法》。《道藏》書六部,李氏《道書志》四類,皆以此書爲之首。”《真誥·叙録》云:“《上清真經》出世之源,始於晋興甯二年太歲甲子,紫虚元君上真司命南嶽魏夫人下降,授弟子琅邪王司徒公府舍人楊羲,使作隸字,以傳護軍長史句容

---

① “噏”,原作“吸”,據中華書局點校本《後漢書》改。

許穆並第三息上許掾玉斧。"

許遜　靈劍子一卷

《靈劍子》引《道子午記》一卷。見《天一閣書目》。

黄庭内景經一卷

今存。《郡齊讀書志》曰:"梁邱子《叙》云:'扶桑大帝命暘谷神王傳魏夫人。一名《東華玉篇》。'"

黄庭外景經三卷

今存。《郡齋讀書志》云:"《叙》謂老子所作,與《法帖》所載晋王羲之寫本正同。"周必大《跋山谷書南華玉篇》云:"《黄庭外景》一篇,世傳魏晋時道家者流所作。此三十六篇,乃其義疏,名曰《内景》,養生之樞要也。"《益公題跋》卷十一。葉奕包《金石録補》曰:"按羲之卒於穆帝升平五年,後二年爲哀帝興甯二年,《黄庭》始降於世,則非王書可知。"

華存　清虚真人王君内傳一卷

《御覽》六百九十三引稱"王褒内傳",餘所引多稱"王君内傳",或稱"真人王君傳"。《隋志》題"弟子華存傳"。

晋哀帝　丹青符經五卷　丹臺録三卷

出柳子厚《龍城録》。按《龍城録》雖僞書,要是宋以前作。慮其别有所本,姑録存之。

許遠遊詩十二首

宋鄧牧《洞霄圖志》:"許邁字叔元,一名映。後改名元,字遠游,與旌陽令遜、護軍長史穆,皆再從兄弟。後於臨安西山師王世隆,箸詩十二首,論神仙事。"

王獻之　畫符及神咒一卷[①]

① 原脱"咒"字。

米芾《畫史》云："王獻之《畫符及神咒》一卷，[1]小字，五斗米道也。"

南嶽夫人内傳一卷

《崇文總目》："《南嶽魏夫人内傳》一卷。"金錫鬯云："按《宋志》'范邈撰'，《唐志》作'《紫虚元君魏夫人内傳》，項宗撰'。《初學記》二十八引作'南嶽夫人傳'，《藝文類聚》菓部亦引之，《唐志》亦云范邈撰，與項宗書蓋兩部，宜分録。《書抄》一百二十九：'《真人三君内傳》云："南極夫人被錦服青羽裙。"'"

抱朴子玉策記

《初學記》二十九引之。《太平御覽》卷八、卷九百六、九百八、九百九。

馬明生别傳 《書抄》作"名生"。

《書抄》一百三十三、《類聚》八十七並引之。《御覽》七百六、《文選》卷二十八注作"馬明先生别傳"。

李遵 太元真人東鄉司命茅君内傳一卷

《御覽》六百六十一引此書云："以晋興甯三年七月四日，夜降楊君家。"則晋人書也。餘書引之，或稱"茅君内傳"，或稱"茅盈傳"，九百十六稱"李尊《太元真人茅君内傳》"，《隋志》題"弟子李遵"，《初學記》三十引李遵《太元真人茅君傳》。《真誥·甄命授》第四云："李中候名遵，撰《茅三君傳》、《飛步經》。"《真誥·協昌期》第一有答長史諮《飛步經》。

施安五星圖 同上。**二十四神經** 同上。

三皇内文天文三卷 元文上中下三卷 混成經二卷 元録二卷 九生經云云至李先生口訣肘後二卷 自來符云云至玉斧

---

① 原"咒"與"一卷"互倒，據《四庫全書》本《畫史》乙正。

符十卷　青龍經　中黄經　太清經　通明經　按摩經　道引經十卷　玄陽子經　玄女經　素女經　彭祖經　陳赦經　子都經　張虚經　天門子經　容成經　入山當作“內”。**經　金丹經　枕中五行記**

《抱朴子・遐覽篇》“《道經》有《三皇内》”云云,又《釋滯篇》曰:“道書篇卷,至於山積。”案各書、《漢・藝文志》皆不著録,依託無疑,而稚川見之,必晋以前書也,故具列其目。如《太清》、《素女》、《彭祖》諸經,則並見《隋志》矣。日本禰康賴《醫心方》卷二十八屢引《玄女經》、《素女經》、《太清經》及《抱朴子》説,皆晋以前書也。

葛氏房中秘術一卷

見《新唐志》。《隋志》作“序房内秘術”,隋諱中字也。[①]《抱朴子・釋滯篇》曰:“玄素、子都、容成公、彭祖之屬,蓋載其麄事,終不以至要者著於紙上。余承師鄭君之言,故記以示將來之信道者,實復未盡其訣矣。”

許旌陽　度人經釋例一卷

太上浄明院補奏職局奏玄都省都知一卷。

見《道藏》方法類賴字號。

易内戒　赤松子經　河圖記命符

《抱朴子・微旨篇》引之。

董仲舒李少君家録　仙經

《抱朴子・論仙篇》引之。

玉策記　昌宇經　玉鈐經中篇

《抱朴子・對俗篇》引之。

神仙經黄白方二十五卷　或題篇云“庚辛”。**九丹經　金銀液經**

---

① “隋諱”上原衍“抱”字,據《二十五史補編》本删。

黄白中經五卷

見《抱朴子・黄白篇》。

周公城名疏　九天秘記　太乙遁甲玉鈴經　靈寶經　九鼎經

見《抱朴子・登涉篇》。

曹毗　杜蘭香傳

見本傳。《御覽》卷五百、卷九百八十四兩引之。《類聚》屢引之,題"杜蘭香列傳"。三百九十六引作"曹毗《神女杜蘭香傳》"。

成公興内傳

《御覽》七百九引之。

孫綽　列仙傳讚三卷　劉向撰,皺續。

今存二卷。

靈人辛元子自序一卷　《隋志》雜傳類。

郭元祖　列仙傳讚二卷　序一卷

《真誥・闡幽微》第二録之,今存。

葛洪　神仙傳十卷

今存。

葛洪　漢武内傳三卷

《日本見在書目》題葛洪,今從之。

太乙真君固命歌一卷

《宋・藝文志》云:"晉葛洪譯。"

河圖玉版

張湛《列子・周穆王篇》注:"《河圖玉版》云:'西王母居崑崙山。'"

清虚真人裴君内傳一卷

《真誥》屢引裴靈期語,即此人。

楊羲書靈寶五符一卷　王君傳一卷　許穆步七元星圖　許穆

書飛步經一卷　**西嶽公禁山符一卷**　**楊羲書中黄制虎豹符一卷**　**許穆書太素五神二十四神并迴元隱道經一卷**　**八素陰陽歌一卷**　**列紀黄素書一卷**　**楊羲書酆宫事一卷**

以上並見《真誥·翼真檢》第二。

釋家類

放光經二十卷　晋元康元年譯。

梁釋僧祐《出三藏記集》卷二云：[①]“魏高貴鄉公時，沙門朱士行以甘露五年到于闐國，寫得此經正品梵書梵本十九章。梁慧皎《高僧傳》作‘九十章’。[②]到晋武帝元康初，於陳留倉垣水南寺譯出。”《高僧傳》云：“竺叔蘭譯爲晋文，稱爲《放光般若》，皮牒故本，今在豫章。”“士行，潁川人。”《魏書·釋老志》：“晋元康中，有胡沙門支恭明譯佛經《維摩》、《法華》、《三本起》等，微言隱義，未之能究。”

光讚經十卷　太康七年譯。　**賢刦經七卷**　元康元年譯。　**正法華經十卷**　太康七年譯。　**普耀經八卷**　永嘉二年譯。　**大哀經七卷**　元康元年譯。　**度世品經六卷**　元康元年譯。　**密迹經五卷**　太康九年譯。　**持心經六卷**　太康七年譯。　**修行經七卷**　太康五年譯。　**漸備一切智經十卷**　或五卷。元康七年譯。　**生經五卷**　或四卷。　**海龍王經四卷**　或三卷。太康六年譯。　**普超經四卷**　或三卷。太康七年譯。　**維摩詰經一卷**　或云《維摩詰名解》。　**阿維越致經四卷**　太康五年譯。**嚴淨佛土經二卷**　**阿耨達經二卷**　**首楞嚴經二卷**　**無量壽經二卷**　**寶藏經三卷**　太始六年譯。　**寶髻經二卷**　永熙九年譯。　**要集經二卷**　**佛昇忉利天品經二卷**　**等集衆德三昧經三卷**　**無**

---

① “記集”原互倒，從陳垣説乙正，下同。詳見《中國佛教史籍概論》。

② “梁慧皎”至“九十章”原作正文大字，據《出三藏記集》，此當爲文廷式所加小注。

盡意經四卷　離垢施女經一卷 太康十年譯。 **郁迦長者經一卷　大浄法門經一卷** 建始元年譯。 **須真天子經** 泰始二年譯。**幻士仁賢經一卷　魔逆經一卷** 太康十年譯。 **濟諸方等經一卷德光太子經一卷** 泰始六年譯。 **文殊師利浄律經一卷** 太康十年譯。**決定持經一卷　寶女經四卷** 太康六年譯。 **如來興顯經四卷** 元康元年譯。 **般舟三昧經二卷　首意女經一卷　十二因緣經一卷　月明童子經一卷　五十緣身行經一卷　六十二見經一卷　四自侵經一卷　須摩經一卷　隨權女經一卷** 僧祐云："出《别録》，安《録》無。" **方等泥洹經二卷** 泰始五年譯。 **大善權經二卷** 太康六年譯。 **無言童子經一卷　温室經一卷　頂王經一卷聖法印經一卷　移山經一卷　文殊師利五體悔過經一卷** 泰始七年譯。按今《佛藏》題"佛説文殊悔過經"。 **持人菩薩經三卷** 泰始七年譯。 **滅十方冥經一卷** 元熙元年譯。 **無思議孩童經一卷　迦葉集結經一卷　彌勒成佛經一卷** 僧祐云："與羅什所出異本。" **舍利佛目連游諸國經一卷　琉璃王經一卷　柰女耆域經一卷　寶施女經一卷　寶網童子經一卷　順權方便經二卷** 一云《轉女身菩薩經》。太安二年譯。 **五百弟子本起經一卷** 太安二年譯。 **佛爲菩薩五夢經一卷** 太安二年譯。 **普門經一卷** 太安八年譯。 **如幻三昧經二卷** 太安二年譯。 **彌勒本願經一卷** 太安二年譯。 **舍利弗悔過經一卷**[①] 太安二年譯。 **胞胎經一卷** 太安二年譯。 **十地經一卷** 太安二年譯。 **摩目犍連本經一卷　太子慕魄經一卷四不可得經一卷　菩薩悔過經一卷　當來變經一卷　乳光經一卷　心明女梵志婦飯汁施經一卷　大六向拜經一卷　鴦掘摩經一卷　菩薩十住經一卷** 太安元年譯。 **摩調王經一卷** 太安三年譯。**象步經一卷　照明三昧經一卷** 太安三年譯。 **所欲致患經一卷** 太安

① "悔過"原作"本願"，據中華本《出三藏記集》改。

三年譯。　**法没盡經一卷**　太熙元年譯。**菩薩齋法一卷**　**獨證自誓三昧經一卷**　**過去佛分衞經一卷**　**五蓋疑結失行經一卷**　僧祐云:"安公云不似護公出。《後記》云永寗二年四月十二日出。"　**阿差末經四卷**　永嘉元年譯。僧祐云:"《别録》所載,安《録》先闕。"　**無極寶經一卷**　《别録》所載,安《録》先闕。永嘉元年譯。　**阿述達經一卷**　《别録》所載,安《録》先闕。以上九十五部,凡二百六卷。梁僧祐云:"今並有其經。"　**等目菩薩經二卷**　僧祐云:"《别録》所載,安《録》先闕。"　**閉居經十卷**　**更出小品經七卷**　**總持經一卷**　**超日明經一卷**　**删維摩詰經一卷**　**虎耳意經一卷**　一名《二十八宿經》。　**無憂施經一卷**　**五福施經一卷**　**樓炭經五卷**　太安元年譯。　**勇伏定經二卷**　元康元年譯。**嚴净定經一卷**　元熙元年譯。　**慧明經一卷**　**迦葉本經一卷**　**光世音大勢至受決經一卷**　**諸方佛經一卷**[1]　**目連上净諸天經一卷**　**普首童經一卷**　**十方佛名經一卷**　**三品修行經一卷**　**金益長者子經一卷**　**衆祐經一卷**　**觀行不移四事經卷**　元康中譯。**小法没盡經一卷**　**四婦喻經一卷**　元康中譯。　**廬夷亘經一卷**　**諸神咒經一卷**　**盧羅王經一卷**　**龍施經一卷**　**檀若經一卷**　**馬王經一卷**　永平元年譯。　**普義經一卷**　永平中譯。　**鹿母經一卷**　元康初譯。　**給孤獨明德經一卷**　太熙元年譯。　**龍王兄弟陀達誡王經一卷**　達即逵字。　**勸化王經一卷**　**百佛名經一卷**　**更出阿闍世王經二卷**　建武元年譯。　**植衆德本經一卷**　**沙門果證經一卷**　**龍施本起經一卷**　或云《龍施女經》。　**佛悔過經一卷**　**三轉月明經一卷**　**解無常經一卷**　**胎藏經一卷**　**離垢蓋經一卷**　**小郁迦經一卷**　**阿闍貰女經一卷**[2]　**賈客經二卷**　建武元年譯。　**人所從來經一卷**　永興二年譯。　**誡羅云經一卷**　**雁王經一卷**　太始九年譯。　**十等藏經**

---

① "方佛"原互倒,據中華本《出三藏記集》乙正。

② "貰"原作"世",據中華本《出三藏記集》改。

一卷 永興二年譯。 **雁王五百雁俱經一卷** 永興二年譯。 **誡具經一卷** 永興二年譯。 **決道俗經一卷** 永興二年譯。 **猛施經一卷** 永興二年譯。 **城喻經一卷** 永興二年譯。 **耆闍崛山解經一卷** **譬喻三百首經二十五卷** **比邱尼誡經一卷** 太始三年譯。 **誡王經一卷** **三品悔過經一卷** 太始三年譯。

菩薩齋法經一卷 以上六十四部，凡一百一十六卷。僧祐云："經今闕。"

《出三藏記集》云："右一百五十四部，合三百九卷。晋武帝時，沙門竺法護到西域，得梵本還。自太始中至懷帝永嘉二年以前所譯出。祐捃摭羣録，遇護公所出更得四部，安《録》先闕，今條入録中。安公云，遭亂録散，小小錯涉。故知今之所獲，審是護出也。"

超日明經二卷

《出三藏記集》云："晋武帝時，沙門竺法護先譯梵文，而詞義煩重。優婆塞聶承遠整理文偈，删爲二卷。"《高僧傳》云："承遠明解有才，護公出經，多參正文句。"

須真天子經二卷

《出三藏記集》云："晋武帝世，天竺菩薩沙門曇摩羅察口授出，安文慧、白元信筆受。"廷式案曇摩羅察，"察"音同"刹"，即法護也。《三寶記》、《内典録》並云"梵言曇摩羅叉，晋言法護"。梁慧皎《高僧傳》卷一云竺曇摩羅刹，此云法護，"世居燉煌，[①]八歲出家。游歷諸國，大賫梵經，還歸中夏，寫爲晋文。所獲《賢刦》、《正法華》、《光贊》等一百六十五部。終身寫譯，勞不告勸。經法所以廣流中華，護之力也"。釋慧琳《大藏音義》卷十九云："此《阿差末經》及前《大哀》等經，並是西晋竺法護譯，詞理虜拙，質朴不妙。"

---

① "居"原誤作"唐"，據中華本《出三藏記集》及《二十五史補編》本改正。

異維摩詰經二卷

首楞嚴經三卷

《出三藏記集》云:"右二部,五卷。晋惠帝時,竺叔蘭以元康元年譯出。"《高僧傳》卷四云:"河南居士竺叔蘭,本天竺人。父世避難,居於河南。"

惟逮菩薩經一卷

《出三藏記集》云:"晋惠帝時,沙門帛法祖譯出。"按《高僧傳》,帛遠字法祖。《歷代三寶紀》:"白法祖出二十三經,合二十五卷,有《嚴净佛土經》等。"唐智昇《開元釋教録》云:"長房等《録》,更有七經,亦云祖出。今以並是别生,故删不主。"案此余所以據《三藏集》爲主,不悉用後來之目也。

帛遠譯　弟子本起經　五部僧經　注首楞嚴經

並見《高僧傳》卷一。

帛法祚　注放光般若經　顯宗論

見同上。

樓炭經六卷　《三寶記》云:"與法護出五卷者小異。"

大方等如來藏經一卷

法句本末經四卷　或云六卷。《三寶記》五卷。

《高僧傳》云:"《曇缽經》即《法句經》也。晋惠末,沙門法立譯爲五卷,沙門法巨著筆。立又别出小經近百許首,值永嘉末亂,多不復存。"

福田經一卷

《出三藏記集》云:"右四部,凡十二卷。晋惠、懷帝時沙門法炬譯出。其《法句喻》、《福田》二經,炬與沙門法立共譯。"《歷代三寶記》卷十五:"西晋沙門法炬,一百三十二部,一百四十二卷經。"又卷七云:"炬多出大部,僧祐《録》全不載。"按有《樓炭》、《遺教法律》等經,兹不悉出。

摩訶般若波羅密道行經二卷

《出三藏記集》云:"晋惠帝時,衛士度略出。"《高僧傳》云:"士度,司州汲郡人。"

合維摩詰經五卷 合支謙、竺法護、竺叔蘭所出《維摩》三本,合爲一部。

合首楞嚴經八卷 合支讖、支謙、竺法護、竺叔蘭出《首楞嚴》四本,合爲一部,或爲五卷。

《出三藏記集》云:"右二部,凡十三卷。晋惠帝時,支敏'敏'亦當作'愍'。度所集。其《合首楞嚴》,傳云亦愍度所集,既闕注目,未詳信否。"《三寶記》云:"合兩支、兩竺、一白五本爲一部。見支敏度《録》。"

灌頂經九卷

《三寶記》卷七云:"見《雜録》。元帝世西域沙門帛尸梨蜜多羅譯。"

大孔雀王神咒一卷 《三寶記》云:"見竺道祖《録》。"

孔雀王雜神咒一卷 《三寶記》云:"亦見竺道祖《録》,但譯未盡。"

《出三藏記集》云:"右二部,凡二卷。晋元皇帝時,西域高座沙門尸梨蜜所出。"《高僧傳》云:"初,江東未有咒法,蜜譯出《孔雀王經》,明諸神咒。時人呼爲高座。"

阿閦佛制諸菩薩學成品經二卷 太康年出。第二譯。

方等法華經五卷 咸康九年譯。

《三寶記》卷七:"右二經,合七卷。成帝世沙門支道根出。並見竺道祖《晋世雜録》。"

譬喻經十卷

《出三藏記集》云:"晋成帝時,沙門康法邃抄集衆經,撰此一部。"《歷代三寶記》:"東晋康法邃譯,一部七卷。""七"字誤。

十誦比丘戒本一卷　　**教授比丘二歲壇文一卷**

《出三藏記集》云:"晋簡文帝時,西域沙門曇摩持誦賫梵本,竺佛念譯出。"釋寶唱《比丘尼傳》云:"晋咸康中,沙門僧建於月支國得僧祇尼羯磨及戒本。興平元年二月八日,於洛陽譯出,外國沙門曇摩羯多爲立戒壇。"

比丘尼大戒一卷　《三寶記》《教授比丘二歲壇文》,疑即此書。

《出三藏記集》云:"晋簡文帝時,沙門釋僧純於西域拘夷國得梵本,到關中,令竺佛念、曇摩持、慧常共譯出。"

摩訶鉢羅若波羅蜜經抄五卷　僞秦苻堅建元十八年譯。《三寶記》云:"見僧叡《二秦録》。"

《出三藏記集》云:"晋簡文帝時,天竺沙門曇摩蜱執梵《大品》本,竺佛念譯出。"

雜阿毗曇毘婆沙論四卷　僞秦建元十九年譯。

婆須蜜集十卷　秦建元二十年譯。

僧伽羅刹集經三卷　秦建元二十年譯。

《出三藏記集》云:"右三部,凡二十七卷。晋孝武時,罽賓沙門僧伽跋澄以苻堅時入長安。跋澄口誦《毗婆沙》,佛圖羅刹譯出。又賫《婆須蜜》梵本,竺佛念譯出。"《高僧傳》云:"《阿毗曇毗婆沙論》,秦沙門敏智筆受。《婆須蜜》梵本,惠嵩筆受。"

四阿含暮抄經二卷

《出三藏記集》云:"晋孝武帝時,西沙域門鳩摩羅佛提於鄴寺出佛提執梵本,竺佛念、佛護爲譯,僧導、僧叡筆受。"

三十七品經一卷　太元二十年譯。**賢刦千佛名經一卷**

《出三藏記集》云:"右二部,凡二卷。晋孝武帝時,天竺沙門竺曇無蘭在揚州謝鎮西寺譯出。"《歷代三寶記》:"東晋沙門竺曇無蘭譯,一百一十部,一百一十卷經咒戒。"按有《義足經》等,不悉載。

益意經三卷　第二出。

《三寶記》卷七云："孝武帝世沙門康道和太元末譯。見竺道祖《晋世雜録》。"

十二游經一卷　與彊梁譯者小異。

《三寶記》："孝武帝世外國沙門迦留陀伽，晋言時永，太元十七年譯。見《晋世雜録》及寶唱《録》。"

增一阿含經三十三卷　秦建元二十年譯。或分爲三十三卷。

中阿含經五十九卷　同建元二十年譯。

《出三藏記集》云："右二部，凡九十二卷。晋孝武帝時，兜佉勒國沙門曇摩難提以苻堅時入長安。難提口誦梵本，竺佛念譯出。"《高僧傳》云："惠嵩筆受。"

出曜經十九卷　**菩薩瓔珞經十二卷**　**十住斷結經十一卷**　**菩薩處胎經五卷**　或爲四卷。　**中陰經二卷**　**王子法益壞目因緣經一卷**　或云《阿育王息壞目因緣經》。

《出三藏記集》云："右六部，凡五十卷。晋孝武帝時，涼州沙門竺佛念以苻堅時於關中譯出。"

中阿含經六十卷

僧祐云："晋隆安元年十一月十日於東亭寺譯出，至二年六月二十五日訖。與曇摩難提所出本不同。"《三寶記》云："見道祖《録》。"《三寶記》又有《增一阿含經》五十卷，隆安元年出，與難提譯者小異，竺道祖筆受。見《道祖》及寶唱《録》。

阿毗曇八犍度二十卷　建元十九年譯。

阿毗曇心論十六卷　或十三卷。苻堅建元末於洛陽出。

鞞婆沙阿毗曇論十四卷　一名《廣説》。同在洛陽譯出。

阿毗曇心論四卷　晋太元十六年在廬山爲遠公譯出。

《世説・文學門》注："《出經叙》曰：'僧伽提婆，罽賓人，姓瞿曇氏，儁朗有深鑒。苻堅至長安，出諸經。後渡江，遠法師請譯《阿毘曇》。'遠法師《叙》曰:'《阿毘曇》者,三藏之要領,詠歌之微言,故以心爲名。凡二百五十偈。'阿毘曇者,晋言大法也。"

教授比丘尼法一卷　亦在廬山出。據《三寶記》增入。

三法度論二卷　同以太元十六年於廬山出。

《出三藏記集》云:"右六部,凡一百一十六卷。晋孝武帝及安帝時,罽賓沙門僧伽提婆所譯出。"

新大品經二十四卷　僧祐云:"僞秦姚興弘始五年於逍遥園譯出。"

新小品經七卷　弘始十年譯。

新法華經七卷　弘始八年夏於長安大寺譯出。

《郡齋讀書後志》云:"《妙法蓮華經》七卷,姚秦三藏法師鳩摩羅什譯。經本十卷,後三卷,朝廷所禁云。"

差摩經一卷

《高僧傳》:"曇摩耶舍,此云法明,罽賓人。善誦《毗婆沙律》,人號爲大毗婆沙。隆安中,達廣州,時有清信女張普明諮受佛法,耶舍爲説《佛生緣起》,并爲譯出《差摩經》一卷。張普明,交州刺史張牧女。"

衆律要用二卷

《三寶記》云:"安帝隆安四年,沙門釋僧導等於揚州尚書令王法度精舍,請三藏律師曇摩晋言法善譯出。"

新賢刧經七卷

華首經十卷　一名《攝諸善根經》。

新維摩詰經三卷　弘始八年譯。

《郡齋讀書後志》:"《維摩詰所説經》三卷,姚秦僧鳩摩羅什譯。什與其弟子僧肇等注《十四品》。"

新首楞嚴經二卷

十住經五卷　什與佛　耶舍共譯出。

思益義經四卷

持世經四卷 或三卷。

自在王經二卷 弘始元年譯。

佛藏經三卷 一名《選擇諸法》。或二卷。

菩薩藏經三卷 一名《富樓那問》,亦名《大悲心》。或爲二卷。

稱揚諸佛功德經三卷 一名《集華》。

無量壽經一卷 或云《阿彌陀經》。

彌勒下生經一卷

彌勒成佛經一卷

金剛般若經一卷

諸法無行經一卷 《武周刊定衆經目録》作《諸法無相經》。

菩提經一卷

遺教經一卷

十二因緣觀經一卷

菩薩呵色欲經一卷

禪法要解二卷 或云《禪要經》。

禪經三卷 與《坐禪三昧經》同。

雜譬喻經一卷 比丘道略所集。

大智論百卷 僧祐云:"於逍遥園譯出。或分爲七十卷。"廷式案當作"大智度論"。據僧叡《序》,一名《摩訶般若波羅蜜經釋論》。

誠實論十六卷 廷式案當作"成實"。

十住論十卷

中論四卷

十二門論一卷

百論二卷 弘始六年譯。

十誦律六十一卷 《高僧傳》卷二:"鳩摩羅什云:'唯《十誦》一部,未及删煩,存其本旨,必無差失。'"

按《高僧傳》:"《十誦律》,弗若多羅誦出梵本。[1] 羅什及曇摩流支譯爲晋文。"又云:"本五十八卷,卑摩羅叉開爲六十一卷。"

十誦比丘戒本一卷

禪法要三卷　弘始九年重校正。

《出三藏記集》云:"右三十五部,凡二百九十四卷。晋安帝時,天竺沙門鳩摩羅什以僞秦姚興弘始三年至長安,於大寺及逍遥園譯出。"

一切施主所行檀波羅蜜經一卷　四紙。

薩羅國王經一卷　四紙。

沙門明佺《武周刊定衆經目録》云:"後秦代羅什譯。並出達摩鬱多羅《録》。"

長阿含經二十二卷　秦弘始十五年出,竺佛念傳譯。

曇無德律四十五卷　《高僧傳》云:"《四分律》四十四卷。"

虚空藏經一卷　或云《虚空藏菩薩經》。三藏後還外國,於罽賓得此經,附商人送至凉州。

曇無德戒本一卷

《出三藏記集》云:"右四部,凡六十九卷。晋安帝時,罽賓三藏法師佛馱耶舍以姚興弘始中於長安譯出。"《高僧傳》云:"竺佛念譯爲秦言,道含筆受。"

舍利弗阿毗曇論二十二卷　或云二十卷。

《出三藏記集》云:"晋安帝時,外國沙門毗婆沙爲姚興於長安石羊寺譯出。"按《高僧傳》,毗婆沙即曇摩耶舍。此書與天竺沙門曇摩掘多同譯。

大般涅槃經三十六卷　僞河西王沮渠蒙遜玄始十年譯。《高僧傳》作"三十三

---

① "出"原誤作"本",據中華本《高僧傳》改正。

卷”。

方等大集經二十九卷　玄始九年譯。[1] 或三十卷，或二十四卷。

方等王虚空藏經五卷

僧祐云：“或云《大虚空藏經》。檢經文與《大集經》第八《虚空藏品》同，未詳是别出者不。《别録》云河南國乞佛時沙門釋聖堅譯出。”

方等大雲經四卷　或爲六卷。玄始六年譯。

悲華經十卷　僧祐云：“《别録》或云龔上出。玄始八年譯。”

金光明經四卷　玄始六年譯。

海龍王經四卷　玄始七年譯。

菩薩地持經八卷　玄始七年譯。

優婆塞戒經七卷　玄始六年譯。

菩薩戒經八卷

菩薩戒優婆塞戒壇文一卷　玄始十年譯。

《出三藏記集》云：“右十一部，凡一百一十七卷。晋安帝時，天竺沙門曇摩讖至西涼州，爲僞河西王大沮渠蒙遜譯出。”或作曇無讖。《高僧傳》云：“沙門惠嵩筆受。”

阿毗曇毘婆沙論六十卷　丁丑歲四月出，至己卯歲七月訖。

《出三藏記集》云：“晋安帝時，涼州沙門釋道泰，共西域沙門浮陀跋摩，於涼州城内苑閑豫宫寺譯出。初出一百卷，尋值涼王大沮渠國亂亡，散失經文四十卷，所餘六十卷，傳至京師。”

寶梁經二卷

《出三藏記集》：“晋安帝時，沙門釋道龔出。”　傳云於涼州出。

大方廣佛華嚴經五十卷　沙門支法領於于闐國得此經梵本，到晋義熙十四

---

① “始”原誤作“等”，據中華本《出三藏記集》改正。

年,於道場寺譯出,至宋永初二年訖。

《郡齊讀書後志》作“六十卷”。釋澄觀《華嚴玄談》云:“三萬六千偈,成五十卷,或六十卷,沙門法業筆受,慧嚴、慧觀潤色。”

法業華嚴旨歸二卷

《華嚴玄談》云:“業公,未詳世族。遇覺賢,請譯《華嚴》。數歲之後,廓然有所通悟,著《旨歸》兩卷,行於世。今不見本。”

觀佛三昧經八卷

《高僧傳》云:“《觀佛三昧海》六卷。”《三寶記》云:“見竺道祖《晋世雜録》。或云宋世出。”

禪經修行方便經二卷 一名《不浄觀經》。

大方等如來藏經一卷

菩薩十住經一卷

出生無量門招經一卷

新微密持經一卷

《三寶記》云:“隆安二年,第二出。見竺道祖《晋世雜録》。”

本業經一卷

浄六波羅密經一卷

文殊師利發願經一卷 元熙二年,道場寺出。

《出三藏記集》:“右十部。廷式案内《新無量壽經》,永初二年出,不録。《華嚴旨歸》,《記》未載。晋安帝時,天竺禪師佛馱跋陀羅至江東,及宋初於廬山及京都譯出。”《高僧傳》云:“覺賢先後所出《觀佛三昧海》六卷、《泥洹》及《修行方便論》等,凡一十五部,一百十有七卷。”

大般泥洹經六卷 義熙十三年,道場寺譯。

方等泥洹經二卷

摩訶僧祇律四十卷

僧祇比邱戒本一卷

雜阿毗曇新論十二卷

雜藏經一卷

佛游天竺記一卷　《初學記》二十九引作"釋法顯《佛游本記》"。

《出三藏記集》:"右六部,當作'七部'。凡六十三卷。晋安帝時,沙門釋法顯以隆安三年游西域,於中天竺、師子國得梵本,歸京都,住道場寺。就天竺禪師佛馱跋陀羅共譯出。"

方等檀持陀羅尼經四卷

《出三藏記集》:"晋安帝時,高昌郡沙門釋法衆所譯出。"

決定毗尼經一卷　一名《破壞一切心識》。

《出三藏記集》云:"衆録並云於涼州燉煌出,未審譯經人名。傳云晋世出,未詳何帝時。"

三曼陀跋陀羅菩薩經一卷

菩薩受齋經一卷

宋《佛藏》字函有此經,題"西晋居士聶道真譯"。《歷代三寶記》西晋:"承遠子清信士道真。[1] 五十四部,六十六卷,經及目録。"

大智論抄二十卷

《出三藏記集》云:"晋安帝世,廬山沙門釋慧遠,以論文繁積,學者難省,故略要抄出。"按此書又名《般若經問論集》,見本書卷五。

王延秀　感應傳八卷　尚書郎。

此書原入雜家,今移於此。　梁慧皎《高僧傳·序》稱太原王延秀《感應傳》。

鳩摩羅什　實相論二卷

---

① "道"原誤作"通",據《續修四庫全書》本《歷代三寶記》改正。

《晋書·藝術傳》。

衞道安　解釋維摩法華經

《世説·雅量門》注:"《安和上傳》曰:'以佛法東流,經籍錯謬,更爲條章,標序篇目,爲之注解。自支道林等皆宗其理。'"《高僧傳》云:"安所注《般若道行》、《密迹》、《安般》諸經,並尋文比句,爲起盡之義,及析疑甄解,凡二十二卷。序致淵富,妙盡深旨,條貫既序,文理會通,經義克明,自安始也。"

僧洪肇　肇論四卷

今存。《郡齋讀書後志》云:"《肇論》四卷,姚秦僧洪肇撰。師羅什,規摹莊周之言,以著此書。《物不遷》、《不真空》、《涅槃無知》、《般若無名》四論。《傳燈録》云肇後爲姚興所殺。《高僧傳》不載其事。"[①]《御選語録》云:"《傳燈録》載僧肇在姚秦間大辟,乞七日假,著《寶藏論》畢。臨刑説偈曰:'四大元無主,五陰本来空。將頭臨白刃,猶似斬春風。'然此偈非肇作也。肇爲鳩摩羅什高弟,秦王姚興命入逍遥園助什譯定經論,尊禮有加。《十六國春秋·僧肇傳》云以姚秦弘始十六年卒於長安,時晋義興十年也。况典刑之人,豈有給假著論之理?則肇之以吉祥滅度,信矣。"《朱子語類》卷百二十二。云:"至晋時肇法師,釋氏之教始興。"

姚興　通三世論

《高僧傳》卷二《鳩摩羅什傳》云:"興以佛、道冲邃,其行唯善,信爲出苦之良津,御世之洪則。故託意九經,遊心十二,乃著《通三世論》,以勗示因果。"

---

① 按此條不見於《後志》,見於袁州本《郡齋讀書志》卷三下神仙類。又瞿州本《郡齋讀書志》無"高僧"以下七字。

竺法雅 格義

《高僧傳》:"法雅,河間人。與康法朗等,以經中事數擬配外書,爲生解之例,謂之《格義》。及毗浮、曇相等,亦辯《格義》,以授門徒。"

僧肇 寶藏論三卷

見《傳燈録》及《通志》。今存。

名德沙門題目

《世説·言語篇》注引此書曰:"道壹文鋒富贍。孫綽爲之贊曰:'馳騁遊説,言固不虚,唯兹壹公,綽然有餘。譬若春圃,載芬載敷,條柯猗蔚,枝榦扶疏。'"《文學門》注亦引之曰:"于法開才辯從横,以數術宏教。"《賞譽門》注引之曰:'法汰高亮開達,孫綽爲汰贊。"《假譎門》注:"《名德沙門題目》曰:'支愍度才鑒清出。'孫綽《愍度贊》曰:'支度彬彬,好是拔新。'"①

高逸沙門傳一卷

《法苑珠林》卷一百云:"晋孝武帝時,剡東仰山沙門釋法濟撰。"

支遁傳

《御覽》六百五十五引兩條。《世説·文學門》注引《支法師傳》。《高僧傳》云:"郄超爲之序傳,袁宏爲之銘贊,周曇寶爲之作誄。"

道安傳□卷②

《世説·雅量門》注引《安和上傳》。《御覽》六百五十五引《道安傳》。

康泓道人 單道開傳一卷 《隋志》雜傳類"單道開"作"善道開"。

---

① "好"原作"如",據徐震堮《世説新語校箋》改正。

② 原脱"傳"字,卷数闕,據《二十五史補編》本補。

見《十六國春秋》二十一。　按《高僧傳》卷九《單道開傳》云:"有康泓者,昔在北間,聞弟子叙開昔在山中,每有神仙往來,乃遥心敬挹。及後從役南海,親與相見。側席鑽仰,稟聞備至,乃爲之傳讚。"《隋志》作"善道開"。《法苑珠林》二十七云"趙沙門單,或作善,字道開,不知何許人。《别傳》云'燉煌人,本姓孟。出。昇平三年,任羅浮山,以其年七月卒'"云云,即出此書。

卑摩羅叉　内禁輕重二卷　慧觀記。

《高僧傳》卷二云:"卑摩羅叉,明條知禁。道場慧觀深括宗旨,記其所制内禁輕重,撰爲二卷。時諺曰:'卑羅鄙語,慧觀才録,都人繕寫,紙貴如玉。'"

曇詵　維摩經注五卷　窮通論一卷

見《高僧傳》。《法苑珠林》卷一百作"曇説"。

立命論九篇一卷　六識指歸一卷

《法苑珠林》云:"《立命論》九篇,《六識指歸》十二首,晋孝武帝時,荆州上明寺沙門釋曇微撰。"

釋道融　法華大品　金光明經義疏　十地經義疏
維摩經義疏

並見《高僧傳》。

支敏度　傳譯經録

《高僧·康僧淵傳》:"敏度著《傳譯經録》,[①]今行於世。"

釋曇影　法華義疏四卷　注中論

並見《高僧傳》。《後魏書·殷紹傳》師曇影,即此人。

神無形論一卷

《法苑珠林》卷一百云:"東晋帝時,揚都瓦官寺沙門釋僧

---

① 《大正藏》"著"下無"傳"字。

敷撰。”

釋道恒　釋駁論一卷　百行箴

並見《高僧傳》。《歷代三寶記》卷八：“《釋駁論》一卷，沙門釋道恒撰。恒，藍田人。”

支僧敦　人物始義論

竺僧敷　神無形論　放光經道行經義疏

僧衛　十住經注解

並見《高僧傳》。

帛法橋　三契經[①]

支曇籥　六言梵唄

並見《高僧傳》卷十三。

僧度　毗曇旨歸

釋曇徽　立本論九篇　六識旨歸十二首

竺慧超　勝鬘經注

並見《高僧傳》。

支遁　注安般四禪諸經

竺法崇　法華義疏四卷

見《高僧傳》。

孫綽　道賢論　喻道論　名德沙門論　正像論

並《高僧傳》卷四引之。　又卷一云：“孫綽作《道賢論》，以天竺七僧，方竹林七賢。”

于法蘭別傳

《高僧傳》卷四引之云：“蘭亦感枯泉漱水事，與竺法護同。”

顧愷之　竺法曠傳

見《高僧傳》。

---

① “橋”原誤作“猷”，據中華本《高僧傳》卷十三《帛法橋傳》改正。

佛圖澄别傳

《世説·言語門》注。《御覽》六十四。

支遁别傳

《文學門》注引《支法師傳》。又《文學門》注引張野《遠法師銘》,《賞譽門》注引《支遁别傳》,《傷逝門》注引《支遁傳》。

安法師傳

《世説·文學門》注。《雅量門》注引《安和上傳》。

孫綽　高逸沙門傳

《世説·言語門》注、《文學門》注、《方正門》注、《雅量門》注、《賞譽門》注、《排調門》注。

以上並見《世説新語》注。

雜藝家類

馬朗等　圍碁勢二十九卷　趙王倫舍人。

《抱朴子·辨問篇》云:“謝子卿、馬綏明,於今有棊聖之名。”綏明,蓋朗字也。

范汪等　圍碁九品序録五卷

《舊唐志》作“棊品注”。《世説·方正門》注引范汪《棊品》曰:“江虨與王恬等棊第一品,王導第五品。”《世説·政事門》注:“范汪《棊品》曰:‘虞謇字道真,仕至郡功曹。’”

虞潭　大小博法一卷　左光禄大夫。

郝沖　投壺道一卷

虞潭　投壺經四卷　投壺變一卷

《舊唐志》:“郝沖、虞譚注《投壺經》一卷。”[1]疑誤。臧玉琳《經

---

① 據中華書局點校本《舊唐書》,“注”當作“法”。

義雜記》曰："虞、郝書皆不傳，惟《太平御覽》載虞潭《投壺變》，文頗譌闕難解。"余案見《太平御覽》七百五十三。

古博經

《列子·説符篇》張湛注："《古博經》曰：博法，二人相對，坐向局，局分爲十二道，兩頭當中名爲水。用碁十二，故法六白六黑，又用魚二枚置於水中。其擲采以瓊爲之。瓊畟方寸三分，長寸五分，鋭其頭，鑽刻瓊四面爲眼，亦名爲齒。二人互擲采行碁。碁行到處即豎之，名爲驍碁，即入水食魚，亦名牽魚。每牽一魚獲二籌，翻一魚獲三籌。若已牽兩魚而不勝者，名曰被翻雙魚。彼家獲六籌爲大勝也。"畟音則。

陸雲　碁品序一卷

汲冢書繳書二篇

事詳《束皙傳》，云論弋射法。

徐廣　彈棊譜一卷

王曠　筆心論　羲之父。

見唐韋續《九品書人論》。

王羲之　筆經　筆勢論一卷

《初學記》、《太平御覽》並引《筆經》。孫過庭《書譜》："世傳羲之與子敬《筆勢論》十章，文鄙理疏，意乖言拙。詳其旨趣，殊非右軍。且右軍位重才高，調清詞雅，聲塵未泯，翰櫝仍存。觀夫致一書、陳一事，造次之際，稽古斯在，豈有貽謀令嗣，道叶義方，章則頓虧，一至於此。又云與張伯英同學，斯乃更彰虚誕。若指漢末伯英，時代全全不相接，必有晋人同號。史傳何其寂寥，非訓非經，宜從棄擇。"《日本見在書目》有王羲之《筆勢論》一卷。

衛恒　古來能書人録一卷

《南史·虞龢傳》曰："臣見衛恒《古來能書人録》一卷，時有不通。”

汀州刺史李矩妻衛鑠　筆陣圖一卷

見張彦遠《法書要録》一、《御覽》七百四十八。嚴可均《全晋文》録云:“案朱長文《墨池編》以此爲王羲之書論。長文又云,舊傳右軍所作,後見張彦遠《要略》,以爲衛夫人之辭。今兩集並録,存疑云云。今亦並收之。”《日本見在書目》有王羲之《用筆陣圖碑》一卷。

衛恒　四體書勢一卷　長水校尉。

見本傳。嚴可均《全晋文》集得四條。唐張懷瓘《書斷》上引衛恒《古文贊》。

成公綏　隸書體

《初學記》二十一引之。

索靖　書勢

《類聚》七十四引之。《書斷》上又引索靖《草書狀》。

王珉　行書狀

張懷瓘《書斷》上引之。

劉邵　飛白書勢

《藝文類聚》卷七十四引之。《書斷》上引劉彦祖《飛白贊》。《書斷》下曰:“劉紹字彦祖,官至御史中丞,遷侍中。永和八年卒。”又《能品》中亦作“紹”,與《類聚》及《隋志》異。

顧愷之　論畫一篇

《歷代名畫記》曰:“愷之《論畫》一篇,皆模寫要法。”

顧愷之　畫贊

《世説·賞譽門》注引《贊山濤》,又引愷之《夷甫畫贊》。又《巧藝門》注云:“愷之歷畫古賢,皆爲之贊。”《歷代名畫記》曰:“著《魏晋名賢畫》,評量甚多。”《王衍傳》已引之。《歷代名畫記》卷五引顧愷之《論》及愷之《魏晋勝流畫贊》。

顧愷之　書贊

《世説·雅量門》:"夏侯太初倚柱作書,霹靂破柱,神色無變。"注云:"見顧愷之《書贊》。"按此條疑亦《畫贊》之誤。

小説家類

郭澄之　郭子三卷 中郎。

《齊書·文學·賈淵傳》:"宋孝武敕淵注《郭子》。"《世説·任誕門》注引《郭子》記桓温摴蒲失求救袁躭事。又《惑溺門》注:"《郭子》謂,與韓壽通者,乃是陳騫女。"餘各書所引尚多,大半瑣言碎事而已。

郭頒　羣英論一卷

裴啓　語林十卷 東晋處士。

《世説·文學門》"裴郎作《語林》"注:"《裴氏家傳》曰:'裴榮字榮期,河東人。父穉,豐城令。榮期少有風姿才氣,好論古今人物,撰《語林》數卷,號曰《裴子》。檀道鸞謂裴松之以爲啓作《語林》,[①]榮儻別名啓乎?'"又《輕詆門》注引《續晋陽秋》曰:"隆和中,河東裴啓譔漢、魏迄今言語應對之可稱者,謂之《語林》。時人多好其事,後説太傅事不實,而有人於謝坐,叙其黄公酒壚事,司徒王珣爲之賦,謝公加以與王不平,乃云:'君遂欲作裴郎學。'自是衆咸鄙其事矣。"[②]《史通·書事篇》云:"自魏、晋以降,著述多門,《語林》、《笑林》、《世説》、《俗説》,皆喜載調謔小辯[③],嗤鄙異聞,雖爲有識所譏,頗爲無知所説。"

---

① 原脱"謂"字,據徐震堮《世説新語校箋》補。

② 按此條見於《世説新語·輕詆篇》注,"輕詆"原誤作"排調",據徐震堮《世説新語校箋》改正。

③ "謔"下原脱"小辯",據上古點校本《史通通釋》補。

祖台之　志怪二卷　光禄大夫。

《初學記》、《北堂書鈔》、《太平御覽》、《太平廣記》引此書,凡數十條,余集爲一卷。《初學記》二十六,《書抄》七十七、一百三十五、一百四十二,《御覽》九百、又七十三。

張華　博物志十卷

今存。按《隋志》入雜家,今改入小説。

張公雜記五卷

張華　撰。與《博物志》相似,[①]小小不同。

張華　雜記十一卷

何氏雜記十卷

續咸　遠游志十卷

本傳。按《遠游志》久佚,未知何所紀載,姑附九流之末。俟攷。

陸雲　笑林

宋人《五色綫》卷下引陸雲《笑林》云:"漢人適吴,人設筍,問所煮何物。曰:'竹也。'歸,煮其簀不熟,謂其妻曰:'吴人欺我如此。'"按此事見邯鄲淳《笑林》,未聞陸士龍復有《笑林》也。姑録其目。俟攷。

張華　注師曠禽經一卷

見《宋志》。

張華　東方朔神異經傳二卷

見《宋志》。《日本見在書目》一卷。按《齊民要術》卷十引《神異經》曰:"南方荒中有沛竹,其子美,食之已瘡癘。張茂先注曰:'子,筍也。'"則此書後魏以前有之。

陸氏異林

---

① "似"原誤作"志",據《隋書·經籍志》改正。

《三國志·鍾繇傳》注引一條，有云“叔父清河太守説如此”，清河太守，陸雲也，則此書乃雲從子所作。案《陸機傳》，二子，蔚、夏，則不知其蔚歟夏歟。

郭義恭　廣志二卷

按《類聚》、《書抄》、《文選注》諸書稱引至多，皆晋以前事，但不詳義恭何時人。惟《御覽》九百三十八引此書鯢魚一條，稱引徐廣《史記注》，知爲廣以後人耳。今姑存其目。

孔衍　在窮記

《太平御覽》四百八十六、八百十七、八百五十、九百二十四引之。《書抄》一百三十四："孫舒元《在窮記》曰：'遭亂之後，隰陽令述祖送四幅絳被一領。'""孫"字乃"孔"字之誤。

孔氏志怪四傳

《世説·方正門》注、《容止門》注、《巧藝門》注、《排調門》注，《初學記》三十並引之。《初學記》卷八亦引之。《御覽》九百三十一、《御覽》九百三十二又引《許氏志怪》，不知誰作。《翻譯名義集》卷六亦引此書"楚文王時有人獻大鵬雛"事，是此書南宋猶存。《太平廣記》二百七十六晋明帝條引孔約《志怪》，約當是其名。

干寶　搜神記三十卷

今存。宋蘇易簡《文房四譜》卷四引干寶表曰："臣前聊欲撰記古今怪異非常之事，會聚散逸，使自一貫。博訪知古者，片紙殘行，事事各異。又乏紙筆，或書故紙。詔答云：'今賜紙二百枚。'"蓋即撰此《記》時所上表也，似不出《晋書》。俟檢。

陶潛　搜神後記十卷

今存。

戴祚　甄異傳三卷　西戎主簿。

《太平御覽》、《太平廣記》並引之。章宗源曰："《藝文類聚》樂部引吴郡陳緒事,《御覽》服用部引樂安章沈事,並作《甄異記》。《類聚》八十六引《甄異傳》夏侯文規事,《御覽》八百八十五引《甄異記》徐州人吴清事,七百五十八引《甄異傳》隆安中吴縣張君才事,七百一十八義熙中沛郡秦附事,四十三《甄異傳》歷陽謝允事。蘇易簡《文房四譜》卷四引《甄異傳》王肇事。"

郭氏玄中記

《左傳》宣四年正義引《玄中要記》曰:"千歲之黿,能與人語。"近人高郵茆泮林有集本。羅泌《路史》注以此書狗封氏事,與《山海經》注同,定爲郭璞作,亦無的證。

荀氏靈鬼志三卷

《御覽》三百五十九引此書秦元中道人事,七百三十八《靈鬼志》石虎時胡道人事。《隋志》雜傳類此書列干、陶《搜神記》之後,祖、孔《志怪》之前,蓋晋人書也。《世説注》、《太平御覽》諸書並引之。《類聚》卷六十引《靈鬼志》記河間王顒給使陳安事。《世説·方正門》注、《傷逝門》注兩引《靈鬼志·謡徵》,"謡徵"二字當是篇名。《忿狷篇》亦引《靈鬼志·謡徵》。

曹毗　志怪

章宗源《隋書經籍志攷證》云:"《初學記》地部、《太平御覽》地部並引曹毗《志怪》,言漢武鑿昆明池,極深,悉是灰墨,無復土。東方朔曰:'可問西域人。'至後漢明帝時,外國遣人入洛,試問之。答曰:'經云天地大刦,將盡則刦燒,此刦燒之餘。'"

異説

《初學記》卷七:"《異説》云:'臨邛縣有火井,漢室之盛,則赫熾。桓、靈之際,火勢漸微。諸葛孔明一窺而更盛,至景曜元年,人以燭投即滅。其年,蜀並於魏。'"

古文瑣語四卷　《水經·滄水》注引。《太平御覽》、《廣記》多引之，稱"古文瑣語"。

按《束皙傳》云："《汲冢書瑣語》十一篇，諸國卜夢妖怪等書也。"《隋志》入雜史，今改入小説。杜預《春秋後序》正義亦稱"《瑣語》十一卷"。

葛洪　集異傳十卷

本傳。

虞潭　筆記

《書抄》一百二十九："虞譚當作'潭'。《筆記》云：'泰甯二年，詔贈大夫碧紗袍。'"

王浮　神異記

《御覽》八百六十七引此書虞洪入山遇丹邱子事。

夏鼎志

《搜神記》引《夏鼎志》曰"罔兩如三歲兒"云云。又曰："掘地而得狗，名曰賈。掘地而得豚，名曰邪。掘地而得人，名曰聚。聚無傷也，此物自然，無謂鬼神而怪之。"《法苑珠林》卷六。

盧達　志林二十四卷

唐馬總《意林》卷六"盧達《志林》二十四卷"，列華譚後、孫綽前，則達爲晋人無疑。又引一條云："東海之魚墜一鱗，崑侖之木棄一葉，世人皆能知之。"今本《意林》佚去，此用蔣光煦《斠補隅録》周廣業輯本。①

五行家補

王微　宅經

按晋畫家有王微，見《名畫記》，未知即此人否。《黄帝宅

① "隅"原誤作"餘"，"廣"原誤作"光"。

經》記諸家相宅書,如司馬天師《宅經》、司最《宅經》、劉晋平《宅經》、張子豪《宅經》、刁曇《宅經》之類,皆未詳時代,故不録。

陶侃　捉脈賦

《圖書集成》藝術典六百七十九引《地理正宗》:"陶侃字仕衡,作《捉脈賦》。"

郭璞等　八仙山水經一卷

《通志略》六。

郭氏五姓墓圖要訣五卷

同上。

晋災祥一卷

同上。

石瑞記

《書抄》五十七:"《石瑞記》云:'太安元年,前著作郎邱衆表稱:世祖武皇帝擢臣負薪之中,授承當作'臣'。著作佐郎,典治天下文義數術,乃撰諸志也。'"卷七十九董養歎鵝注引王隱《晋書·石瑞記》,是《石瑞記》乃王隱書中篇名。然《世説新語》注中之下亦引此條,無"石瑞記"三字。又《書抄》一百二云王隱《晋書》述《石瑞記》陳國項縣賈逵石碑生金,是《石瑞記》乃東晋以前書,疑即邱衆所作。隱述其辭耳。且"石瑞記"三字亦無當於正史篇題也。觀所記數事,皆近物異,故入之五行。《御覽》五百八十九:"王隱《晋書》曰:'《石瑞記》曰:"永嘉初,陳國項縣賈逵石碑中生金,此江東之瑞。"'"

孟衆　張掖郡玄石圖一卷

按孟衆,與《書抄》五十七引《石瑞記》邱衆,或是一人。作"孟"作"邱",未詳孰是。

八五經一卷

《文獻通攷·經籍門》引晁氏曰:“《序》云黄帝書,謂八卦五行。”“陳氏曰:‘《序》稱大將軍記室郭璞。《後序》言,余受郭公囊書數篇,此居一,公戒而祕之。丞相王公盡索余書,余以公言告之,得免。末稱太興元年六月,蓋晋元帝時。王公,謂導也。然皆依託耳。其書爲相墓作。’”

神仙家補

黄帝九鼎神丹經　祭法一卷

見《抱朴子·金丹篇》。

太清觀天經九篇

《御覽》九百八十五引作“十四篇”。

祭法一卷

五靈丹經一卷

並見《抱朴子·金丹篇》。按此卷又引王圖《道基經》、左元放《太清丹圖》之類,前人已録入《後漢》、《三國藝文志》,故不悉出。

孔安國　祕記

《抱朴子·至理篇》引之。魏、晋間僞書,往往託之安國,誠不可解。

易内戒　赤松子經　河圖記命符

並見《抱朴子·微旨篇》。按《抱朴子·釋滯篇》曰:“道書之出於黄老者,少許耳,率多後世之好事者,各以所知見而滋長,遂令篇卷至於山積。”真西山《跋赤松子經》曰:“此《經》稱《赤松子》爲黄帝作,世久人遠,不可復攷。後世所傳三皇五帝之書,大抵皆託也。至其言善善惡惡,有以深儆於世,未知即抱朴所見否。”《西山題跋》卷二。

洞真經

謝靈運《山居賦》自注引《洞真經》云:“今學仙者,亦明師以自發悟,故不辭苦,殊穎形也。”據此,當是晋以前書。《太平御覽》神仙部屢引之。

葛洪　枕中書一卷

《四庫全書提要》云:“考《隋》、《唐》、《宋志》,但有《墨子枕中記》,無洪《枕中書》。此本别載《説郛》中,一名《元始上真衆仙記》,而《通志》所列《元始上真記》無‘衆仙’字,似亦非此書。説多謬悠,後人僞撰也。”

玉鈐經

《抱朴子·對俗》、《辨問》、《登涉篇》並引之。

荆山經　龍首記　彭祖經　此篇見《遐覽篇》。**黄山**一作“石”。**公記**

《抱朴子·極言篇》引之。　《勤求篇》云:“干吉、容嵩、桂帛諸家,各著千所篇。”①

神仙經黄白方二十五卷

《抱朴子·黄白篇》曰:“《神仙經黄白之方》二十餘卷,千有餘首。黄者,金也。白者,銀也。或題篇云庚辛。”②

黄白中經五卷　金銀液經

並見《抱朴子·黄白篇》。

玉牒經　銅柱經

《抱朴子·黄白篇》並引之。

茅處玄華陽子自序一卷

見《新唐志》。

抱朴子養生論一卷

見《宋史·藝文志》。

太清玉碑子一卷　葛洪與鄭惠遠問答。

---

① “千”原誤作“手”,“編”原誤作“篇”,據《抱朴子内篇》王明校本改正。

② “或”原誤作“故”,據《抱朴子内篇》王明校本改正。又云:“庚辛亦金也。”

見《宋史·藝文志》。

鮑静　三皇經

《法苑珠林》卷五十五云："晋時道士王浮造《明威化胡經》，鮑静造《三皇經》。"《唐沙門彦琮琳法師别傳》云："鮑静造《三皇經》，後改爲《上清經》。"

許遜　石函記

明王世貞《讀書後》云："許真君《石函記》，不類晋人語。蓋自張紫陽後，陳泥丸、白紫清繼之，俱以無礙辨才，發性命宗旨，弟子仿之，乃至醉思仙歌，亦託之真君，《大還丹歌》託之吴猛，《鉛汞歌》託之嚴君平，《龍虎歌》托之陰長生云云。"今按《還丹歌》之類，不悉著録，附記於此。

釋家補

安光讚折中解一卷　光讚抄解一卷　折疑略一卷　折疑准一卷　起盡解一卷　道行品集異注一卷　大十二門注二卷　小十二門注一卷　了本生死注一卷　密迹金剛經瓶解一卷　賢刦八萬四千度無極經解一卷　人本欲生經注撮解一卷　安般守意經解一卷　陰持入經注二卷　大道地經注一卷　十法句義一卷　義指注一卷　九十八結解一卷　三十二相解一卷　三界諸天録一卷

並見《出三藏記集》卷五《新集安公注經及雜經志》。

十二游經一卷

《歷代三寶記》卷六云："武帝世，外國沙門彊梁婁至，晋言真喜，太始二年於廣州譯。見始興及寶唱《録》。"按晋世譯經甚多，玆獨據《出三藏記集》者，以梁世去晋最近，所言當可從也。其《歷代三寶記》、《開元釋教録》等書所補目録，間採一二，不及備列。

文殊師利現寶藏經二卷　太安二年出。或三卷,亦云《示現寶藏經》,見竺道祖《晋世雜録》。

阿闍世王經二卷　太康年譯。見《晋世雜録》。

阿難目佉經一卷　與《微密持經》本同,名異。見《晋世雜録》。

大阿育王經五卷　光熙年出,見竺道祖《晋世雜録》。

道神足無極變化經二卷　第二譯。或三卷、四卷。即竺法護所出《佛昇忉利天爲母説法經》,同本别名,見《晋世雜録》。

《歷代三寶記》卷六云:"右五部,或一十二卷。惠帝世,安息國沙門安法欽太康年於洛陽譯。"

迦葉詰阿難經一卷　第二譯。與漢世嚴佛調出者小異,見始興及寶唱《録》。

越難經一卷

《歷代三寶記》卷六云:"惠帝世,清信優婆塞聶承遠,以此經等雖並先出,理句未圓,遂更整文偈,删改勝前。見今所行於世者是。"

文殊師利現寶藏經二卷　第二出。與安法欽所譯大同小異,見竺道祖《雜録》。　**十善十惡經一卷**　見《晋世雜録》。　**逝童子經一卷**　第三出。亦名《長者制經》。**善生子經一卷**　第三出。見支敏度及竺道祖《録》。

《歷代三寶記》卷六云:"右四經,合五卷。惠帝永明年中,沙門支法度出。總見寶唱《録》。"

瓔珞經十二卷　或十四卷。　**維摩詰經四卷**　第三出。　**禪經四卷**　**大智度經四卷**　以上四部,二十四卷。見《南來新録》。　**如幻三昧經二卷**　第二出。與漢世支讖譯《般若三昧》二卷本同名,①及文句小異。見竺道祖《晋世雜録》。　**阿術達經一卷**　**無所悕望經一卷**　**普賢觀經一卷**　一名《觀普賢菩薩經》。見道慧《録》。　**無極寶三昧經一卷**　第二出。　**五蓋疑結失行經一卷**　第二出。與竺法護出者大同小異。　**所欲致患經**

---

① "與"原誤作"興"。

一卷 第二出。與護公出者小異。 **如來獨證自誓三昧經一卷** 第二出。 **法没盡經一卷** 第二出。 **菩薩正齋經一卷** 第二出。 **照明三昧經一卷** 第二出。 **分衛經一卷** **威革長者六向拜經一卷** 一作"威華"字。 **菩薩十住經一卷** 第二出。**摩調王經一卷** **指鬘經一卷** 或作《指髻經》。 **浮光經一卷** 或作《乳光經》。**彌勒所問本願經一卷** **十地經一卷** **寶女施經一卷** **普門品經一卷** 第二出。與法護出大同。見道祖《録》及《三藏記》。

《歷代三寶記》卷七云:"右二十五部,合四十六卷。西域沙門祇多蜜,晉言謌友譯。諸録盡云祇多蜜晉世出,譯名多同,計不應虚。若非咸、洛,應是江南,未詳何帝。一部見僧祐《出三藏記集》。以外並出雜别諸録所載。"

太子須大拏經一卷 **演道俗業經一卷**

隋沙門法經《衆經目録》卷一云:"晉世沙門法堅譯。"

過去因果經四卷 見《别録》。

大方等如來藏經一卷 元熙二年出。見《晉世雜録》。

僧祇律四十卷 義熙十二年十一月共法顯譯。見竺道祖《晉世雜録》。《别録》或三十卷。

《三寶記》云:"安帝世,北天竺國三藏禪師佛 跋陀羅,晉言覺賢,於揚都及廬山二處譯。沙門法業、慧義、慧嚴等詳共筆授。"按原文一十五部,一百一十五卷,兹不悉録。

無量壽至真等正覺經一卷

《三寶記》云:"恭帝元熙元年二月,外國沙門竺法力譯,是第六出。見釋正度《録》。"

迦葉結集戒經一卷 **蓱沙王五願經一卷** **日難經一卷** 即是《越難經》,後説事小異。

《三寶記》云:"右三經,羣録並云晉末,不知何帝年。沙門釋嵩公出,或云高公。見趙《録》及始興《録》載。"

迦葉禁戒經一卷

《三寶記》云:“晋末,未詳何帝年。云沙門釋退公出。見始興《録》。”

佛開解梵志阿颰經一卷

《三寶記》云:“晋末,未詳何帝年。云沙門釋法勇出。見趙《録》。”

即色游玄論一卷　辨三乘論一卷　釋曚論一卷　聖不辯知論一卷　本業經序一卷　本起四禪序一卷　道行旨歸一卷

《三寶記》卷七云:“右七部,合七卷。哀帝世,沙門支遁撰。”

毘曇旨歸一卷

《三寶記》云:“哀帝世,沙門竺僧度撰。度本姓王,名晞,東莞人。”

立本論九篇一卷　六識旨歸十二首一卷

《三寶記》云:“右二卷。孝武帝世,荆州上明寺沙門釋曇微作。微,釋道安弟子。”

禪法要解二卷

《三寶記》云:“晋安帝世,沮渠蒙遜從弟安陽侯京聲,因識宏經,乃閲意内典。從天竺三藏禪師佛馱斯那受學禪經秘要,口誦梵本。通利東歸,於涼土翻傳以教示,因爾流行。”①

寂志果經一卷

唐釋智昇《開元釋教録》卷十三云:“東晋西域沙門竺曇無蘭譯。”

按《釋教録·拾遺》編入之經甚多,兹不悉録。

王喬之等　念佛三昧詩

《蓮社高賢傳》曰:“遠公居東林,製五銘,刻於石。江州太守

① “翻傳”原與“以教示因爾流行”互倒,據《續修四庫全書》本《歷代三寶記》乙正。

孟懷玉、别駕王喬之、常侍張野、晋安太守殷隱、黄門毛修之、主簿殷蔚、參軍王穆、孝廉范悦之、隱士宗炳等，咸賦銘贊。又劉遺民著《發願文》，而王喬之等復爲《念佛三昧詩》以見志。”案《肇論・答劉遺民書》云：“得君《念佛三昧詠》，并得遠法師《三昧詠》及《序》。”是法遠及遺民並有此作也。

補晉書藝文志

萍鄉文廷式道希纂

集部三類

一曰楚辭類,二曰别集類,三曰總集類。

楚辭類

郭璞　楚辭注二卷

《唐志》十卷,《通志·藝文略》三卷。

徐邈　楚辭音二卷

《通志略》一卷。

别集類

晉宣帝集五卷　録一卷

嚴可均《全晉文》録得十五篇。案嚴可均《全晉文》一百六十七卷,八百三十一人,捃摭繁富。近者《文館詞林》殘帙又出東洋,其間晉人著述復數十首,典午一朝,徵文略備矣。史家意存簡要,非集遺篇,故所撰解題,取足明本書而止。其有唐以前各家著述所引,明言某集及姓名隱翳者,附著一二焉。

晉文帝集三卷

《唐志》二卷。

齊王攸集三卷

《唐志》二卷。《書抄》六十:"司馬攸《與山巨源書》云:'太子舍人夏侯湛，柔心居正，理識明徹，應可爲郎也。'"六十六："齊王攸《與山濤書》云：'孝若秉心居正，爲太子舍人。'"

王沈集五卷

《唐志》同。傳、《書抄》八十三有王沈《辟雍頌》。按沈官至驃騎將軍，加散騎常侍，《隋志》失題其官。又《文苑傳》亦有王沈此集，《隋志》列鄭袤前，非彦伯也。侯攷。疑是《文苑傳》之王沈矣。

鄭袤集二卷　《隋志》作"褒"，誤。按袤仕至儀同三司。

《隋志》云："梁有《鄭褒集》二卷，亡。"《唐志》復著録。按《隋志》云"梁有"者，皆《七録》所述，今並依録。

宗正嵇喜集二卷　録一卷

《隋志》一卷，殘缺。《唐志》二卷。《書抄》六十八："《嵇憙集》云：'晋武爲撫軍，妙選官屬，以憙爲功曹。'"

散騎常侍應貞集五卷

貞在《文苑傳》。《魏志·王粲傳》注引《文章敘録》曰："應貞，晋室踐阼，遷太子中庶子、散騎常侍。又以儒學與太尉荀顗撰定新禮，事未施行。泰始五年卒。"《書抄》九十八引應貞《安石榴賦》云："應璩感於事而作，每不留意，時趙参軍爲通事郎對，貞不停筆而成也。"嚴鐵橋輯貞集，漏鈔此條。

司隸校尉傅玄集五十卷　録一卷

《隋志》十五卷。近人定遠方濬師集本五卷。

著作郎成公綏集十卷　《文苑》本傳云："所著詩、賦、雜筆十餘卷。"

《隋志》九卷，殘缺。《唐志》十卷。《文苑》本傳云中書郎。《書鈔》卷一百引《成公綏集》云："寶翰電流，彤管雨散。"

裴秀集三卷　録一卷

《隋志》亡，《唐志》著録。《書鈔》三十九引裴秀新詩有注，其注不知何人作也。《御覽》三十三有裴秀《大蜡詩》。

金紫光禄大夫何禎集五卷

《隋志》一卷,《唐志》五卷。《書鈔》設官部五十七引虞預《晋書》:“何禎字元幹,爲尚書郎、參尚書右丞。右丞之設,自禎始也。”

袁準集二卷　録一卷

《隋志》亡,《唐志》著録。《書抄》一百十二袁淮當作“準”。《招公子》云:“燕倡越舞齊商歌,五色紛華曳綺羅。”

少傅山濤集五卷　録一卷

按《隋志》:“《山濤集》九卷,梁五卷,《録》一卷。又一本十卷。齊奉朝請裴津注。”今案各書所引《山公啓事》,往往有注,疑九卷、十卷本皆合《啓事》言之也。今從《七志》入録。《唐志》五卷。

向秀集二卷　録一卷

《隋志》亡,《唐志》著録。按《世説・言語門》注引《向秀别傳》曰:“轉至黄門侍郎、散騎常侍。”本傳同。此失題其官。

平原太守阮种集二卷　録一卷

阮侃集五卷　録一卷

《隋志》亡,《唐志》著録。侃有《詩音》,已入録。此失題“河内太守”四字。

太傅羊祜集二卷　録一卷

《隋志》一卷,殘缺。《唐志》二卷。

蔡玄通集五卷

《隋志》亡。《初學記》卷一引蔡韶《圞論》曰:“衆經折軸呼成雷。”

太宰賈充集五卷

《隋志》亡,《唐志》二卷。

荀勗集三卷　録一卷

《隋志》亡,《唐志》二十卷。按《初學記》卷十一引《荀勗集》:

“晋武帝時，門下啓令史伊羡、趙咸爲中書舍人，對掌文法。勗奏以爲不可。”《書抄》五十九：“《荀勗集》云：‘昔六官所掌，冢宰爲首。秦公卿贊，以丞相、御史爲冠。今者尚書令總此三者，非臣駑闇所宜忝竊。’”

征南將軍杜預集十八卷

《唐志》二十卷。《書抄》九十七：“《杜預集》云：‘預少而好學，在官勤於吏治，在家則滋味典籍。’”《書抄》一百十九：“《杜預集序》云：‘預爲鎮南將軍，觀兵于江，男女降者，百萬餘口，軍中爲之謡曰：以計代戰，一當萬。’”

輔國將軍王濬集二卷　録一卷

《隋志》一卷，殘缺。《唐志》二卷。《書抄》一百三十七：“《王濬集》云：‘瓜皮船本圖以倉卒用之耳，甯可以深入敵境耶？’”

徵士皇甫謐集二卷　録一卷

《唐志》同。《書抄》五十九引《皇甫謐集》云。《御覽》二百四十：“《皇甫謐集》云：‘護軍，武士之官。尚書，文士之樞機也。’”卷八十四：“皇甫謐《女怨詩》曰：‘施衿結帨，三命丁甯。’又云：‘棄我舊廬，爰適他館。’”

侍中程咸集三卷

《唐志》二卷。《鄭袤傳》：“袤舉劉毅、劉寔、程咸、庾峻，並至公輔大位。”《書抄》五十八：“王隱《晋書》曰：‘程咸字延祚。太始十年，詔曰：黄門郎程咸，博學洽通，文藻清敏，其以爲散騎常侍。’”《御覽》三百六十一引王隱《晋書》：“程咸字延休，魏郡武安人。”陶淵明《搜神後記》三：“程咸字咸休。武帝時，歷位至侍中。”《書鈔》一百三十二：“程咸《詩序》云：‘平原後三月三日從華林園作壇，[1]建仙宫，張朱幕。詔延羣臣，作詩

---

[1] “後”原闕，作“□”，據孔廣陶校注本《北堂書鈔》補。

以頌之。'"

光禄大夫劉毅集二卷　録一卷

《隋志》亡,《唐志》著録。《晋書》有兩《劉毅傳》,西晋劉毅字仲雄,東萊人。《書鈔》七十三引劉毅《論九品》,宋陳仁子《廣文選》有劉毅《中正疏》。

侍中庾峻集二卷　録一卷

《隋志》亡,《唐志》三卷。

巴西太守郤正集一卷

《唐志》同。正,《蜀志》有傳,云:"凡所著述,詩、論、賦之屬,垂百篇。"而《七録》一卷,蓋所佚多矣。

散騎常侍薛瑩集三卷

《唐志》二卷。瑩,《吴志》附《薛綜傳》。《書抄》五十七引《薛瑩集》論胡沖事,《御覽》三百二十八有薛瑩《答華永先詩》。

散騎常侍陶濬集二卷　録一卷

《隋志》亡,《唐志》著録。按《陶璜傳》云:"弟濬,吴鎮南大將軍、荆州牧。"不言爲散騎常侍,蓋入晋後所除官也。

通事郎江偉集六卷

《唐志》五卷。《太平御覽》七百四十七引《江偉家傳》曰:"偉性善書,人得其手書,莫不藏之以爲寶。"

宣舒集五卷

《隋志》亡。《舊唐志》有《宣聘集》三卷,《新唐志》作"宣騁"。舒官籍,見甲部易類,此脱"宜城令"三字。鄧名世《古今姓氏書辯證》云:"晋彭城令宣聘,望出陳郡。"

鄒湛集三卷　録一卷

《隋志》亡,《唐志》四卷。《文苑》本傳:"湛仕至少府,所著詩及論事議二十五首。"《文選》五十九注引鄒潤甫《爲諸葛穆答晋王命》曰:"雖曰博納,虚懷下開。"

散騎常侍曹志集二卷　録一卷

《隋志》亡,《唐志》著録。

汝南太守孫毓集六卷

《唐志》五卷。嚴可均《全晋文》曰:"毓字仲,泰山人。魏時嗣父觀爵吕都亭侯,仕至青州刺史。見《魏志·臧霸傳》。一云字休朗①,北海平昌人。見《經典·叙録》。入晋爲太常博士,歷長沙、汝南太守。"

處士楊泉集二卷　録一卷

《唐志》同。《書抄》六十三引《晋録》:"會稽相朱則上言:楊泉清操自然,徵聘終不移心。詔拜泉郎中。"《類聚》二十三引泉《贊善賦》,題曰"吴楊泉"。《金樓子》曰:"楊泉《蠶賦序》曰:'古人所賦者多矣,而獨不賦蠶,乃爲《蠶賦》。'是何言與? 楚蘭陵荀況有《蠶賦》,德淵近不見之,有文不如無述也。"

司徒王渾集五卷

《隋志》亡,《唐志》著録。《御覽》二十九引《王渾集》。

冀州刺史王琛集五卷

《隋志》亡,《唐志》四卷。按《王覽傳》,子琛字士瑋,國子祭酒,恐非此人。《御覽》二百四十五:"《晋起居注》曰:'太康十年詔:尚書郎王琛,每所陳論,意在忠讜,其以爲太子庶子。'"

徵士閔鴻集三卷

《唐志》二卷。《紀瞻傳》有尚書閔鴻,此云徵士,當時曾以尚書徵而不起歟。又據《薛兼傳》,鴻,廣陵人。《晋書》曰:"尚書閔鴻見陸雲,奇之,'此兒若非龍駒,定是鳳雛'。"《御覽》三百七十九。《御覽》三百五十八有閔鴻《與劉子稚書》。

光禄大夫裴楷集二卷　録一卷

---

① "朗"原誤作"明",據吴承仕《經典釋文叙録疏證》改正。

《隋志》亡,《唐志》著録。

司空張華集十卷　録一卷

《書録解題》:"三卷,前二卷爲四言、五言詩,後一卷爲祭、祝、哀、誄等文。"《郡齋讀書志》云:"《集》有詩一百二十,哀詞册文二十一,賦三。"余案宋時所存止此。

尚書僕射裴頠集九卷

《唐志》十卷。《藝文類聚》卷五十二:"《裴頠集》曰:'臣聞感神以政,應變以誠,故桑穀之異,以勉己而消。漢末屢赦,猶淩不反。由此言之,上協宿度,下甯萬國,唯在賢能,慎厥庶政,殆非孤赦所能增損也。'"

太子中庶子許孟集三卷　録一卷

《隋志》亡,《唐志》二卷。按"許孟"當作"許猛",高陽人,見《賈謐傳》。《世説·賢媛門》注引《世語》曰:"允子猛,字子豹。"又引《晋諸公贊》曰:"猛,禮學儒博,加有才識,爲幽州刺史。"《政事門》注引《許氏譜》曰:"猛,吏部郎。"

太宰何劭集一卷　録一卷

《隋志》亡,《唐志》二卷。劭,附《何曾傳》。《類聚》三十一有何劭《贈張華詩》。

光禄大夫劉頌集三卷　録一卷

《隋志》亡。

劉寔集二卷　録一卷

《隋志》亡。按寔官至太尉,《隋志》蓋脱二字。《唐志》著録。

散騎常侍王佑集三卷　録一卷

《王湛傳》:"王嶠父佑,以才智稱,爲楊駿腹心。"當即此人。但云位至北軍中候,不言散騎常侍,史偶遺之耳。《舊唐志》作"王祐"。

驃騎將軍王濟集二卷

《隋志》亡,《唐志》著録。濟,附《王渾傳》。

華嶠集八卷 按嶠追贈少府,《隋志》失題其官。

《隋志》云:"梁二卷。"本傳曰:"嶠所著論議、難駁、詩賦之屬,數十萬言。"蓋八卷乃足本也,故從《隋志》。《書抄》九十九引《華嶠集·序》云:"嶠作《後漢書》百卷,張華等稱其有良史之才,足以繼迹班固,乃藏之祕府,與三史並流。"《唐志》二卷。《御覽》二百二十四:"《華嶠集》曰:'詔曰:"散騎以從容侍從、承答顧問爲職,又掌贊詔命,平處文籍,故前世多參用言語文學之士。以上參用《類聚》四十八。議郎華嶠有論著述之才,其以嶠爲散騎常侍,兼與中書共參著作事。"嶠表謝云:"非臣典筆申辭所能陳謝。"'"

祕書丞司馬彪集三卷 録一卷

《隋志》四卷,《唐志》三卷。

尚書庾儵集二卷 録一卷

《隋志》亡,《唐志》著録三卷。《類聚》卷九引庾倏當作"儵"。《冰井賦》,八十八引庾儵《大槐賦》。

國子祭酒謝衡集二卷

《隋志》亡,《唐志》著録。衡,附見《謝鯤傳》。《王接傳》云:"摯虞、謝衡,皆博學多聞。"《賈謐傳》稱"國子博士謝衡"。

漢中太守李虔集二卷 録一卷

《隋志》一卷,《唐志》十卷。

司隸校尉傅咸集三十卷 録一卷

《隋志》十七卷,《唐志》三十卷。《北堂書鈔》六十、六十一、六十二並引《傅咸集》。

太子中庶子棗據集二卷 録一卷

《隋志》亡,《唐志》著録。《文選》卷二十九注:"今書《七志》曰:'棗據字道彦,潁川人。弱冠,辟大將軍府,遷尚書郎。太尉賈充爲伐吴都督,請爲從事中郎,遷中庶子。卒。'"《類聚》三十一録據《答阮德猷詩》,《御覽》三百五十八兩引棗據詩。

劉寶集三卷

《隋志》亡,《唐志》著録。按寶官太子中庶子,見《通典》,《志》蓋蒙上文而省。

馮翊太守孫楚集十二卷　録一卷

《隋志》六卷,《唐志》十卷。

散騎常侍夏侯湛集十卷　録一卷

《世説·文學門》注引湛集《周詩叙》,《御覽》八百十五引《夏侯孝若集·羊太常辛夫人傳》,七百七亦引之。原誤"夏侯孝子集"。

弋陽太守夏侯淳集二卷

《隋志》亡。淳字孝沖,附《夏侯湛傳》。《唐志》十卷。

散騎侍郎王讚集五卷

《隋志》亡,《唐志》二卷。《初學記》二十八有王讚《梨樹頌》。

衛尉卿石崇集六卷　録一卷

《唐志》五卷。

尚書郎張敏集五卷

《隋志》二卷,《唐志》同。案《遂初堂書目》尚著録,是此書南宋猶存。《容齋五筆》卷四云:"故簏中得舊書一帙,題爲《晋代名臣文集》,凡十四家。有張敏者,太原人,仕歷平南参軍、太子舍人、濟北長史。《集仙傳》所載《神女智瓊傳》,見《太平廣記》,敏之作也。"

黄門郎伏倖集一卷

《隋志》亡。

黄門郎潘岳集十卷

《唐志》同。《世説·文學門》注引《續文章志》曰:"岳爲文選言簡章,清綺絶倫。”

太常卿潘尼集十卷

《唐志》同。尼,附《潘岳傳》。唐段成式《酉陽雜俎》第十二引魏肇師曰:“《鸚鵡賦》,禰衡、潘尼二集並載。君房曰:‘詞人自是好相采取,一字不異。’”君房,梁徐君房也。

頓邱太守歐陽建集二卷

建,附《石苞傳》,官至馮翊太守,與《隋志》異。

宗正劉訏集二卷　録一卷

《隋志》亡,《唐志》《劉許集》二卷。《世説・排調門》注引《晋百官名》曰:“劉許字文生,涿鹿郡人。父放,魏驃騎將軍。許,惠帝時爲宗正卿。”“許”與“訏”,①未詳孰是。

散騎常侍李重集二卷

《隋志》亡,《唐志》著録。《文選》卷五十八注:“《李重集》曰:‘爲選部尚書,其箴曰:銓管人流,品藻清濁。’”《書抄》卷六十:“《李重集》云:‘爲選部尚書,著《選曹箴》,置之左右,以明審才之宜。’”《御覽》卷二百三引《李重集・雜奏議》,《初學記》十一亦引之,東晋書有傳。《世説・品藻門》注:“《晋諸公贊》曰:‘李重字茂曾,江夏鍾武人。少以清尚見稱,歷吏部郎、平陽太守。’”

光禄大夫樂廣集二卷　録一卷

《隋志》亡,《唐志》二卷。

阮渾集三卷

《隋志》亡,《唐志》二卷。渾官籍,見甲部易類,此失題“馮翊太守”四字。

侍中嵇紹集二卷　録一卷

---

① “與訏”原互倒,據《二十五史補編》本乙正。

《唐志》同。

錢塘令楊建集九卷

《隋志》亡。

長沙相盛彦集五卷

《隋志》亡。彦在《孝友傳》,云:"仕吴,至中書侍郎。吴平,劉頌舉彦爲小中正。"《七録》題"長沙相",未詳所出。

左長史楊乂集三卷　録一卷

《隋志》亡,《唐志》著録。

尚書盧播集二卷　録一卷

《隋志》一卷。《類聚》五十三:"阮籍《與晋文王薦盧景宣書》曰:'伏見鄜州别駕盧播字景宣,潛心圖籍,文學之宗,敷藻載述,良史之表。'"

欒肇集五卷　録一卷

《隋志》亡,《唐志》著録。按肇官尚書郎。

南中郎長史應亨集二卷

《隋志》亡,《唐志》著録。《北堂書鈔》五十七引《應亨集・讓著作表》。《書抄》八十四:"應亨《贈四王冠詩》云:'令月維吉日,盛服加元首。人咸飾其容,鮮能離塵垢。'"

國子祭酒杜育集二卷

《唐志》同。

太常卿摯虞集十卷　録一卷

《隋志》九卷,《唐志》十卷。

祕書監繆徵集二卷　録一卷

《隋志》亡,《唐志》著録。徵,蘭陵人,見《賈謐傳》。《北堂書鈔》六十二引《繆世應集・太尉石鑒碑》兩條。按《張軌傳》有祕書監繆世徵,唐諱"世",故但稱繆徵。宋諱"徵",故宋鈔或爲世應,實一人也。

齊王府記室左思集五卷　録一卷

《隋志》二卷,《唐志》五卷。

豫章太守夏靖集二卷　録一卷

《隋志》亡,《唐志》《夏侯靖集》二卷。

吴王文學鄭豐集二卷　録一卷

《隋志》亡,《唐志》著録。按《文館詞林》卷一百五十六有鄭豐《答陸士衡詩》四首。《吴志·孫權傳》注引《文士傳》云:"豐字曼季,沛國人。有文學操行,與陸雲善,[1]詩詞往反。司空張華辟,未就,卒。"

大司馬東曹掾張翰集二卷　録一卷

《隋志》亡,《唐志》著録。《初學記》卷二十:"張翰《詩序》曰:'永康之末,疾苦瘻瘵,故人頗候之。常以閒静,爲著詩一首,分句改紙,各有别讀。'"《文選》卷二十九注:"今書《七志》曰:'張翰字季鷹,吴郡人也。文藻新麗,齊王冏辟爲東曹掾。觀天下亂,東歸,卒於家。'"今書《七志》是目録家言,故詳録之。

清河王文學陳略集二卷　録一卷

《隋志》亡,《唐志》著録。

揚州從事陸沖集二卷　録一卷

《隋志》亡,《唐志》著録。《藝文類聚》二十八有陸沖詩。

平原内史陸機集四十七卷　録一卷

《隋志》十四卷,《唐志》十五卷。

清河太守陸雲集十卷　録一卷

《隋志》十二卷,《唐志》、《書録解題》並十卷,《崇文總目》八卷,今存本十卷。

少府丞孫極集二卷　録一卷

---

① "善"原誤作"美",據中華本《三國志》及《二十五史補編》本改正。

《隋志》亡,《唐志》著録。按"孫極"當作"孫拯",《晋書》附《陸機傳》,云善屬文。

中書郎張載集七卷

《隋志》云:"梁一本二卷,《録》一卷。"《唐志》二卷。

黄門郎張協集四卷　録一卷

《隋志》三卷,《唐志》二卷。協,附《張載傳》。鍾嶸《詩品》上曰:"協詩,其原出於王粲。文章華妙,實少病累。又巧搆形似之言,雄於潘岳,靡於太沖。"

著作郎束晳集五卷　録一卷

《隋志》七卷。《書抄》五十八:"《束晳集》云:'員外侍郎皆帝室茂親、貴游子弟。'"七十九:"《束晳集》云:'郡吏王璞初入朝,上見之,始知其絶常。'"一百五十二:"《束晳集》云:'零露垂林,非綴冠之飾。薄冰凝池,非登廟之寶。'"

征南司馬曹攄集三卷　録一卷

《隋志》亡,《唐志》二卷。攄在《良吏傳》。梁鍾嶸《詩品》卷中稱"晋襄城太守曹攄"。

散騎常侍江統集十卷　録一卷

《隋志》亡,《唐志》著録。按此書《遂初堂書目》尚著録。

著作郎胡濟集五卷　録一卷

《隋志》亡,《唐志》著録。《隱逸・伍朝傳》:"劉宏薦朝爲零陵太守,主者以非選例,不聽。尚書郎胡濟奏'宜聽光顯,以奬風尚'。"即此人。《蜀志・董和傳》注有胡濟字偉度,别是一人。

中書令卞粹集五卷

《隋志》一卷,《唐志》二卷。《卞壼傳》:"父粹,以清辯鑒察稱,仕至侍中、中書令。"

光禄勳閭邱沖集二卷　録一卷

《隋志》亡,《唐志》著録。《世説·品藻門》注:"荀綽《兖州記》曰:'沖字賓卿,高平人。博學有文義,累遷太傅長史。操持文案,必引經誥,飾以文采。爲光禄勛,爲賊所害,時人皆痛惜之。'"《御覽》三十有閭邱沖《三月三日應詔詩》。

太傅從事中郎庾敳集五卷　録一卷

《隋志》一卷,[①]《唐志》二卷。

太子中舍人阮瞻集二卷　録一卷

《隋志》亡,《唐志》著録。

太子洗馬阮修集二卷　録一卷

《隋志》亡,《唐志》著録。本傳曰"修所著述甚寡,嘗作《大鵬贊》"云云。《初學記》卷四有修《上巳詩》。

廣威將軍裴邈集二卷　録一卷

《隋志》亡,《唐志》著録。《魏志·裴潛傳》注云:"邈字景聲,有儁才,爲太傅司馬越從事中郎,假節監中外營諸軍事。"

太傅郭象集五卷　録一卷

《隋志》二卷,《唐志》五卷。錢大昕《廿二史攷異》引袁廷檮曰:"'太傅'下脱'主簿'二字。"

廣州刺史嵇含集十卷　録一卷

《隋志》亡,《唐志》著録。《書鈔》一百三十二:"《嵇含集》云:'李方治爲撫軍長史,余爲從軍中郎,常隨撫軍。時天熱,露坐,有頃,雨降,李不張油幔。'"

安豐太守孫惠集十一卷　録一卷

《隋志》八卷,《唐志》十卷。

松滋令蔡洪集二卷　録一卷

《隋志》亡,《唐志》著録。《世説·言語門》注:"洪集録曰:'洪

---

① "志"與"一卷"原互倒,據《二十五史補編》本乙正。

字叔開，吴郡人。有才辯。初仕吴朝，太康中，本州從事舉秀才。'王隱《晉書》曰:'洪仕至松滋令。'"

平北將軍牽秀集三卷　録一卷

《隋志》四卷，《唐志》五卷。《書鈔》一百五十八引牽秀詩。

車騎從事中郎蔡克集二卷　録一卷

《隋志》亡，《唐志》著録。克，見《蔡謨傳》。《御覽》八百十六引《蔡克别傳》，字子尼。

遊擊將軍索靖集三卷

《隋志》亡，《唐志》二卷。

隴西太守閻纂集二卷　録一卷

《隋志》亡，《唐志》著録。"纂"，《晉書》作"纘"。《周處傳》有纂詩，《北堂書鈔》卷五十七引閻纂集四言詩啓。"閻纂"，抄本訛作"間莫"。

秦州刺史張輔集二卷　録一卷

《隋志》亡，《唐志》著録。

交阯太守殷巨集二卷　録一卷

《隋志》亡，《唐志》著録。《吴志·顧邵傳》注引《文士傳》:[1]"殷基三子。巨字元大，有才器，初爲吴偏將軍。吴平後，爲蒼梧太守。"《類聚》卷八十有魏殷臣《鯨魚燈賦》，"臣"當是"巨"字之誤。

太子洗馬陶佐集五卷　録一卷

《隋志》亡，《唐志》著録。

鄱陽太守虞溥集二卷　録一卷

《隋志》亡，《唐志》著録。

益陽令吴商集五卷

---

① "文士傳"原誤作"文士博"。

《隋志》亡,《唐志》著録。

仲長敖集二卷

《隋志》亡,《唐志》著録。《類聚》二十一録仲長敖《覈性賦》。

太常卿劉宏集三卷　録一卷

《隋志》亡,《唐志》著録。

開府山簡集二卷　録一卷

《隋志》亡,《唐志》著録。簡,附《山濤傳》。

兗州刺史宗岱集二卷

《隋志》亡,《唐志》著録三卷。《續談助》卷四抄殷芸《小説》引《雜記》云"宋岱爲青州刺史,'宋'或當作'宗'。禁淫祀,著《無鬼論》"云云,《太平御覽》八百八十四引《語林》亦同,惟"宋岱"作"宗岱"。二書皆云"來日岱亡",是終於青州刺史,與《隋志》異。

侍中王峻集二卷　録一卷

《隋志》亡,《唐志》著録。

濟陽内史王曠集五卷　録一卷

《隋志》亡,《唐志》著録。《御覽》三百三十七引王曠與楊州論討陳敏計曰:"賊今下屯固横江。又云:'復據烏江,皆壍壘彭排鹿角,步安嚴峻,以襲歴陽諸軍。'"《文字志》曰:"羲之父曠,淮南太守。"《世説·言語門》注、《德行門》注引《王獻之别傳》曰:"祖父曠,淮南太守。"

散騎常侍棗嵩集二卷　録一卷

《隋志》一卷,《唐志》二卷。嵩事具《王浚傳》。又《文苑·棗據傳》云:"嵩字臺産,才藝尤美,爲太子中庶子、散騎常侍。"《御覽》五百八十七:"《文士傳》曰:'棗原誤"棘"。嵩見陸雲作《逸民賦》,嵩以爲丈夫出身,不爲孝子,則爲忠臣,必欲建功立策,爲國宰輔,遂作《官人賦》,以反雲之賦。'"

襄陽太守棗腆集二卷　録一卷 字元方。

《隋志》亡,《唐志》著録。腆,見《棗據傳》,云"永嘉中,爲襄城太守",此誤作"襄陽"。《類聚》三十一有腆《贈石季倫詩》。

太尉劉琨集十卷

《隋志》九卷,《唐志》著録。按《崇文總目》尚著録有此書,《通鑑》晋紀九《考異》引之。

劉琨别集十二卷

《崇文總目》著録《劉琨集》十卷,又《劉琨詩集》十卷,疑此《别集》即《詩集》矣。

司空從事中郎盧諶集十卷　録一卷 《隋志》無《録》一卷。

《初學記》卷十二:"盧諶《宣徽賦》曰:'鄭山潛於谷口,楊朝隱於黄樞。'諶注曰:'楊雄爲黄門郎,三葉不徙官。'"據此,則諶集有自注也。

祕書丞傅暢集五卷　録一卷

《唐志》同。

晋明帝集五卷　録一卷

《隋志》亡,《唐志》著録。《藝文類聚》九十七有晋明帝《蟬賦》。

簡文帝集五卷　録一卷

《隋志》亡,《唐志》著録。

孝武帝集二卷　録一卷

《隋志》亡。

彭城王紘集二卷

《隋志》亡,《唐志》《彭城王集》八卷。紘,附《彭城穆王權傳》。

譙烈王丞集九卷

《隋志》亡,《唐志》《譙王集》三卷。

會稽王司馬道子集九卷

《隋志》八卷,《唐志》同。

鎮東從事中郎傅毅集五卷

《隋志》亡。

衡陽内史曾瓌集四卷　録一卷

《隋志》三卷,《唐志》五卷。《通典》九十有曾瓌《爲舊君服議》。

驃騎將軍顧榮集五卷　録一卷

《隋志》亡,《唐志》著録。

司空賀循集二十卷　録一卷

《隋志》十八卷,《唐志》二十卷。

散騎常侍張杭集二卷　録一卷

《隋志》亡,《唐志》《張抗集》二卷。按"杭"當作"亢",亢字季陽,附《張載傳》,中興初過江,仕至散騎常侍。又案《書鈔》一百四:"張杭詩云:'昔吾好典籍,下帷慕董氏。吟咏仿遺風,染翰舒素紙。'"亦作"杭"。

車騎長史賈彬集三卷　録一卷

《隋志》亡,《唐志》《賈霖集》三卷,"霖"當是"彬"字之譌。

光禄大夫衛展集十五卷

《隋志》十二卷,《唐志》十四卷。展,附《衛瓘孫玠傳》。

太尉荀組集三卷　録一卷

《隋志》亡,《唐志》二卷。組,附《荀顗傳》。

秘書郎張委集五卷

《隋志》九卷。按《御覽》三百五十八引張委《九愍》,即此人。嚴可均以其列顔延之後、殷琰前,編入宋人,誤也。

關内侯傅珉集一卷

《隋志》亡。

光禄大夫周顗集二卷　録一卷

《隋志》亡,《唐志》著録。

大常卿謝鯤集二卷

《隋志》六卷,《唐志》二卷,“鯤”作“琨”。

驃騎將軍王廙集三十四卷　録一卷

《隋志》十卷,《唐志》同。張彦遠《歷代名畫記》卷五記“廙《畫孔子十弟子贊》”云云,注曰:“見廙本集。”

華譚集二卷

《隋志》亡,《唐志》著録。案本傳,譚卒,贈光禄大夫,加散騎常侍,此失題其官。《通典》卷二十三、《書鈔》卷六十並引《華譚集·尚書二曹論》。

御史中丞熊遠集五卷　録一卷

《隋志》十二卷,《唐志》五卷。

湘州秀才谷儉集一卷

《隋志》亡。儉,桂陽人,事詳《甘卓傳》。

大鴻臚周嵩集三卷　録一卷

《隋志》亡,《唐志》著録。嵩,附《周浚傳》。

宏農太守郭璞集十卷　録一卷

《隋志》十七卷,《唐志》十卷。

張駿集八卷

《隋志》云殘缺。駿,附《張軌傳》,官鎮西大將軍,此失題其官。

大將軍王敦集十卷

《唐志》五卷。《書抄》五十七引《王敦集·表》云:“中書令領軍庾亮,清雅正事,可中書監領軍如故。”

吴興太守沈充集二卷

《隋志》亡。

散騎常侍傅純集二卷　録一卷

《隋志》亡,《唐志》著録。

光禄大夫梅陶集二十卷　録一卷

《隋志》九卷,《唐志》十卷。《御覽》三十五:"《梅陶書》曰:'古人就食於安里,今三州米流出門,無如今年豐也。若以古人用之,則累年之儲也。'"

金紫光禄大夫荀邃集二卷　録一卷

《隋志》亡,《唐志》著録。邃,附《荀顗傳》。

散騎常侍王覽集五卷

《隋志》九卷,《唐志》《王鑒集》五卷。按"覽"當作"鑒",《晋書》有傳,云"文集傳于世",惟鑒仕至永興令,未爲散騎常侍,與此異。《書抄》三十三引王鑒薦山陽馮訪云:"魯璠之遺英,楚和之祕曜。"

著作佐郎王濤集五卷

《隋志》亡,《唐志》著録。濤,見《王鑒傳》。

廷尉卿阮放集十卷　録一卷

《隋志》亡,《唐志》五卷。放,附《阮籍傳》。

宗正卿張悛集二卷　録一卷

《隋志》亡,《唐志》《張峻集》二卷。《文選》卷三十八注:"孫盛《晋陽秋》曰:'張悛字士然,吴國人,又《晋百官名》曰:'悛爲太子庶子。'"

汝南太守應碩集二卷

《隋志》亡,《唐志》著録。

金紫光禄大夫張闓集二卷　録一卷

《隋志》亡,《唐志》三卷。本傳:"闓牋、表、文、議傳於世。"

揚州從事陸沈集二卷　録一卷

《隋志》亡,《唐志》著録。

驃騎將軍卞壺集二卷　録一卷

《隋志》亡,《唐志》著録。

光禄勳鍾雅集一卷

《隋志》亡。

衞尉卿劉超集二卷

《隋志》亡,《唐志》著録。

衞將軍戴邈集五卷　録一卷

《隋志》亡,《唐志》著録。

光禄大夫荀崧集一卷

《隋志》亡。

大將軍温嶠集十卷　録一卷

《隋志》無《録》一卷,《唐志》同。按凡《録》一卷,《唐志》並不載,《隋志》亦往往與《七録》異,今不復著其有無,從省也。唐皮日休《雜體詩序》曰:"晋温嶠始有廻文詩。"

侍中孔坦集五卷　録一卷

《隋志》十七卷,《唐志》五卷。

臧沖集一卷

《隋志》亡。

鎮南大將軍應詹集五卷

《隋志》亡,《唐志》著録。《隋志》作"瞻"。

大僕卿王嶠集八卷

《唐志》二卷。

衞尉荀闓集一卷

《隋志》亡。闓,附《荀顗傳》。

鎮北將軍劉隗集二卷

《隋志》亡,《唐志》三卷。

大司馬陶侃集二卷　録一卷

《隋志》亡,《唐志》著録。

丞相王導集十卷　録一卷

《隋志》十一卷,《唐志》十卷。《書鈔》七十三、《御覽》二百六十五並引《王丞相集》。

太尉郗鑒集十卷　録一卷

《唐志》同。

太尉庾亮集二十卷　録一卷

《隋志》二十一卷,《唐志》二十卷。《書抄》七十三、《通典》三十二、《御覽》二百六十三並引《庾亮集》。

虞預集十卷　録一卷

《隋志》亡,《唐志》著録。按本傳,預官至散騎常侍。

平越司馬黄整集十卷　録一卷

《隋志》亡,《唐志》著録。《北堂書鈔》一百三十二引黄士度《屏風頌序》云:"太甯三年,皇帝詔遣殿上將賫御屏風寶劍,嘉兹屏風,帝王之服,謹爲述頌。"士度,蓋整字也。《通典》六十七引整《羣臣敬太后議》。

護軍長史庾堅集十卷　録一卷

《隋志》十三卷。

司空庾冰集二十卷　録一卷

《隋志》七卷,《唐志》二十卷。《書抄》五十三:"《庾冰集·用樂謨詔草》云:'光禄九卿列首,且職典吏署。選貢惟允,其以前散騎常侍謨爲光禄勳也。'"《初學記》十二亦引之。

給事中庾闡集十卷　録一卷

《隋志》九卷,《唐志》十卷。《文苑》本傳云:"所著詩、賦、銘、頌十卷,行於世。"

著作郎王隱集二十卷　録一卷

《隋志》十卷,《唐志》同。

散騎常侍干寶集五卷

《隋志》四卷,《唐志》同。嚴可均《全晋文》録得八篇。又司徒儀三條,非集部,亦未備。按《御覽》三十二引《荆楚時歲當作"歲時"。記》曰:"夏至日取菊爲灰,以止小麥蟲蠹。按干寶《變化論》乃云:'稻成蛩麥爲蛺蝶。'其驗乎。"是寶有《變化論》,嚴氏失收。

太常卿殷融集十卷

《唐志》同。臧榮緒《晋書》曰:"殷浩,陳郡長平人。叔父融,俱好《老》、《易》。融與浩口談論詞屈,著篇則融勝浩。"《御覽》五百一十二。《殷顗傳》曰:[①]"祖融,太常卿。"《殷仲堪傳》曰:"祖融,太常、吏部尚書。"《世説・文學門》注:"《中興書》曰:'殷融字洪遠,陳郡人。著《象不盡意》、《大賢須易論》,理義精微,談者稱焉。'"

衛尉張虞集十卷

《隋志》亡,《唐志》五卷。《許孜傳》"咸康中,太守張虞上疏",即此人。

光禄大夫諸葛恢集五卷　録一卷

《隋志》亡,《唐志》著録。《御覽》八百八:"《諸葛恢集》曰:'詔答恢:今致琉璃枕一。'"七百五十九:"《諸葛恢集》曰:'詔賜恢白甌二枚。'"七百六十:"《諸葛恢集》:'詔答恢曰:今致琉璃盌一枚。表曰:天恩賜廣州白盌。'"《御覽》七百八:"《諸葛恢原誤'亮'。集》:'詔答恢曰:行當離别,以爲惆悵,今致氍毹一,以達心也。'"《類聚》七十三引《諸葛恢表》誤題爲梁。曰:"詔云:行當别離,以爲悵惘。分致氍毹一、劍一、琉璃椀一,貴達心領録之。天恩望極,天地施鈞,不異遠近。"

車騎將軍庾翼集二十卷　録一卷

《隋志》二十二卷,《唐志》二十卷。《御覽》七百五十四:"《庾

① "顗"原誤作"覬",據中華本《晋書》改正。

翼集》曰:'頃聞諸君有樗蒲過差者,初爲是政事閑暇,以娱意耳,故未有言也。今知大相聚集,漸以成俗,聞之能不憮然。'"《類聚》七十四:"《庾翼集》:'参軍于瓚陳節戲事曰:"夫嬉戲都名動相剥,非爲治之本,自今樗蒲擲馬,諸不急戲,宜一斷云。"翼答曰:"今唯許其圍棊,餘悉斷。"'"

司空何充集五卷

《隋志》四卷,《唐志》五卷。

御史中丞郝默集五卷

《隋志》亡,《唐志》著録。

征西諮議甄述集十二卷

《隋志》亡,《唐志》著録五卷。按《王尼傳》有河南功曹甄述,即此人。《書鈔》一百三十六:"甄述《美女詩》曰:'足躡承雲履。'"《御覽》六百九十七:"甄述《女詩》曰:'足躡承雲履,豐趺嗃春錦。'"《元和姓纂》:"甄逸,中山無極人。逸子嚴,孫暢,暢生紹,紹生述。"

武昌太守徐彦則集十卷

《隋志》亡。《通志·禮略》四"郡縣吏爲守令服"一條引武昌太守徐彦《與征西桓温牋》,疑即徐彦則。

散騎常侍王愆期集十卷　録一卷

《隋志》七卷,《唐志》十卷。《御覽》五百八十三:"王詧期《降幕祠儀》當有誤字。曰:'琵琶出於弦鞉,笙簧出於絲竹。'"

司徒左長史王濛集五卷

《隋志》亡,《唐志》著録。

丹陽尹劉恢集二卷　録一卷

《隋志》亡。《世説·賞譽門》注引宋明帝《文章志》曰:"劉恢字道生,沛國人。王濛每稱其思理淹通,蕃屏之高選,爲車騎司馬。年三十六卒,贈前將軍。"按此題丹陽尹,當是劉恢之譌,姑仍其舊,以俟攷訂。《類聚》九十三有晋劉恢詩。《唐志》《劉惔集》二卷,《劉恢集》五卷。

益州刺史袁喬集七卷

《隋志》亡,《唐志》五卷。《書抄》一百三十四:“袁高《圓扇賦》云:‘飄擬融放,同類逸雲,輕風㗑㗑,羅袂紛紛。’”“高”字當是“喬”字之誤。嚴鐵橋輯入袁崧文,蓋誤。

尚書令顧和集五卷　録一卷

《唐志》同。

尚書僕射劉遐集五卷

《隋志》亡,《唐志》著録。嚴可均曰:“遐,永和中爲吏部尚書,見《褚裒傳》,與列傳之劉遐非一人。”《劉遐傳》“仕至北軍中郎將、絳州刺史,卒贈安北將軍”,不言僕射,當是一人。

徵士江淳集三卷　録一卷

《隋志》亡,《唐志》《江淳集》五卷。《晋書》淳附《江統傳》。《世説·賞譽門》注引徐廣《晋紀》曰:“淳字思悛,性篤學,手不釋書,博覽墳典,儒、道兼綜。徵聘無所就。”

魏興太守荀述集一卷

《隋志》亡。

平南將軍賀翹集五卷

《隋志》亡。

李軌集八卷

《隋志》亡。《釋文·序録》:“軌爲祠部郎中。”又《隋志》易類稱軌尚書郎,此失題其官。

李充集十五卷　録一卷

《隋志》二十二卷,《唐志》十四卷。《文苑》本傳,充仕至中書侍郎。

司徒蔡謨集四十三卷

《隋志》十七卷,《唐志》十卷。

揚州刺史殷浩集五卷　録一卷

《隋志》四卷,《唐志》五卷。

吴興孝廉鈕滔集五卷　録一卷

《隋志》亡,《唐志》著録。按《隋志》《孫瓊集》題松陽令鈕滔母,此滔不終於孝廉也。《姓苑》:"宋處州刺史釗滔。"或即此人。俟攷。

宣城内史劉系之集五卷　録一卷

《隋志》亡,《唐志》著録。《通典》九十五引劉系之問荀訥妻黨二服孰先孰後,九十六引王冀答劉系之爲庶子服、爲庶祖母服。《類聚》引劉謐之文,疑即系之。《高僧・支遁傳》:"遁常在白馬寺,與劉系之等談《莊子・逍遥篇》。"

庾赤王集四卷

按"赤王"當作"赤玉"。《世説・賞譽門》曰:"謝仁祖云,庾赤玉胸中無宿物。"劉孝標注:"赤玉,庾統小字。"又引《中興書》曰:"統字長仁,潁川人。少有令名,仕至尋陽太守。"《隋志》既列此書,又有《庾統集》,當是更有别本,非複出也。

尋陽太守庾統集八卷

《唐志》《庾統集》二卷。嚴可均曰:"統,《隋志》誤作'純'。按統見《庾懌傳》。"

驃騎司馬王修集二卷　録一卷

《隋志》亡,《唐志》著録。脩,附《外戚王濛傳》,云:"轉中軍司馬,未拜,卒。"《世説・文學門》注引脩集《賢人論》,本傳云:"年十二作《賢全論》。"

衞將軍謝尚集十卷　録一卷

《隋志》亡,《唐志》五卷。

青州刺史王浹集二卷

《隋志》亡,《唐志》著録。《御覽》三百五十八:"《晋起居注》曰:'冠軍將軍王浹表:臣以發許昌城内,北人諸將孫凱等謀,欲逼臣留身驅遣南人。臣初出城門,乃相纏繞,牽臣馬控。臣手刃斬截,僅乃得出。'"

西中郎將王胡之集五卷　録一卷

《隋志》十卷,《唐志》五卷。

中書令王洽集五卷　録一卷

《書鈔》一百五十七引《王洽集·辭中書令表》。《御覽》三十五:"晋《王洽集》曰:'洽臨吴郡,上表曰:編户僵尸,葬埋無主,或闔門餓餒,烟火不舉。'"

宜春令范保集七卷

《隋志》亡。

徵士范宣集十卷　録一卷

《隋志》亡,《唐志》五卷。

建安太守丁纂集四卷　録一卷

《隋志》亡,《唐志》二卷。《通典》卷六十:"李嵩又以父在大功則子應小功,父服在末則子服除者可。[①] 今降服而子未除,[②] 以疑問丁纂。纂曰:'服末情殺,可行吉事。'"《蔡謨傳》有黄門郎丁纂。

金紫光禄大夫王羲之集十卷　録一卷

《隋志》九卷,《唐志》五卷。

散騎常侍謝萬集十卷

《隋志》十六卷,《唐志》十卷。萬,附《謝安傳》。

司徒長史張憑集五卷　録一卷

《唐志》同。《書抄》六十七引《郭子》云:"張馮字嗣宗,劉真長薦之撫軍,曰:'下官今日爲公得一太常博士好選。'撫軍稱

---

① "父服在"原誤作"在服",據中華本《通典》補乙。

② "今"上原衍"婚"字,據中華本《通典》删。

善。"《類聚》四十六、《御覽》六百十七亦引此條。

高涼太守楊方集二卷

《隋志》亡,《唐志》著録。方,附《賀循傳》。俟再攷。《書抄》此條,别本或注"東觀漢記"四字。

徵士許詢集八卷　録一卷

《隋志》三卷,《唐志》同。《世説・賞譽門》注云:"按詢集,詢出都迎姊,於路賦詩。《續晋陽秋》亦然。"蔣清翊《支遁集補遺跋》云:"詢集今可稽者,《黑》、《白麈尾銘》二首,見《北堂書鈔》一百三十四、《太平御覽》七百三。鍾仲偉稱'孫綽、許詢彌善恬淡之辭',徵士詩一字不傳,惜哉!"按《藝文類聚》八十八引許詢詩"青松凝素髓,秋菊落芳英",非一字不傳也,蔣氏誤矣。《類聚》六十九引許詢《竹扇詩》。

征西將軍張望集十二卷　録一卷

《隋志》十卷,《唐志》三卷。《類聚》卷三十五有晋張望詩。

餘杭令孫統集九卷　録一卷

《隋志》二卷,《唐志》五卷。《世説・品藻門》注:"《中興書》曰:'孫統字承公,太原人。善屬文,時人謂其有祖楚風。仕至餘姚令。'"《蘭亭讌集》有詩二首。

晋陵令戴元集三卷　録一卷

《隋志》亡。

衞尉卿孫綽集二十五卷

《隋志》十五卷,《唐志》同。《文選》卷五十注引《孫綽集・序》曰:"綽文藻遒麗。"卷五十五注同。

太常江逌集九卷

《唐志》五卷。《御覽》七百五十七引江逌表,《類聚》三十五引江逌詩,八十九引江逌《竹賦》,韓鄂《歲華紀麗》卷四引江逌《冰賦》,《書抄》一百三十四引江逌《羽扇賦》。

謝沈集十卷

《隋志》亡,《唐志》著録。按本傳,沈仕至著作郎,此失題其官。

李顒集十卷　録一卷

《唐志》同。顒,見《李充傳》,云郡舉孝廉,此當題"孝廉"二字。《類聚》卷二有李顒《雷賦》,卷三有李顒詩。《文選》卷五十五注亦引顒詩,《書抄》一百二引李顒《弔平叔父文》。《高僧·竺法乘傳》云:"高士李顒爲之贊傳。"《書抄》一百五十八引李顒《羨夏篇》,餘見嚴鐵橋輯本。《初學記》卷六有顒《感冬篇》。

光禄勳曹毗集十五卷　録一卷

《隋志》十卷,《唐志》十五卷。本傳云:"所著文筆十五卷,傳於世。"

郡主簿王蔑集五卷

《隋志》亡,《唐志》著録。雜史類題"祠部郎王蔑",與此異。

范汪集十卷

《隋志》一卷,《唐志》八卷。《玉燭寶典》卷二引《范汪集·新野四居疑當作'君'。別傳》云:"家以蒻佛華爲業,其來蓋久。"

尚書僕射王述集八卷

《唐志》五卷。

王度集五卷　録一卷

《隋志》亡,《唐志》著録。按霸史類題"北中郎參軍王度"。《藝文類聚》九十六有晋王慶《釣魚賦》,"王慶"蓋"王度"之譌。

中領軍庾龢集二卷　録一卷

《隋志》亡。龢,附《庾亮傳》。

將作大匠喻希集一卷

《隋志》亡。希字益期，豫章人。有《交州牋》，見地理類。又《通典》卷五十三釋奠禮王儉議引喻希云："若王者自設禮樂，則肆賞於致敬之所。若欲嘉美先師，則須所况非備。"按疑有誤字。又云："時從喻希議，設軒懸之樂，六佾之舞，牲牢器用，悉依上公。"

吴興太守孔嚴集十一卷　録一卷

《隋志》亡，《唐志》五卷。嚴，附《孔愉傳》。

大司馬桓温集四十三卷

《隋志》十一卷，《唐志》二十卷。

桓温要集二十卷　録一卷

《隋志》亡。《太平御覽》卷二百三引《桓温集略》，蓋即此書。

豫章太守車灌集五卷　録一卷

《隋志》亡，《唐志》著録。

尚書僕射王坦之集五卷　録一卷

《隋志》七卷，《唐志》五卷。

光禄王彪之集二十卷　録一卷

《唐志》同。彪之，附《王廙傳》。後魏賈思勰《齊民要術》卷三、卷十並引王彪之《閩中賦》。《書抄》一百三十四引《王彪之集》云："扇上書頌王子喬、藺相如。"又引王彪之《五言詩・序》。

中書郎郄超集十卷

《隋志》九卷，《唐志》十五卷。

南中郎桓嗣集五卷

《隋志》亡，《唐志》著録。嗣，附《桓彝傳》。

平固令邵毅集五卷　録一卷

《隋志》亡，《唐志》著録。

太學博士滕輔集五卷　録一卷

《隋志》亡,《唐志》著録。《北堂書鈔》一百二十、《藝文類聚》六十並引滕輔《祭牙文》。

顧夷集五卷

《隋志》亡,《唐志》著録。按夷官揚州主簿,見《隋志》儒家類。《世説·文學門》注引《顧氏譜》曰:"夷字君齊,吴郡人。祖廞,孝廉。父霸,少府卿。夷辟州主簿,不就。"

散騎常侍鄭襲集四卷

《隋志》亡。《通典》卷一百兩引襲議。《宋書·鄭鮮之傳》:"曾祖襲,大司農。初爲江乘令,因居縣境。"不稱散騎常侍,與《七録》異。《太平廣記》四百二十六引《異苑》"滎陽鄭襲,晋太康中爲太守"云云。

撫軍掾劉暢集一卷

《隋志》亡。《世説·品藻門》注引《劉瑾集·叙》曰:"父暢,娶王羲之女,生瑾。"

劉彧集十六卷

《隋志》亡。按《隋志》雜傳類有臨川王郎中劉彧,撰《長沙耆舊傳贊》,即此人。

太常卿韓康伯集十六卷

《唐志》五卷。

黄門郎范啓集四卷

《隋志》亡,《唐志》《范起集》五卷。啓,范堅子,附《范汪傳》。史云父子並有文筆傳於世,今《隋志》無堅集,《類聚》卷八十有范堅《螭鐙賦》。

豫章太守王愔集十卷

《隋志》亡。《外戚·王遐傳》:"長子愔,領軍將軍。愔子欣之,豫章太守。"此以愔爲豫章太守,疑誤。

零陵太守陶混集七卷

《隋志》亡。

海鹽令祖撫集三卷

《隋志》亡。

吴興太守殷康集五卷　録一卷

《隋志》亡,《唐志》著録。《殷顗傳》:[①]“父康,吴興太守。”《太平御覽》引《殷康集》,又四百三十一引殷康《明慎》曰:“古人云:‘驕奢,人之殃;恭儉,福之場。’”《御覽》四百三十引殷康《明慎》曰:“犇車之上無仲尼,覆舟之下無伯夷。”蓋言慎也。

太傅謝安集十卷　録一卷

《唐志》五卷。

中軍參軍孫嗣集三卷　録一卷

《隋志》亡,《唐志》著録。嗣,綽之子。《蘭亭讌集》有詩一首。

司徒左長史劉衮集三卷

《隋志》亡。《晋起居注》穆帝升平二年有“尚書左丞相劉衮”,當是此人。《御覽》七百六十一。“相”字誤衍。

御史中丞孔欣時集七卷

《隋志》八卷。

伏滔集五卷　録一卷

《隋志》十一卷,《唐志》五卷。按滔傳,仕至遊擊將軍,著作郎如故,此失題其官。《世説・言語門》注引滔集《論青楚人物》。

滎陽太守習鑿齒集五卷

《唐志》同。

秘書監孫盛集十卷　録一卷

《隋志》五卷,殘缺。《唐志》十卷。

---

① “顗”原誤作“覬”,據中華本《晋書》改正。

東陽太守袁宏集二十卷　録一卷

《隋志》十五卷。《元和姓纂》云:"袁宏集有《古成文》。"

袁邵集三卷

袁質集二卷

見《唐志》。《唐書·宰相世系表》云:"躭生質,字道和,東陽太守。二子,湛、豹。"

黄門郎顧淳集一卷

《隋志》亡。按淳,顧和子,附和傳,仕至黄門侍郎、左衛將軍。

尋陽太守熊鳴鵠集十卷

《隋志》亡。鳴鵠,見《熊遠傳》,云"仕至武昌太守",《隋志》似誤矣。《高僧傳》卷六《釋法安傳》有武昌太守熊無患,疑即此人。

車騎將軍謝韶集三卷

《隋志》亡。韶,謝萬子,附見《謝安傳》,云"早卒,至車騎司馬",《七録》題"將軍",誤也。

金紫光禄大夫王獻之集十卷　録一卷

《隋志》亡。獻之,附《王羲之傳》。

車騎長史謝朗集六卷　録一卷

《隋志》亡,《唐志》五卷。朗,附《謝安傳》。《世説·言語門》注:"《續晋陽秋》曰:'朗字長度,安次兄據之長子。文義豔發,名亞於玄。仕至東陽太守。'"《唐志》有《謝玄集》十卷。

車騎將軍謝顧集十卷　録一卷

《隋志》亡。

新安太守郄愔集五卷

《隋志》四卷,殘缺。《唐志》五卷。《世説·品藻門》注:"《郄愔别傳》曰:'愔字方回,高平金鄉人。太宰鑒長子,歷會稽内史、侍中、司徒。'"竇臯《述書賦》注云:"愔,晋司空。"

郡吴功曹陸法之集十九卷

《隋志》亡。

太常卿王珉集十卷　録一卷

珉，附《王導傳》。《類聚》七十二引王珉《答徐邈書》。

中散大夫羅含集三卷

《唐志》同。含在《文苑傳》。

太宰長史庾蒨集二卷

《隋志》亡，《唐志》著録。《庾冰傳》："子倩，太宰長史。"不作"蒨"。《世説·賞譽門》曰："庾公云：'逸少國舉，故庾倪爲碑文云："拔萃國舉。"'"①注："倪，庾倩小字也。"

大司馬參軍庾悠之集三卷

《隋志》亡。《庾冰傳》"庾希子攸之"，蓋即其人。惟"攸"、"悠"字異。

司徒右長史庾凱集二卷

《隋志》亡，《唐志》《庾軌集》二卷，"軌"字是"凱"字之誤。

國子博士孫放集十卷

《隋志》一卷，殘缺。《唐志》十五卷。放，附《孫盛傳》。《世説·言語門》注引《放别傳》云："卒長沙王相。"與此異。陳舜俞《廬山記》卷一引孫放《山賦》曰："尋陽南有廬山，九江之鎮也，臨彭蠡之澤，接平敞之原。"

聘士殷叔獻集三卷　録一卷

《唐志》同。《晋書·殷顗傳》云："弟仲文、叔獻，别有傳。"今按《晋書》無《叔獻傳》，蓋誤用臧榮緒《晋書》舊文也。

湘東太守庾肅之集十卷　録一卷

《唐志》同。　肅之，附見《文苑·庾闡傳》。

---

① "拔萃"原作"逸少"，據徐震堮《世説新語校箋》改正。

北中郎叅軍蘇彦集十卷

《隋志》亡,《唐志》著録。明馮惟訥《詩紀》録彦詩二篇,未備。

太子左率王肅之集三卷　録一卷

《隋志》亡。《世説·排調門》注引《王氏譜》曰:"肅之字幼恭,右將軍羲之第四子,歷中書郎、驃騎咨議。"與《隋志》所題異。

黄門郎王徽之集八卷

《隋志》亡。徽之,附羲之傳。

徵士謝敷集五卷　録一卷

《隋志》亡。

太常卿孔汪集十卷

《隋志》亡。汪,附《孔愉傳》。

陳統集七卷　字元方。

《隋志》亡。《類聚》三十四:"晋劉臻妻陳氏《答舅母書》曰:'元方春秋始富,德業亦隆,豈意一朝冥然長往。'又云:'俯悼二弟,斯人斯命,當可奈何。'"陳氏,統之姊也。

太常王愷集十五卷

《隋志》亡。愷,附《王湛傳》。

右將軍王忱集五卷　録一卷

《隋志》亡。忱,附《王湛傳》。

太常殷允集十卷

《隋志》亡,《唐志》著録。《世説·賞譽門》注引《中興書》曰:"允字子思,陳郡人,太常康第六子。恭素謙退,有儒者之風。歷吏部尚書。"《類聚》九十九、《書抄》一百三十三並引殷允《杖銘》。

徵士戴逵集十卷　録一卷

《隋志》九卷,缺殘。《唐志》十卷。

光禄大夫孫廞集十卷

《隋志》亡。《王談傳》有會稽太守孔廞，疑是"孫廞"之誤。孔衍《在窮記》，《太平御覽》或引作"孫舒元《在窮記》"，是其證。

尚書左丞徐禪集六卷

《隋志》亡。《晋中興書》："永和中，將禘太廟，應有遞毁。尚書郎徐禪詣喜虞喜。講焉。"《御覽》卷五百三。《通典》禮類屢引禪議。

太子前率徐邈集二十卷　録一卷

《隋志》九卷，《唐志》八卷。

給事中徐乾集二十卷　録一卷

《御覽》六百九十七録徐乾《古履儀》，"儀"當作"議"。《唐書·宰相世系表》："徐澹，晋長壽令。生乾，乾字文祚，給事中。"

冠軍將軍張玄之集五卷　録一卷

《隋志》亡。《世説·言語門》注："《續晋陽秋》曰：'張玄之，字祖希，吴郡太守澄之孫也。少以學顯，歷吏部尚書，出爲冠軍將軍、吴興太守。'"

員外常侍荀世之集八卷

《隋志》亡。按荀世之無攷。《釋文·序録》"荀訥字世言"，蓋"言"、"之"二字，因草書形近而譌。

袁山松集十卷

《隋志》亡。山松，附《袁瓌傳》。仕至吴郡太守，此失題其官。

黄門郎魏逷之集五卷

《隋志》亡。《世説·賞譽門》注曰："魏隱兄弟，少有學義。"注引《魏氏譜》曰："隱字安時，會稽上虞人。弟逷，黄門郎。"《高僧傳》卷十一有會稽魏邁之、放之等。

驃騎參軍卞湛集五卷

《隋志》亡，《唐志》著録。

金紫光禄大夫褚爽集十六卷　録一卷

《隋志》亡。爽在《外戚傳》。

豫章太守范甯集十六卷

《唐志》十五卷。

餘杭令范宏之集六卷

《隋志》亡。宏之,見《儒林傳》。

司徒王珣集十卷　録一卷

《唐志》同。

處士薄蕭之集十卷

《隋志》九卷,《唐志》十卷,"蕭之"作"肅之"。張懷瓘《書斷》:[①]"晋薄紹之,字敬叔,丹陽人。官至給事中。"當是蕭之同族人。

安北叅軍薄要集九卷

《隋志》亡。

薄邕集七卷

《隋志》亡。

延陵令唐邁之集十一卷　録一卷

《隋志》亡。《藝文類聚》五十三有庾闡《薦唐亗牋》,亗似字永延。未知是此人否。俟攷。

殿中將軍傅綽集十五卷

《隋志》亡。

車騎參軍何瑾之集十一卷

《隋志》亡。《通典》卷五十五"東晋穆帝升平中,何瑾請備五岳祠",即此人。

驍騎將軍宏戎集十六卷

① "瓘"原誤作"瑾"。

《隋志》亡。《庾冰傳》:"卞耽與曲阿人宏戎,發兵屯新城。"

御史中丞魏叔齊集十五卷

《隋志》亡。《世説·排調門》注引《魏氏譜》:"顗字長齊,會稽人。父説,大鴻臚卿。"疑叔齊乃顗弟也。

司徒右長史劉甯之集五卷

《隋志》亡。

臨海太守辛德遠集四卷

《隋志》五卷,《唐志》《辛昞集》四卷。德遠蓋昞字,唐人諱昞,故稱其字也。《世説·德行門》注引《晋安帝紀》曰:"孫恩於海上聚衆十萬人,攻没郡縣,後爲臨海太守辛昞斬首送之。"即此人,今《晋書》避諱作"辛景"。《御覽》三百三十七引辛昞《洛成時與桓郎箋》。

太保王恭集五卷　録一卷

《隋志》亡。

殷顗集十卷[①]　録一卷

《隋志》亡。按本傳,顗官至南蠻校尉,[②]此失題其官。

荆州刺史殷仲堪集十卷　録一卷

《隋志》十二卷,《唐志》十卷。《御覽》八百三十六引之。

東陽太守殷仲文集五卷

《隋志》七卷,《唐志》同。《世説·文學門》注:"《續晋陽秋》曰:'仲文雅有才藻,著文數十篇。'"鍾嶸《詩品》曰:"晋宋之際,殆無詩乎。義熙中,以謝益壽、殷仲文爲華綺之冠,殷不競矣。"

司徒王謐集十卷　録一卷

---

① "顗"原誤作"覬",據《晋書》本傳改正。

② 同上。

《唐志》同。謐,附《王導傳》。

光禄大夫伏系之集十卷　録一卷

《隋志》亡。系之,附《文學·伏滔傳》。

右軍參軍孔璠集二卷

《藝文類聚》八十二有孔璠之《艾賦》、《艾贊》,當即此人。璠之或稱璠,猶劉簡之或稱劉簡,庾蔚之或稱庾蔚也。《唐志》《孔璠之集》二卷。

衛軍諮議湛方生集十卷　録一卷

《唐志》同。王謨《豫章十代文獻略》云:"《隋志》不詳何許人。今攷湛氏望出豫章,而方生又有《廬山詩序》及《帆入南湖詩》,其爲豫章人無疑也。《詩》及《序》俱見《藝文類聚》。"又《類聚》、《初學記》引方生詩文甚多,不悉出。

光禄大夫祖台之集二十卷

《隋志》十六卷,《唐志》十五卷。《御覽》七百三十九引祖台之議錢耿殺妻事,四百五十七引祖台之《與王荆州書》。

通直散騎常侍顧愷之集二十卷

《隋志》七卷。愷之在《文苑傳》。張彦遠《歷代名畫記》卷五記愷之事,注云:"見晋史《中興書》、檀道鸞《續晋陽秋》、劉義慶《世説》及顧集。"①梁鍾嶸《詩品》云:"長康能以二韵答四首之美。"

太常劉瑾集五卷

《隋志》九卷,《唐志》八卷。《世説·品藻門》注:"《劉瑾集·叙》曰:'瑾字仲璋,南陽人。祖遐,父暢,暢娶王羲之女,生瑾。瑾有材力,歷尚書、太常卿。'"《桓玄傳》:"以平西長史劉瑾爲尚書。"

---

① "説"原誤作"記"。

左僕射謝混集五卷

《隋志》三卷。混，附《謝安傳》。《宋書·謝靈運傳》論曰："仲文始革孫許之風，叔源大變太元之氣。"叔源，混字也。

秘書監滕演集十卷　録一卷

《唐志》一卷。

司空長史王誕集二卷

誕，《宋書》、《南史》皆有傳。《書抄》一百二十、《類聚》六十、《御覽》三百三十九並引王誕《祭牙文》。

太尉咨議劉簡之集十卷

《隋志》亡。簡之，事見《宋書·劉康祖傳》。劉謙之《晋紀》曰："桓玄欲復虎賁中郎將，疑應直與不，[①]訪之僚佐，咸莫能定。參軍劉簡之原誤'蘭之'。對曰：'昔潘岳爲《秋興賦》，序云："兼虎賁中郎將，寓直於散騎之省。"以此言之，是直官也。'"《御覽》二百四十一。《世説·方正門》注："《劉氏譜》曰：'簡字仲約，南陽人。祖喬，豫州刺史。父珽，潁川太守。簡仕至大司馬參軍。'"《唐書·宰相世系表》："劉喬字伯彦，晋太傅軍諮祭酒。生挺，潁川太守。二子，躭、簡。躭字敬道，爲尚書令。"

丹陽太守袁豹集十卷　録一卷

《隋志》八卷，《唐志》十卷。《世説·文學門》注："邱淵之《文章敍》曰：'豹字士蔚，陳郡人。祖躭，父質。豹隆安中著作佐郎，累遷太尉長史、丹陽尹。義熙九年卒。'"

廬江太守殷遵集五卷　録一卷

《隋志》亡。

興平令荀軌集五卷

① "應直"原誤作"直省"，據中華書局影印本《太平御覽》改正。

《隋志》亡。

西中郎長史羊徽集十卷　録一卷

《隋志》九卷,《唐志》一卷。《類聚》八十九引晋羊徽《木槿賦》。

國子博士周祇集二十卷　録一卷

《隋志》十一卷,《唐志》十卷。祇有《隆安記》,見史部。

始安太守卞裕集十五卷

《隋志》十三卷,《唐志》十四卷。明馮惟訥《晋詩紀》卞裕。

相國主簿殷闡集十卷　録一卷

《隋志》亡。《殷仲文傳》:"何無忌令府中文人殷闡、孔甯子之徒,撰義構文,以俟其至。"

太常傅廸集十卷

《隋志》亡。《世説·識鑒門》注引《宋書》曰:"廸字長猷,瑗長子也。位至五兵尚書,贈太常。"

韋公藝集六卷

《隋志》亡。《真誥·闡幽微》第一云:"韋遵字公藝,吴人韋昭之孫也。博學有文才,善書。仕晋成穆之世,爲尚書左侍郎、中書黄門侍郎,代王逸少爲臨川郡守。以母爱當是'憂'字之誤。亡,年六十四。"

毛伯成集一卷　按《隋志》總集類注云:"伯成,東晋征西參軍。"

《世説·言語門》注引《征西寮屬名》曰:"毛玄字伯成,潁川人。仕至征西行軍參軍。"

張重華酒泉太守謝艾集八卷

《隋志》七卷,《唐志》八卷。《文心雕龍·鎔裁篇》曰:"昔謝艾、王濟,西河文士,張駿以爲艾繁而不可删,濟略而不可益。"《御覽》三百五十九:"謝艾《密令與楊初》曰:'今遣舍人孔章,特口論要密,將軍可差腹心人旨至珊瑚馬勒香瓔一具遺王擢，王擢狐疑於將軍父子，事得施矣。'"

撫軍長史蔡系集二卷

《隋志》亡，《唐志》著録。系，蔡謨少子，見謨傳。

護軍將軍江彬集五卷　録一卷

《隋志》亡。"彬"，《晋書》作"虨"，附見《江統傳》。《書抄》六十："江虨原誤'彪'。《駁議》云：'左、右丞都無彈外官之事。'"《唐志》《江霖集》五卷，"霖"乃"虨"字之譌。

中軍功曹殷曠之集五卷

《隋志》亡。曠之，見《殷仲堪傳》，云仕至剡令，與《七録》異。

太學博士魏説集十三卷

《隋志》亡。

征西主簿邱道護集五卷　録一卷

《隋志》亡。道護有《道士支曇諦誄》，見《廣宏明集》二十六。

柴桑令劉遺民集五卷　録一卷

《隋志》亡。《御覽》五百八十二："劉道民詩云：'亦有遠而合，蜀桐鳴吴石。'""道民"當是"遺民"之誤。按此詩《水經·漸江水》注已引之。

曹毗集四卷

按《隋志》已録《光禄勳曹毗集》十五卷，此疑别本，姑並存其目。

王茂略集四卷

《唐志》同。《王鑒傳》："弟濤，有文筆，字茂略。歷著作郎、無錫令。"蓋即其人。惟《隋志》已録《著作佐郎王濤集》五卷，疑亦别本也。

宗欽集二卷

郭澄之集十卷

《隋志》亡。按《文苑》本傳，澄之位至相國從事中郎。

徵士周桓之集一卷　疑當作“續之”。

《隋志》亡。《通志·藝文略》七作“周元之”,蓋避宋諱。

孔瞻集九卷

《隋志》亡。

陶潛集五卷　録一卷

《隋志》九卷,題“宋徵士”。《唐志》二十卷,又五卷。

張野集十卷

《隋志》亡。野事詳史部地理類。《高僧傳》卷六《釋慧遠傳》有南陽張萊民,即此人。《蓮社高賢傳》:“野卒於義熙十四年。”《隋志》列入宋人,誤也。陳舜俞《廬山記》卷二引遠公《匡山集》,稱“張常侍野”。

秘書監徐廣集十五卷　録一卷

《隋志》題“散騎常侍”。按本傳云:“劉裕受禪,乞歸,卒於家。”故當以晋官題之。

桓玄集二十卷

《唐志》同。《藝文類聚》七引桓玄《遊荆山詩》。

沙門支道林集十三卷

《隋志》八卷,《唐志》《支遁集》十卷。《高僧傳》云:“遁所著文翰·集有十卷,盛行於世。”阮文達《四庫未收書目提要》云:“《支遁集》,《宋志》不著録。《讀書敏求記》及《述古堂書目》作二卷,知缺佚多矣。是編上卷詩,凡十八首;下卷書銘及讚,凡十五首。”按近人蔣清翊有《補遺》一卷。

沙門支曇諦集六卷

《唐志》同。嚴可均《全晋文》録曇諦文得四篇。可均云:“案邱道護作《曇諦誄》,以爲義熙七年五月卒,道護與曇諦友善,必不有誤。《高僧傳》七案當作‘八’。作宋元嘉卒,恐未可據。”

沙門釋惠遠集十二卷

《唐志》十五卷。梁慧皎《高僧傳》云:"遠所著論、序、銘、贊、詩、書,集爲十卷,五十餘篇,見重於世。"宋陳舜俞《廬山記》卷二云:"廣明中,遠公《匡山集》爲淮南高駢所毁。《匡山集》二十卷,景福中嘗重寫,明道中爲部使者刑部許申所借。今本十卷,寺僧抄補,用以譌舛云。"

姚萇沙門釋僧肇集一卷

苻堅丞相王猛集九卷　録一卷

孫恩集五卷

武帝左九嬪集四卷

《隋志》亡,《唐志》一卷。《御覽》一百四十五云:"《左九嬪集》有《離思賦》、《相風賦》、《孔雀賦》、《松柏賦》、《泣嘔頌賦》、《納皇后頌》、《楊皇后登祚讚》、《芍药花頌》、《鬱金頌》、《菊花頌》、《神武頌》、四言詩四首、《武元皇后誄》、《萬年公主誄》。"《類聚》二十九有左九嬪《離思詩》。

江州刺史王凝之妻謝道韞集二卷

《婦人集》曰:"謝夫人,名道韞,有文才,所著詩、賦、誄、頌傳於世。"《世説·言語門》注。

司徒王渾妻鍾夫人集五卷

《隋志》亡,《唐志》二卷。《世説·賢媛門》注:"《王氏譜》曰:'鍾夫人名琰之,太傅繇之孫。'"《列女傳》云:"名琰。"《初學記》卷三引鍾夫人詩曰:"洌洌季冬,素雪其霏。"《類聚》九十二有鍾夫人《鶯賦》。

太宰賈充妻李扶集一卷

《隋志》亡。《世説·賢媛門》注引《婦人集》曰:"充妻李氏名婉,字叔文。"與《志》異。

武平都尉陶融妻陳窈集一卷

《隋志》亡。

都水使者徐藻妻陳玢集五卷

《隋志》亡。按《志》誤奪“徐藻”二字,今據《藝文類聚》二十二引玢《與妹劉氏書》、《太平御覽》九百七十引玢《石榴賦》並題徐藻妻,故依以補入。《康獻褚皇后傳》有太學博士徐藻,當即其人。

海西令劉驎妻陳珍集七卷

《隋志》亡。驎,《通志略》作“麟”。

劉柔妻王劭之集十卷

《隋志》亡。劭之,《通志略》作“邵之”。[①]

劉臻妻陳氏集二卷

見《唐志》。

散騎常侍傅伉妻辛蕭集一卷

《隋志》亡。《類聚》録文三篇,嚴可均已抄入《全晋文》。又卷四有傅充妻辛氏《元正詩》,九十二題“傅統妻辛女《燕頌》”,皆不作“傅伉”。《書抄》一百五十五亦引傅統妻《元正詩》。

松陽令鈕滔母孫瓊集二卷

《隋志》亡。《類聚》三十四有晋劉滔母孫氏《悼艱賦》,“劉滔”當是“鈕滔”之誤。《書抄》一百一十引鈕滔母孫氏《箜篌賦》云:“匪借和於簫管,豈假韻於筑箏。”孔校云:“嚴輯孫氏《箜篌賦》脱此二句。”

成公道賢妻龐馥集一卷

《隋志》亡。

宣城太守何殷妻徐氏集一卷

《隋志》亡。以上皆《隋志》所有。

盧欽　小道數十篇

① “邵”原誤作“劭”,據《二十五史補編》本改正。

本傳："欽所著詩、賦、論、難數十篇，名曰《小道》。"《春秋左氏傳·序》正義引盧欽《公羊序》云："孔子自因魯史記而修《春秋》，制素王之道。"《類聚》二十二"《魏志》曰盧欽著書稱徐邈"云云，亦當是《小道》中之一篇。

文立　章奏詩數十篇

本傳。《華陽國志》曰："凡立章奏，集爲十篇，詩、賦、論、頌亦數十篇。"

陳壽　述作二百餘篇

見《華陽國志》。按《華陽國志》載，壽弟符、莅、階，亦各數十篇。

木華集

《文選》卷十二引《木華集》曰："爲楊駿府主簿。"又引今書《七志》曰："木華，字玄虚。"

紀瞻　詩賦牋表數十篇

本傳。

常寬　詩賦論議二十餘篇

見《華陽國志》。

劉聰　述懷詩百餘篇　賦頌五十餘篇

見《劉聰載記》。

慕容儁　著述四十餘篇

見儁載記。

陳壽　次定諸葛亮故事集二十四篇

見《三國志·諸葛亮傳》及《華陽國志》。

成公綏　錢神論。

《御覽》八百三十六引之。

葛洪　碑誄詩賦一百卷　移檄章表三十卷

本傳。

索綏　六夷頌符命傳十餘篇

見《御覽》一百二十四引崔鴻《前涼録·張元靖傳》。

段業　九歎七諷十六篇

見《吕光載記》。

高柔集

《世説·輕詆門》:"高柔在東,甚爲謝仁祖所重。"注引孫統爲柔集敍曰:"柔字世遠,樂安人。才理清鮮,安行仁義。婚泰山胡母氏女,姿色清惠,近是上流婦人。柔既罷司空參軍、安固令,營宅伏川,馳動之情既薄,又愛翫賢妻,便有終焉之志。尚書令何充取爲冠軍參軍,僶俛應命,眷戀綢繆,不能相舍。相贈詩書,清婉辛切。"按此與魏之高柔,别是一人。魏高柔字文惠,《三國志》有傳。《書抄》一百一十:"高惠文《與婦書》曰:'今置琵琶一枚,音甚清亮也。'"《書抄》一百三十六引高文惠婦《與文惠書》云:"今奉織成襪一緉。"《御覽》六百九十七,又八百十六,引作"袜一量"。《御覽》六百八十九:"高文惠婦《與文惠書》曰:'今聊奉組生履一緉。'"六百八十八:"高文惠婦《與文惠原誤'惠文'。書》曰:'今奉總帢十枚。'"據《世説》注,當是高世遠婦,《書抄》、《御覽》誤也。

阮德猷集

《北堂書抄》卷六十引《阮德猷集》云:"策在上第,即拜尚書郎。毁譽之徒或言,對者因緣假託,詔乃更延羣才廷對。"案此事亦見《晋書》卷五十二。德猷,阮裕字。

衞桓集

《書鈔》卷六十二"《衞恒集》云程邈爲衙獄吏"云云。《晋書》三十六載《四體書勢》,其文正同。惟虞伯施既以集標題,當不止《書勢》一篇,蓋《隋志》偶佚耳。

王沈集

《北堂書鈔》卷九十九引《王沈集・序》云:"沈著《魏書》,多爲時諱,未同陳壽實録也。"按《隋志》有《王沈集》五卷,列齊王攸後、鄭袤前,當是官驃騎將軍之王沈。此論其撰《魏書》,則秘書監之王沈也。

總集類

摯虞　文章流別集六十卷　志二卷　論二卷　《隋志》四十一卷,《志》、《論》二卷。

本傳、《唐志》並云三十卷。《詩・關雎》正義引作"文章流外集",恐誤。《隋志》云:"虞採摘孔翠,芟剪繁蕪,自詩賦下,各爲條貫,合而編之,謂爲《流别》。"《文心雕龍・才略篇》:"摯虞品藻流别,有條理焉。"嚴可均從《類聚》、《御覽》、《書鈔》録得十二條,未能詳備。又按《書鈔》卷一百:"摯虞《文章流别論》云:'圖讖之屬,雖非正文之制,然以取其縱横有義,反復成章。'"卷一百二:"《文章流别論》云:'《頌》,《詩》之美者也。古者聖帝明王,功成治定,而頌聲興。於是史録其編,工歌其章,以奏於宗廟,告於神明,餘者大抵似此,此爲後世文史類之始。'"隋世並入總集,今亦不復别出焉。《御覽》五百九十、五百九十六並引作"文章流别傳"。

謝混　文章流别本十二卷

李充　翰林論五十四卷

《隋志》三卷,《唐志》同。《初學記》、《太平御覽》引八條,嚴可均《全晋文》録之。《御覽》五百八十八、五百九十三、五百九十四兩引,五百九十五、五百九十七、五百九十八。

謝混　集苑六十卷

《隋志》四十五卷,不題撰人,今從《唐志》。

吴朝士文集十三卷

謝沈　名文集四十卷

見《舊唐志》。

謝沈　文章志録雜文八卷

顧愷之　晋文章記

五都賦六卷　並《録》。

《隋志》云張衡及左思撰,蓋即《二京》、《三都》也。

雜賦十六卷　東都賦一卷

《隋志》云孔逭作。

二京賦二卷

《隋志》云:"李軌、綦毋邃撰。"案《舊唐志》有綦毋邃《三京賦音》一卷,《隋志》又有李軌《三都賦音》一卷,此亦當是《二京賦音》也。

齊都賦二卷

《隋志》云:"左思撰。"《唐志》:"左太沖《齊都賦》一卷。"《文選》二十八注引左思《齊都賦》注曰:"《東武》、《太山》,皆齊之土風絃歌謳吟之曲名也。"《水經・淄水》注引左思《齊都賦》注:"申池在海濱,齊藪也。"又云:"左氏捨近取遠,考古非矣。"知注亦思自撰也。《文苑・左思傳》云:"造《齊都賦》,一年乃成。"《史記・孟荀列傳》"炙轂過髡"集解引左思《齊都賦》注曰:"言其多智,難盡如炙膏,過之有潤澤也。"

傅玄等　相風賦七卷

《御覽》八百九有杜萬年《相風賦》,稱"太僕傅侯命余賦之",當出此書。《北堂書鈔》一百三十引傅玄、張華、潘岳《相風賦》。

虞千紀　迦維國賦二卷　右軍行參軍。

郭璞　注子虛上林賦一卷

《隋志》。梁有,隋亡。按李善注《文選・上林》、《子虛賦》用郭注。

晁矯　注二京賦一卷

武巽　注二京賦二卷

張載及劉逵　衛瓘　注左思三都賦三卷　逵，侍中。瓘，懷令。

《通典》職官部三引衛瓘《吴都賦注》。李善《文選注》曰："《三都賦》成，張載爲注《魏都》，劉逵爲注《吴》、《蜀》。"而不標衛瓘名。案《魏志·衛臻傳》注云："衛楷子權，字伯興，作左思《吴都賦敍》及注。《叙》粗有文辭，至於爲注，了無所發明，直爲塵穢紙墨，不合傳寫也。"崇賢不取，職此之由。"瓘"當作"權"，《隋志》似誤。《文苑·左思傳》："皇甫謐爲其賦序，張載爲注《魏都》，劉逵注《吴》、《蜀》而序之。陳留衛瓘又爲思賦作《略解》。"亦與《隋志》異。

綦毋邃　注三都賦三卷

《御覽》九百二十八："左思《蜀都賦》曰：'鷩鵜山栖。'綦毋遂當作'邃'。注曰：'鷩鵜，鳥名，如今山雞。其色班，其雛色異。出江東。'"

張載　注王延壽魯靈光殿賦

李善《注文選》録之。

蕭廣濟　注木玄虚海賦一卷

蕭廣濟　注江賦

《太平寰宇記》卷七十二："蕭廣濟《注江賦》云：'觸玉壘山，東迴爲沱。'"

李軌　三都賦音一卷

李軌　齊都賦音一卷

見《舊唐志》。

戴安道　南都賦圖

見張彦遠《名畫記》卷三。

史道碩　蜀都賦圖　琴賦圖

見《歷代名畫記》卷五。

司馬彪　注子虛上林賦

按《文選·子虛》、《上林賦》注屢引彪説,皆專爲賦作,故據以入録。宋玉《登徒子好色賦》注稱司馬彪注《漢書·子虛賦》,[①]鮑明遠《擬古詩》注引司馬彪《上林賦注》。

索靖　晋詩二十卷

本傳。

荀綽　二晋雜詩二十卷

荀綽　古今五言詩美文五卷

木連理頌二卷

《隋志》曰:"晋太元十九年羣臣上。"按本《志》兩見。《類聚》九十八有湛方生《木連理頌》,非此時作。《唐志》著録。

涼王李暠　靖恭堂頌一卷

《唐志》同。《北史》李延壽自序曰:"涼武昭王立靖恭堂,圖讚自古聖帝明王、忠臣孝子、烈士貞女,[②]親爲序頌,[③]以明鑒戒之意。"[④]《御覽》八百八十九有《西涼武昭王麒麟頌》。《御覽》一百七十六引《三十國春秋·西涼傳》曰:"李暠於南門外臨水起堂,名曰靖恭堂,以議朝政、閲武事。堂成,圖讚自古明王、忠臣、孝子、貞女,暠自爲序,以明鑒戒。文武羣寮,亦皆圖焉。是月,白雀翔于靖恭,暠頌之。"

干寶　百志詩九卷

《隋志》云:"梁五卷。"《舊唐志》作"《百志詩集》五卷"。按《太平御覽》卷三百六引干寶《百志詩》一首。

---

① "色賦"原誤倒。

② "圖"下原有"畫"字,據武英殿本《北史》删。

③ "頌"原作"讚",據武英殿本《北史》改。

④ 此《自序》即《北史·序傳》。

古遊仙詩一卷

應貞　注應璩百一詩八卷

蜀郡太守李彪　百一詩二卷

《唐志》"李虁《百一詩集》二卷","彪"、"虁",未詳孰是。

毛伯成詩一卷

按《隋志》别集類有《毛伯成集》一卷,此總集又録其詩一卷,疑詩、文分集也。今無從攷正,姑依用其目。

張野　廬山唱和詩

《永樂大典》六千三百三十九引《江州志》曰:"張野又有《廬山唱和詩》,略曰:'覿嶺混大象,望崖莫由檢。器遠藴其天,超步不階漸。朅來越重限,一舉拔塵染。乘此攄瑩心,可以忘遺點。'"語極超曠。

張湛　古今九代歌詩七卷

蘭亭詩一卷

見《宋史·藝文志》别集類。

晋元正宴會游集四卷

《舊唐志》云:"伏滔、袁豹、謝靈運等撰。"《新唐志》無"等"字,"撰"作"集"。

金谷詩集

《魏志·蘇則傳》注:"松之案蘇愉子紹,字世嗣,爲吴王師。石崇妻,紹之女兄也。[①] 紹有詩在《金谷集》。"《水經·瀔水》注引石季倫《金谷詩集·叙》曰:"余以元康七年從太僕出爲征虜將軍,有别廬在河南界金谷澗,中有清泉茂樹,衆果、竹、柏、藥、草皆具。"

苻堅秦州刺史竇滔妻蘇氏　織錦廻文詩一卷

---

① "女兄"原互倒,據中華本《三國志》乙正。

今存。唐武后《璇璣圖序》曰:“前秦苻堅時,扶風竇滔妻蘇氏名蕙字若蘭。滔鎮襄陽,絶蘇氏音問。蘇氏因織錦爲廻文,五彩相宣,縱廣八寸,題詩二百餘首,計八百餘言,縱横反覆,皆爲文章。”按《太平御覽》卷五百二十引崔鴻《前秦録》曰:“秦州刺史竇滔妻,彭城令蘇道之女,有才學。織錦製《廻文詩》以贖夫罪。”其説特異。按《迴文詩》無怨懟之詞,亦無懷思之語,鴻之所言,當得其實。吴淑《事類賦·錦賦》注引臧榮緒《晋書》曰:“竇滔妻蘇氏,善屬文。苻堅時,滔爲秦州刺史,被徙流沙,蘇氏思之,織錦爲《迴文詩》寄滔,循環宛轉以讀之,詞甚淒切。”《晋書·列女傳》同。此言滔被徙流沙,亦與崔鴻所記相近。

李宓　釋河内趙子聲譏詩賦之屬二十餘篇

見《華陽國志》。

張湛　古今箴銘集十四卷　録一卷

《唐志》十三卷。

張湛　衆賢誡集十五卷　雜誡箴二十四卷　女箴一卷　女史箴圖一卷

《衆賢誡集》,《隋志》作“《箴集》十六卷”,今從《舊唐志》。《女箴》以下,《唐志》不箸録。按《宣和畫譜》卷一:“顧愷之亦有《女史箴圖》。”今不録,附箸於此。

綦毋邃　誡林三卷

《舊唐志》綦毋氏《誡林》三卷,入儒家。

王誕　四帝誡三卷

《桓玄傳》:“流驃騎長史王誕於交廣諸郡。”[①]當即此人。

傅玄　七林

① “於”原作“於於”。

《太平御覽》五百九十引摯虞《文章流别論》曰："傅子集古今七篇品之，署曰《七林》。"按此卷又引玄《七謨序》，論《七發》、《七激》、《七依》、《七説》、《七蠲》、《七舉》、《七誤》、《七厲》、《七辨》、《七啓》、《七釋》、《七訓》、《七華》、《七誨》、《七釋》，凡十五卷。

陳勰　雜碑二十二卷　碑文十五卷　將作大匠。

車灌　碑文十卷

羊祜　墮淚碑一卷

桓宣武碑十卷

長沙景王碑文三卷

郭象　碑論十二篇

本傳。

設論集三卷

《隋志》云："梁有《設論集》三卷，東晋人撰。"《文心雕龍·論説篇》云："江左羣談，唯玄是務，雖有日新，而多抽前緒矣。"

宗岱　明真論一卷　兖州刺史。疑當作"宋岱"。

《御覽》五百九十五："《語林》曰：'宋岱爲青州刺史，著《無鬼論》，甚精。'"即此人。《文心雕龍·論説篇》曰："宋岱、郭象，鋭思於幾神之區。"《隋志》易類題"荆州刺史"。

陸機　連珠一卷

《隋志》："《連珠》一卷，陸機撰，何承天注。"按此以注故入總集。然承天宋人，今當不録。以《隋志》所有，姑存之。

三國詔誥十卷

晋咸康詔四卷

晋朝雜詔九卷

晋雜詔百卷　録一卷

《唐志》同。

晋雜詔二十八卷　録一卷

《唐志》同。

晋詔六十卷

《唐志》《晋雜詔》又六十六卷。

晋文王武王雜詔十二卷　《御覽》二百二十一引《晋武帝詔》。

王隱《晋書》曰:"武帝泰始四年,班五條詔書于郡國,一曰《正身》,二曰《勤民》,三曰《撫孤寡》,四曰《敦本息華》,五曰《去人事》。"《御覽》五百九十三。

晋元帝詔十二卷

成帝詔草十七卷

康帝詔草十卷

建元直詔三卷

永和副詔九卷

本紀:"泰始六年,詔曰:'自泰始以來,大事皆撰録,秘書寫副。後有其事,輒宜綴集以爲常。'"案此晋時副詔之例,永和以前蓋佚不傳。

升平隆和興甯副詔十卷

太元咸甯甯康副詔二十二卷

《唐志》《晋太元副詔》二十一卷。

隆安直詔五卷

元興太亨副詔三卷

《唐志》《晋崇安元興太亨副詔》八卷。

義熙詔十卷

《唐志》《晋義熙詔》二十二卷。

義熙副詔十卷

晋定品雜制一卷

見《新唐志》史部起居注類。

晋敕

宋晁氏《續談助》録殷芸《小説》引之。《文心雕龍·詔策篇》曰:"晋武戒敕,備告百官:敕都督以兵要,戒州牧以董司,警郡守以恤隱,勒牙門以御衛,有訓典焉。"

晋詔書黄素制五卷

見《唐志》起居注類。

陳長壽　漢名臣奏三十卷

《舊唐志》作"陳壽"。《北堂書抄》卷五十引作"漢名臣奏事",餘所引多作"漢名臣奏"。《世善堂書目》尚有《漢名臣奏事》三十卷。《後漢》卷九十下注。

陳長壽　魏名臣奏三十卷

《舊唐志》作"陳壽"。裴松之《三國志注》屢引之。按《隋志》刑法類有陳壽《魏名臣奏》四十卷,當是互見。今書已佚,無由得知,故仍兩存其目。

晋諸公奏十一卷

《書鈔》六十二引《晋百官奏事箴》云:"侍御史一人,秩與御史同,掌治詔獄,及廷尉不當者,皆治之。"

雜表奏駁三十五卷

李充《翰林論》曰:"駁不以華藻爲先,世以傅長虞每奏駁事,爲邦之司直矣。"《御覽》五百九十四。

杜預奏事

《類聚》九十四、《書抄》一百五十四引之。

劉隗奏五卷

《文心雕龍·奏啓篇》云:"劉隗切正,而劾文闊略。"

孔羣奏二十二卷

羣,附《孔愉傳》,云:"仕歷中丞,卒於官。"

金紫光禄大夫周閔奏事四卷

釋道世《法苑珠林》卷十八引《冥祥記》云"晋周閔,汝南人。晋護軍將軍。蘇峻之亂,避難單行"云云,當即此人。

中丞劉卲奏事六卷

《世説·言語門》"侍中劉卲"注引《文字志》曰:"卲字彦祖,彭城叢亭人。祖訥,司隸校尉。父松,成皋令。卲博學識,好學多藝能,善草隸。初仕領軍叅軍。太傅出東,卲謂京洛必危,乃單馬奔揚州。歷侍中、豫章太守。"蓋即此人。

中丞司馬無忌奏事十三卷

按《北堂書鈔》一百三十四引司馬無忌《圓竹扇賦》,則無忌當自有集,不獨《奏事》而已。又卷六十一引《晋中興書》:"司馬無忌讓屯騎校尉之任:[①]'職典禁兵,宿衛事重,必宜其人,豈臣微弱所克堪也。'"

中丞虞谷奏事六卷

《蘭亭讌集圖》有山陰虞谷。

中丞高崧奏事六卷

《通典》六十:"晋御史中丞高崧從弟喪服末欲爲子婚,書訪尚書范汪。"即此人。

山公啓事三卷

《唐志》十卷。《世説》注引之,多稱"山濤啓事"。嚴可均輯録此書得五十餘事。《通典》卷二十三曰:"山濤爲吏部尚書,用人每先密啓,然後公奏,舉無遺才。凡所題目,終始如其言。唯用陸亮,尋以賄敗。"

李重　雜奏議

《書抄》四十九、《類聚》四十五並引之。

范甯　啓事十卷

---

① "校尉"原互倒。

本傳"補豫章太守，臨行上疏"云云，"請出臣啓事，付外詳擇"。是當時啓事即奏疏也。

杜預　善文五十卷

《唐志》四十九卷。《齊書·晋安王子懋傳》："賜子懋杜預手所定《左傳》及《古今善言》。"是此書一名《古今善言》也。《玉海》五十四云："《史記·李斯傳》注：'辯士隱姓名，遺秦將章邯書，在《善文》中。'"《困學紀聞》卷十二同。廷式案陶淵明《聖賢羣輔録》、章懷太子《後漢書·皇后紀》注並引《善文》，當出此書。《御覽》四百三十一引《古今善言》曰："靈帝時，欲用羊續爲三司，而中官求賂，續出黄紙補袍，以示使者。"

華廙　善文

本傳："集經書要事，名曰《善文》，行於世。"

殷仲堪雜集一卷

王履　書集八十八卷　散騎常侍。

《七録》八十卷，《唐志》同。

葛洪　抱朴君書一卷

《抱朴子·自敍》云："軍書檄移章表牋記三十卷。"此一卷，殆殘佚之餘也。

蔡謨　蔡司徒書三卷

《書抄》一百二十六、《御覽》三百三十七有蔡謨《何驃騎書》，又《御覽》三百三十五有蔡謨《與弟書》。

吴晋雜筆九卷

左將軍王鎮惡與劉丹陽書一卷

殷仲堪　策集一卷

裴秀　奏事

《北堂書抄》卷六十兩引裴秀《奏事》。

阮籍　奏記

《文選》陶淵明《歸去來辭》注、任彦昇《到大司馬記室牋》、《齊竟陵文宣王行狀》、左太沖《招隱詩》注並引阮籍《奏記》。《御覽》四百四十四引阮籍《秦記》,竊謂"秦記"當是"奏記"之譌,今不取。

二十五史藝文經籍志考補萃編總目